Le
ROCKET

ROCH CARRIER

Le
ROCKET

Stanké

Données de catalogage avant publication (Canada)

Carrier, Roch, 1937-

  Le Rocket

  ISBN 2-7604-0779-9

  1. Richard, Maurice, 1921-2000. Romans, nouvelles, etc. I. Titre.

PS8505.A77R62 2000   C843'.54   C00-941592-0
PS9505.A77R62 2000
PQ3919.2.C37R62 2000

Dépôt légal: Bibliothèque nationale du Québec, 2000

ISBN 2-7604-0779-9

 Les Éditions internationales Alain Stanké remercient le Conseil des arts du Canada et la Société de développement des entreprises culturelles (SODEC) de l'aide apportée à leur programme de publication.

Nous reconnaissons l'aide financière du gouvernement du Canada par l'entremise du Programme d'aide au développement de l'industrie de l'édition (PADIÉ) pour nos activités d'édition.

Stanké International
12, rue Duguay-Trouin
75006 Paris
Tél.: 01.45.44.38.73
Téléc.: 01.45.44.38.73

Les Éditions internationales Alain Stanké
615, boul. René-Lévesque Ouest, bureau 1100
Montréal (Québec)   H3B 1P5
Tél.: (514) 396-5151
Téléc.: (514) 396-0440
editions@stanke.com
www.stanke.com

IMPRIMÉ AU QUÉBEC (CANADA)

LETTRE À L'ÉDITEUR

Mars 1998. Je n'écrirai pas un livre sur Maurice Richard. Vous m'invitez à raconter l'histoire du héros de mon enfance, le plus grand joueur de hockey de tous les temps. J'ai réfléchi comme vous me l'avez suggéré. Ma réponse est encore: non.

Il y a deux ans, le 11 mars, à la fermeture du Forum de Montréal, lorsqu'il est apparu sur la patinoire, la foule a ovationné monsieur Maurice Richard pendant plus de onze minutes. Tous avaient des larmes aux yeux... Le Rocket a joué son dernier match en 1960. Les trois quarts des gens qui acclamaient l'ancien champion n'étaient pas nés lorsqu'il a marqué son dernier but.

Et une grande nouvelle a bouleversé le Québec. Page frontispice de tous les journaux: Maurice Richard est atteint d'un cancer. J'ai vu bien des gens détruits par le cancer. Pourtant, je ne suis pas désespérément triste. Maurice Richard ne se laissera pas bousculer par le cancer. Ou bien il va le déjouer, ou bien il va le mettre K.-O. Maurice Richard n'a jamais reculé devant un agresseur. Maurice Richard ne peut pas perdre. Le vieil enfant que je suis devenu a encore besoin de son héros. Un héros sans crainte efface celle de l'enfant. Si son héros est sans peur, l'enfant s'avance dans la vie confiant.

Il y a quatre ans, le 18 juillet 1994, Lucille, la femme de Maurice Richard, est décédée. Quelques jours plus tard, un samedi soir, comme au bon temps du hockey à la radio, nous étions quelques amis, cheveux gris, devenus avocat, financier, politicien, économiste, et nous échangions des souvenirs de l'époque où le Rocket était l'empereur des patinoires. À la fin, nous avons tous convenu, tous, que nous allions pleurer le jour où le Rocket s'envolera vers la glace céleste.

Monsieur l'éditeur, je serais incapable d'écrire un livre sur Maurice Richard.

1

Le cancre à la mémoire étonnante

1945. C'est enfin l'hiver. La glace de la patinoire est maintenant bien lisse comme un ciel bleu. Au bas de la colline, les champs sont aussi blancs qu'ils étaient verts durant l'été. Les maisons portent des bonnets blancs. La fumée des cheminées est blanche. La rue est blanche. Dans mon village, on ne repousse pas la neige avec une charrue. On la laisse s'accumuler. Quand elle a fini de tomber, un gros rouleau de bois passe, tiré par des chevaux avec des glaçons qui cliquettent dans le poil de leurs jarrets. Le rouleau tasse la neige comme le rouleau à pâte de notre mère dans sa cuisine, quand elle prépare les tartes. Les automobiles sont remisées. Tout est si blanc. Tout est si calme dans ce beau froid étincelant.

Lundi. Nous sommes cinq écoliers coiffés de casques d'aviateur avec les oreillettes fourrées rabattues, vêtus de parkas à capuche fourrée, chaussés de bottes de feutre. Nos sacs sont bourrés de livres et de cahiers. Nous avons sept, huit, neuf ans. Bien sûr, nous savons qu'il y a une guerre dans les vieux pays. Nos parents écoutent les mauvaises nouvelles à la radio comme si c'était une prière à l'église. Si on fait du bruit, on déclenche la colère paternelle et maternelle. Nous, les écoliers, sommes heureux. Samedi dernier, les Canadiens ont gagné leur match contre Toronto.

Ce matin, nous écoutons notre ami Jacques. Il est le plus mauvais élève de la classe. Il est incapable de retenir ce que la religieuse nous enseigne. La plus courte réponse de tout le catéchisme vient après la question numéro 13: «Où est Dieu?» Il faut répondre: «Dieu est partout.» Jacques ne peut pas retenir ça... Trois fois neuf égale vingt-sept; Jacques ne peut pas retenir ça. Pas plus que deux fois neuf égale dix-huit. Il ne sait toujours pas combien fait une fois neuf. Il ne sait pas encore le nom de la capitale du Canada. Il ne peut se souvenir de rien de ce que la religieuse nous enseigne en classe mais, le lundi matin, il nous récite la description du match de hockey du samedi soir. Non seulement il se rappelle de tous les mots de Michel Normandin qui décrit le match à la radio, mais il imite aussi sa voix. Comme lui, il fait vibrer sa voix dans son nez et comme lui il fait rouler ses «r»: «Maurrrice RRRicharrrd rrreprrrend la rrrondelle et prrrojette le prrrojectile surrr Turrrk Brrroda et le Canadien rrreprrrend la rrroute verrrs la victoirrre surrr Torrronto!!!»

Nous montons la colline. Rien ne nous paraît impossible. Maurice Richard a gagné. Les Canadiens ont gagné. Nous avons gagné. Sous le ciel bleu, nous sommes plus grands, plus forts, plus importants. Maurice Richard a marqué deux fois. Nous avons marqué deux buts. Comme lui nous sommes des champions. La nouvelle semaine d'école ne pèse pas sur nos épaules. Nous sommes des Rockets. Nous avons gagné. Nous gagnerons encore. Nous savons que nous pouvons gagner. Quand on rencontre des adultes, ils voient que nous sommes des champions.

Faut-il se préoccuper quand on a un homme sur le dos?

1944. Un autre souvenir. Les samedis à la maison sont chaotiques. Nous sommes pressés, bousculés, poussés. Tout doit être fini avant le début du match des Canadiens à la radio. Notre mère est le commandant en chef des opérations.

Cela commence l'après-midi. D'abord notre mère, comme toutes les mères propres du village, lave le plancher. Quand on l'aperçoit à genoux, avec un seau d'eau savonneuse et une brosse, on sait que c'est le samedi: il y aura le match des Canadiens à la radio, Maurice Richard va marquer des buts. Ensuite, ce sera dimanche. Au lieu d'aller à l'école, on ira à l'église entendre le prêtre s'époumoner, en chaire, à nous faire peur avec les flammes de l'enfer et la fourche du diable.

Après avoir lavé le linoléum, notre mère, encore à genoux, le cire. Puis, c'est notre responsabilité de le faire reluire comme un sou neuf. Notre grand-mère va venir faire l'inspection et notre mère ne veut pas se faire reprocher de négliger son plancher. Alors le plancher devient pour nous une patinoire. On enfile des chaussons de laine et on glisse, on se poursuit, on se chasse, on pivote, on se bouscule. Cela finit toujours en une chamaillerie. L'arbitre, notre mère, en envoie un au banc des pénalités.

Enfin, notre père arrive de ses expéditions. Immanquablement, il imprime les traces de ses bottes sur le plancher propre. Notre mère s'impatiente d'avoir toujours à lui faire le même reproche. Le samedi précédent, il a aussi laissé ses traces. Le samedi d'avant aussi. Et tous les samedis. Notre mère a hâte comme nous de le revoir. Tout à coup elle est fâchée: «Ce plancher, je l'ai lavé à genoux!» Notre père, chaque fois, est étonné de tout ce bruit pour rien. Il regarde autour de lui comme s'il était atterri sur la lune. Alors, il propose son excuse, comme tous les samedis: «J'ai pas pensé.» Notre mère, subitement, n'est plus fâchée. Elle a pour notre père un sourire qu'on ne lui voit que le samedi: «T'as pas pensé... Je sais bien... T'as pas pensé... Vous autres, les hommes, vous avez la pensée ben courte...» Alors, nous les garçons, on regarde notre père retirer ses bottes. On se sent fiers: un jour, on sera des hommes comme notre père:

– C'est samedi. À soir, les petits gars, on écoute Maurice Richard!

C'est le souper. On avale vite. On n'aura pas le temps de tout faire avant le match. Notre père est revenu en retard, la viande maintenant est trop rôtie, les pommes de terre se défont comme de la farine, le pain est trop cuit et les tartes qu'elle a dû retirer du fourneau sont maintenant froides.

À cette complainte de notre mère, comme tous les samedis, notre père répond qu'il aurait aimé revenir beaucoup plus tôt. Malheureusement il est si difficile de gagner de l'argent. Le commerce est rendu impossible. Personne ne connaît l'avenir, avec cette guerre. Le bois ne se vend plus parce que, avec la guerre, c'est le temps du fer. À cause de la guerre, le prix de tout ce qu'il faut acheter augmente. Si la guerre continue, le gouvernement va ruiner les Canadiens français.

Moi, j'écoute cette leçon d'économie. Il ne nous reste qu'un espoir. Maurice Richard va donner une victoire aux Canadiens.

«Dépêchez-vous d'avaler!» À cause du retard de notre père, selon l'horaire de notre mère, nous sommes déjà en retard pour la récitation du chapelet.

Cet exercice religieux exige que l'on répète cinquante fois la même prière. Le bon Dieu n'est-il pas assez intelligent pour comprendre la première fois? Dans une rébellion pleurnicharde, nous n'avons pas envie de nous agenouiller. Notre mère renverse notre résistance. Et malgré nous, nous sommes de petits catholiques agenouillés. Notre mère est une ancienne institutrice: «Pour l'amour de Jésus, tenez-vous comme de vrais catholiques; je vous vois pousser, je ne veux pas que vous deveniez des petits communistes.»

Le match de hockey va commencer. Le chapelet n'est pas encore récité. Nous n'avons pas été baignés. Comme quelqu'un qui a l'intention de ne pas perdre la course, elle lance un mitraillage de mots pieux: «Notre Père qui êtes aux cieux, que...»

Petits soldats du Christ, on sait que le temps presse. On bouscule les mots, on bafouille, on bégaie. On se tient mal. On a le derrière trop sorti, les coudes trop appuyés, le dos trop courbé, on n'a pas les genoux posés par terre, on n'a pas les yeux fixés sur le crucifix accroché au mur. On a le sourire taquin, le visage pas assez pieux; notre mère interrompt les prières, corrige nos imperfections. La récitation du chapelet est cahoteuse, pénible, souvent interrompue.

À un moment, notre jeune frère, comique, dit: «Maurice Richard, qui êtes aux cieux...» Notre père, qui aime l'humour de notre frérot, se jette le visage dans les mains; on sait qu'il se cache pour rire. On voit ses épaules sautiller. Nous, les garçons, on se retient, mais ce n'est plus possible. On pouffe. Notre mère n'en peut plus de toute cette résistance à la prière. Elle se lève en frottant ses genoux fatigués. Le chapelet est fini avant d'être terminé. On est contents. Notre mère ne l'est pas du tout: «Toi, le père, t'es encore plus communiste que tes fils.» Et désespérée:

– Ce Maurice Richard, je ne sais pas ce qu'il vous fait.

Et nous sommes envoyés au bain. Depuis peu, nous avons une baignoire avec eau chaude, eau froide et eau tiède comme dans les villes. On en est fiers. Toutes les semaines, quelqu'un vient visiter notre salle de bains. La guerre nous a apporté le progrès moderne. Souvent, des fermiers viennent parler du progrès avec notre père, sur la véranda qui entoure notre maison. La guerre a aussi amené des tracteurs chez les fermiers qui ont mis leurs chevaux en vacances. Tant d'automobiles traversent notre village que personne ne prend plus la peine de les compter. Même certaines femmes conduisent. Des femmes osent fumer. La vie change. Notre mère ne déblatère pas contre les changements, contrairement à beaucoup d'autres mères qui ne veulent pas être arrachées au bon vieux temps.

Pour nous, le bain est une autre épreuve à traverser. Il faut y passer. Comme le chapelet en famille. On se débarbouille en trois tours. Ce qu'on ne lave pas ce soir, on le lavera un autre jour. Mais notre mère veille. Elle frotte si on ne frotte pas; elle savonne si on ne savonne pas.

Enfin, tout propres, parfumés au savon Ivory, nous sommes prêts, l'oreille collée à la radio, pour le match des Canadiens.

Notre mère, qui n'a plus le droit de parole, s'ennuie. Elle a hâte que Maurice Richard gagne la partie pour que la vie reprenne à la maison. Le silence parfait est requis de tous, comme lorsque nos parents essayaient d'entendre les nouvelles de la guerre. Pour aider le temps à passer, elle feuillette l'album familial de photographies.

Il y a tous ces visages de vieilles personnes mortes que je n'ai jamais vues. Il y a aussi des photographies que je déteste de nous, les enfants, quand nous étions bébés. Il y a de ridicules photographies de nos parents, avant qu'ils soient des parents et qui essaient de faire les beaux dans leurs attifements du dimanche. Il y a aussi des photographies très vieilles de joueurs de hockey dans des uniformes anciens.

Comment se fait-il que ma mère, une MÈRE, ait dans son album des joueurs de hockey parmi les ancêtres, les cousins et les enfants? Des photographies de hockey parmi ses photographies de mariage, de funérailles, de procession religieuse? Parfois elle pointe du doigt l'un des joueurs de l'équipe assis en rangées: «Lui, c'était un vrai chevreuil sur ses patins.»

Lorsqu'elle était une jeune fille, ma mère devait se faire belle, les cheveux frisés sous son bonnet de laine, pour aller regarder les garçons jouer au hockey. En attendant la victoire, elle s'est gelé les pieds dans la neige. Elle n'a pas oublié ces moments d'excitation, ces instants où son cœur a battu un peu plus fort quand son joueur préféré a été brutalement bousculé, ou lorsqu'il a enfilé un but... Elle n'a pas oublié et ne voulait pas oublier ces instants de jeunesse. Dans leur uniformes colorés, ces jeunes hommes étaient beaux; ils étaient grands sur leur patins, ils étaient fiers, ils ne craignaient personne, ni les coups ni les blessures...

Le hockey a été introduit dans mon village, en 1928, par le curé. Ma mère avait 18 ans à l'époque. Un nouveau jeu, une patinoire comme dans les villes, un endroit où les garçons pouvaient se pavaner et où les filles pouvaient regarder les garçons. Voilà sans doute un événement considérable dans un village si paisible où le vent qui passait se faisait remarquer. Comme toutes les jeunes filles de son âge et tous les garçons, ma mère a dû être excitée. Très bientôt, notre équipe remportait des victoires. Les jeunes filles étaient fières de voir leurs joueurs vaincre les prétentieux des autres villages. Bientôt le Jeune Canada, notre équipe, était invincible.

En ces temps très catholiques, la danse était interdite; les prêtres en avaient fait un péché mortel. Soudain, les garçons et les filles, à l'ombre de l'église, avaient la permission de patiner en se serrant la taille. Quelques années plus tard, un nouveau curé est arrivé sur les lieux. Voyant les jeunes filles aguicher les garçons sur la glace, et voyant ensuite les garçons et les filles patiner ensemble, l'un contre l'autre, serrés, le nouveau curé maudit la patinoire. Durant plusieurs années, il n'y eut plus de glace à l'ombre de l'église.

Notre mère pense-t-elle à tout cela en tournant les pages de l'album pendant que l'on suit chaque mouvement de Maurice Richard, de Toe Blake et d'Elmer Lach?

Que de choses se sont passées depuis ce temps où, jeune fille, elle montait, toute excitée, vers la patinoire du village. Depuis ce temps-là, l'électricité est venue, puis la radio, et l'éclairage dans la maison; elle s'est mariée, elle a eu des enfants... Les automobiles ont envahi les routes...

L'oreille collée à la radio, je ne laisse pas errer mon esprit. Je suis attentif. Il se passe quelque chose d'important. Je veux avoir, moi aussi, quelque chose à dire lorsque lundi, nous allons nous retrouver, tout près du grand saule de l'école, pour discuter du match des Canadiens.

Maurice Richard, malgré sa vitesse, prend son temps, analyse la situation, trouve le point faible, ajuste son tir et propulse la rondelle entre les jambières du gardien qui a l'air de se demander si c'est samedi, dimanche ou lundi.

— Arrête de sauter, Roch, tu vas défoncer le plancher!

— Maurice Richard a compté un but avec un Black Hawks sur le dos!

— Qu'est-ce que Maurice avait sur le dos?

— Un Black Hawks.

Voilà une des choses qu'une mère ne comprend pas.

3

La terre bouge

13 mai 1998. J'ai soixante et un an aujourd'hui. Cet après-midi, j'ai chaussé mes patins à roues alignées. Je n'ai pas patiné depuis... depuis... N'est-ce pas une haïssable coquetterie que de recommencer à patiner? On me moque gentiment. On taquine ma vanité. J'exhibe une impassibilité olympique. J'enfile mes patins comme si j'avais gagné une course hier. Au fond, je suis nerveux. Pour tout dire, je suis terrorisé. J'ai le vertige avant de me lever. Aurais-je oublié tout ce que j'ai appris, moi qui ai passé mon enfance sur mes patins? Une peur m'étreint. Peur de tomber. À cause des roues sous mes pieds, peur d'être incapable de me tenir debout. Peur de cette vitesse qui va m'emporter. Peur de ne pouvoir m'arrêter. J'ai peur, mais je sais ce que je fais.

J'ai envie d'écrire ce livre sur Maurice Richard. Je cherche à re-vivre cette troublante terreur, qui faisait s'agiter mon cœur lorsque, à quatre ou cinq ans, notre mère a serré sur mes pieds les lacets de mes premiers patins. Si je peux me ressouvenir de cet émoi, je serai ca-pable de parler de hockey. Je soupçonne quelque chose: quand, sous les cris de la foule, Maurice Richard prenait son envol sur la glace, peut-être redevenait-il le petit Maurice fier de montrer à sa maman comment il pouvait bouger vite sur ses patins?

Je ne suis pas encore un champion et je suis attentif à tout ce qui se va se passer en moi. Je me lève sur mes roues. Je vacille. La terre bouge sous mes pieds; mes mains essaient de s'agripper à l'air. Je vais m'écrouler. Non, je reste debout. La terre s'immobilise. Oh le plaisir d'être un homme qui n'est pas tombé! Sur mes patins, je suis plus grand. C'est un autre plaisir du joueur de hockey que d'être plus grand. Les humains aiment se grandir: grimper sur des cothurnes, des talons. Les humains éprouvent un plaisir délicieux à se jucher. Prudent, je suis coiffé d'un casque, je suis bardé de genouillères, de coudières, de protecteurs de poignets. Et je retrouve ce bien-être: être plus grand, appartenir à la tribu supérieure de ceux qui ont des patins aux pieds et accès au territoire sacré de la patinoire. Ce doit être cette même sorte de plaisir que procurent les déguisements de théâtre, le port d'un uniforme ou d'une armure. Dans mon livre sur le Rocket, je me souviendrai de ce délicieux tremblement de l'âme qu'éprouve l'enfant qui monte sur ses patins.

Avec guère plus d'assurance qu'à mon premier jour de patinage, cinquante-six ans plus tard, je m'élance, prudemment; un premier coup de patin. J'avance, j'avance, je donne un second coup de patin. Je suis un autre homme: je ne marche plus, je vole! Patiner, c'est voler! Patiner, c'est s'élever au-dessus des marcheurs, ces êtres rampants! Patiner, c'est avoir des ailes. Je roule sur le boulevard de Maisonneuve. Je sens tous ces muscles qui travaillent quand je pousse sur mon patin, quand je prends une courbe, quand je freine, quand je repars. Bien sûr, je remarque ma lenteur, mais ce n'est pas ce dont je veux me souvenir. Pour raconter le Rocket, je veux me souvenir de mes émotions d'enfant, car un grand joueur de hockey dispute toujours son premier match.

Sans cassure, je reviens triomphalement à la maison. Me reste-t-il assez de souffle pour éteindre mes soixante et une chandelles?

Il a fallu à l'humanité des mille et des mille ans pour inventer la rondelle

Ainsi que l'enseignait l'un de mes professeurs, «la création du monde a été faite bien avant la création du monde...» Des historiens du sport ont identifié l'origine du hockey dans certains jeux où les Égyptiens et les Perses utilisaient des bâtons et des balles rudimentaires. D'autres soutiennent plutôt que le hockey prend ses origines dans le gouret, un jeu que les Romains de Jules César auraient appris des Gaulois alors qu'ils occupaient leur pays: un jeu qui se pratiquait sur la glace, la neige ou le gazon.

Dans une ville étrangère, après une visite au marché, où se trouve la vérité quotidienne de la ville, je cours au musée pour me plonger dans sa mémoire. Bien sûr, je me recueille devant les rêves peints par les génies, mais je suis pas moins curieux de chercher des scènes hivernales où de petits maîtres se sont appliqués à fixer sur la toile l'hiver des ciels gris, des arbres dénudés, des champs tout blancs, des étangs glacés et des vols d'oiseaux transis. Dans ces paysages, j'essaie toujours de repérer des joueurs de hockey.

J'aime ces gras bourgeois en culottes bouffantes qui patinent avec leur bourgeoise dans ses vêtements de velours. Ces gens font une fête à l'hiver. Il me semble entendre les rires, les conversations. Des fillettes. Des grands-mères. Ce beau monde a les patins fixés à ses souliers vernis. Des garçons rougeauds, assis dans de vastes assiettes, se poussent avec deux bâtonnets. De prospères marchands, parmi les patineurs, s'appliquent à un jeu qui me semble être le golf. Dans un tableau de Bruegel, *Chasseurs dans la neige*, peint en 1565, un garçon, dans le coin gauche de la patinoire, construite tout près de l'église, s'amuse avec un bâton et une balle. Il n'a pas de patins. Souvent, quand il s'agissait d'exercer notre tir pour ressembler à Maurice Richard, on ne prenait pas la peine de chausser les patins.

Pour celui qui a eu une enfance villageoise, il y a beaucoup à rêver devant les scènes d'hiver du modeste Hendrick Avercamp. Des bourgeois rondouillets, des dames replètes, dans de hauts collets de dentelle empesée, se hâtent sur un étang glacé, près d'un château. Un petit joueur, sur ses patins avec sa crosse, est indifférent à la foule. Si je scrute cet instant figé en 1615, dans la foule qui encombre la glace, j'aperçois deux joueurs, sur patins, crosse à la main, qui s'amusent près d'une barque échouée dans la glace. Est-ce le golf sur glace? Est-ce du hockey?

Un autre peintre, peu connu, Jan Beerstraalen, a peint en 1658 *The Chateau de Muiden*, à quelques milles d'Amsterdam. Au premier plan, des joueurs sur patins à bouts retroussés tiennent une crosse recourbée. L'un des joueurs regarde au loin comme le golfeur qui vient de frapper un fort coup. Est-ce du golf sur glace?... Est-ce du hockey? Devant les catastrophes du monde, cette question a peu d'importance. Le hockey se rattache à la longue tradition des jeux fondamentaux que l'humanité s'est inventés, en temps de paix, pour mimer la guerre et peut-être l'éviter.

Le hockey est venu au Canada avec les Britanniques. Durant les longs hivers, les soldats cantonnés à Kingston, à Halifax, à Québec ou à Montréal devaient se divertir. Ils apprenaient à patiner. Dès qu'il pouvaient se mouvoir, ils s'adonnaient à des jeux qui leur étaient familiers. Dès 1843, un officier, A.H. Fielding, enregistre dans son journal le grand plaisir qu'il prend à jouer au hockey sur glace. Est-ce vraiment du hockey? C'est peu probable. Ces jeunes Britanniques en uniformes s'amusaient sur la glace canadienne aux jeux qu'ils pratiquaient chez eux sur le gazon: le *shinty* des Écossais, le *hurling* des Irlandais, le hockey sur gazon des Anglais ou le golf des Hollandais et des Écossais. Était-ce du hockey? Sans doute les officiers encourageaient-ils fortement leurs troupes à jouer au hockey. Y a-t-il un meilleur exercice pour se préparer à la guerre?

Les Canadiens français ne viendront à ce jeu anglais que tardivement. Survivre était notre jeu. À Montréal, *The Gazette* annonce, le 3 mars 1875, un match de hockey. La population est alors canadienne française à 55 %. Le journaliste explique que ce jeu consiste à placer entre deux drapeaux une balle de caoutchouc. Le match aura lieu dans le Victoria Skating Hall, rue Drummond, quartier anglais et cossu où les Canadiens français ne s'aventurent pas à moins d'y être bonnes ou cochers. Le journaliste veut rassurer les spectateurs: le hockey est joué avec une balle de caoutchouc; ce soir, afin d'éviter les accidents, on utilisera un disque de bois qui devrait glisser sur la surface de la glace au lieu de bondir.

À la fin du 19e siècle, on ne relève aucun Canadien français jouant dans une équipe de niveau senior. Cette constatation pousse un journaliste de *La Presse* à lancer un cri du cœur: «Il faut démontrer que les Canadiens français dans les choses du sport comme dans toutes les autres branches de l'activité humaine ne sont pas inférieurs aux autres races.»

Les étudiants anglophones de l'Université McGill forment leur club de hockey dès 1876. Trois ans plus tard, ils jugent la balle de caoutchouc utilisée jusqu'alors inadéquate. Ils prennent l'initiative de trancher la balle de caoutchouc pour lui enlever sa rondeur. La rondelle est née! La rondelle va devenir l'objet de contention, de convoitise. Un objet de culte.

En comparaison, le premier club d'étudiants canadiens-français n'est pas formé avant 1899. Peut-être les Canadiens français ont-ils d'autres soucis que le hockey? Dans la ville de Montréal, le revenu d'un Canadien français n'atteint que le quart de son voisin anglophone. Les travailleurs canadiens-français, peu éduqués, trouvent de l'emploi au port de Montréal, où les hommes costauds se font débardeurs, dans les filatures, les industries du cuir, du tabac, dans la construction, les travaux de voirie. Les familles vivent sous le seuil de la pauvreté. On travaille de dix à douze heures par jour, six jours par semaine, cinquante-deux semaines par année. L'on vit dans des logements exigus, souvent sans eau chaude et sans toilettes. Il est fréquent que deux ou trois familles vivent entassées dans un de ces logements.

Au travail, les conditions sont insalubres. Des déchets croupissent. L'aération est inadéquate: chaleur étouffante l'été, froid insoutenable en hiver, mouches, mauvais éclairage, odeur nauséabonde. Les femmes y gagnent le demi-salaire d'un homme. Souvent les parents falsifient l'âge des enfants afin qu'ils aient accès au travail où ils sont battus pour distraction ou maladresse. Parfois on les enferme dans ce cachot, sans pain ni eau, que certaines entreprises réservent à leurs employés récalcitrants. Je n'invente pas.

Oui, les Canadiens français viennent lentement au hockey. En 1904, nous déléguons deux équipes au combat, les Montagnards et le National. Leur mission: «Prouver au monde que les Canadiens français, quand ils veulent s'en donner la peine, peuvent exceller dans tout.» Malgré les roucoulements nationalistes, les deux équipes sont faibles. La défaite n'est qu'une étape provisoire. Soutenons nos deux équipes malgré les revers. La Patrie: «Les Canadiens français, qui tiennent à l'avenir de nos institutions, auront de magnifiques occasions de démontrer leur patriotisme.» Persévérons. Nous gagnerons demain! Ce petit peuple ne veut pas mourir! Dès 1906, le National remporte plusieurs victoires.

De son côté, la Société du parler français au Canada s'inquiète de la menace d'anglicisation que fait peser le hockey sur les Canadiens français. Entre eux, les joueurs utilisent le vocabulaire anglais du jeu. Ils empruntent même leurs surnoms aux joueur anglophones. La Société publie un glossaire du hockey où les mots anglais sont remplacés par des équivalents français afin de défendre le français «de toute corruption».

En 1907, les Montagnards remportent le championnat de la Federal Hockey League. «C'est non seulement le Montagnard qui a triomphé mais tous les Canadiens français avec lui», trompette un journal.

À travers toutes ces crises, le hockey se développe. Les équipes se multiplient. Les entrepreneurs découvrent dans le hockey de belles occasions de profits. Ambrose O'Brien, un millionnaire de Cobalt, en Ontario, comprend le premier les avantages de posséder une équipe purement canadienne-française. Il engage comme gérant de l'équipe une figure légendaire: Jean-Baptiste Laviolette, un joueur de hockey, mais aussi un joueur de crosse, un coureur automobile et un motocycliste. Laviolette recrute des joueurs étoiles comme Didier Pitre qui, en 19 saisons pour le Canadien, participe à

282 matchs et marque 240 buts, et Newsy Lalonde, qui sera cinq fois le champion marqueur de la ligue.

Laval, l'université francophone de Montréal, est acceptée dans la ligue universitaire en 1907. Dans cette ligue, évoluent déjà les universités Queen's, de Kingston, McGill, de Montréal, et l'Université de Toronto. Les fiers étudiants canadiens-français perdent leur premier match à Toronto: 19 à 1. Pendant plusieurs années, cette équipe perdra contre les équipes anglophones. Comprenons-nous mieux le ravissement des partisans quand Maurice Richard s'élance vers le filet de Toronto? Il est le Vengeur. Celui qui efface l'humiliation. Celui qui venge l'honneur de la race!... Le Rocket n'est pas encore né en 1907. Son père n'est alors qu'un gamin qui joue au hockey dans la rue. La vie du Rocket commence, bien avant le Rocket.

1914: la Première Guerre mondiale dévaste aussi le hockey. Plusieurs joueurs s'enrôlent, les équipes sont affaiblies. Le jeu est moins intéressant. Quand la paix revient, un groupe d'hommes d'affaires et de professionnels s'associent pour former le Club athlétique Canadien. Parmi les 30 actionnaires, on ne relève les noms que de sept Anglais. Les Canadiens français sont des hommes d'affaires, des avocats, des médecins, des députés et les gérants des trois journaux canadiens-français les plus influents: *La Patrie*, *Le Devoir* et *La Presse*. Nous sommes venus lentement au hockey. Le grand écrivain Stendhal a écrit que le roman est un miroir le long du chemin. On pourrait dire la même chose du hockey. Sur cette longue route, voit-on venir le Rocket?

Avez-vous reconnu Maurice Richard dans la rue principale du village?

1946. Souvenirs! Souvenirs! C'est juste après la Deuxième Guerre mondiale. L'été, dans mon village, plusieurs de mes amis n'ont pas de souliers; l'hiver, tout le monde a des patins. Au milieu des années quarante, les hivers sont généreux en neige et en froidure. La rue principale, la seule rue de notre village, n'est pas déblayée. On laisse la neige s'entasser. On la durcit en la compressant avec un gros rouleau tiré par des chevaux. Les automobiles des notables, rangées jusqu'à la fonte des neiges, attendent patiemment le printemps. L'hiver, c'est le règne des chevaux. Ces bêtes retrouvent leur dignité. Les chevaux ont à eux tout le chemin. Ils ont tout leur temps. Et les fermiers, tenant mollement les rênes, prennent le temps de jouir de leur pipée de tabac sans crainte que les automobiles n'effarouchent leurs bêtes. Ils se laissent conduire par leur cheval et somnolent.

Seul un groupe d'enfants qui jouent au hockey dans la rue peut les arrêter. Les chevaux ont l'habitude. Ils ne s'impatientent pas. Ils observent avec leurs grands yeux de sages connaisseurs et ils attendent le but. Ils n'oseraient pas déranger des joueurs de hockey.

Parfois le cheval nous laisse un bouquet de crottes. Du bout de la palette de nos bâtons, on en met quelques-unes de côté. Le froid est piquant; elles ne tarderont pas à devenir dures. On n'a pas de rondelle. Un crotte de cheval fait très bien l'affaire. Même marqué avec une crotte de cheval, un but est un but.

Alors, jouant au hockey dans la rue principale, nous en sommes les maîtres. Les chevaux patientent. Seules osent perturber notre jeu ces vieilles courbées et ratatinées qui montent à l'église. Elles ne sont pas aussi patientes que les chevaux. Avec sa petite voix qui tremble comme ses mains, la grand-mère ordonne:

– Vous autres, les petits Maurice Richard, faites de la place pour mémère.

On joue, on s'applique. Comment pourrait-on entendre la voix chevrotante d'une petite vieille qui veut passer juste au moment où Maurice Richard va contourner Bob Davidson des Maple Leafs de Toronto?

– Sainte bénite, Maurice Richard devait pas être un p'tit malfaisant comme vous autres.

On la laisse passer et oups! on reprend notre petite guerre. On a aussi nos blessés: un nez qui saigne, une jambe écorchée ou un gardien de but frappé au front par une crotte gelée. On a aussi le fuyard qui part en pleurant rapporter une injustice à sa mère. Quelquefois, on doit déguerpir au plus vite; certaines mères ne tolèrent pas les injustices.

La plupart du temps, rien ne nous dérange. Des connaisseurs s'attardent à nous. Parfois on entend une prédiction:

– Celui-là, avec la tuque rouge... Regardez-le bien, c'est un vrai petit Maurice Richard. Je te mens pas. Je te le dis.

Ou bien c'est le peintre en bâtiment qui passe, l'échelle sur l'épaule, son seau de peinture à la main, et qui chante une chanson:

Je suis loin de toi, mignonne,
Loin de toi et du pays...

Le peintre se tait, pose son échelle, regarde la montée fulgurante de Maurice Richard vers le filet. L'avenir du hockey est assuré. L'équipe de notre village sera encore plus forte dans l'avenir. Les villages voisins devront nous respecter. On pourra garder la tête haute en traversant les villages étrangers. Satisfait, le peintre reprend son échelle, traverse notre territoire de jeu et poursuit son chemin vers sa cliente:

Je suis loin en Angleterre...

Le cheval, avec ses grands yeux hébétés, doit se demander, ce paisible animal: «Pourquoi ces petites bêtes à deux pattes se démènent-elles tant pour pousser ma crotte gelée entre les deux sacs d'écoliers posés sur la neige?...»

L'église, au sommet de la colline, a son clocher qui touche un ciel gris chargé de la neige qui va s'abattre sur nous. L'école est un peu plus loin de l'autre côté de la colline. On n'a pas de crainte. On joue au hockey, on est les champions.

On sait aussi que de l'autre côté des collines, il y a le fleuve Saint-Laurent, puis la mer, et de l'autre côté, il y a l'Europe et la France de nos ancêtres, où sévit la guerre. On sait qu'il y a des morts: beaucoup de soldats, mais aussi des gens qui ne sont pas des soldats; même des femmes. On sait que des enfants restent sans manger pendant une semaine dans leur maison détruite. On sait que des gens doivent se sauver la nuit, avec des enfants, même des bébés, pour se cacher dans la forêt, même en hiver. On sait que des bombes pleuvent sur les villes qui brûlent comme des bûches.

– Hé, les petits Maurice Richard, allez-vous laisser passer mémère?

C'est une autre grand-mère, venue du siècle précédent. Elle nous observe. Elle est prête à attendre jusqu'au prochain siècle pour ne pas déranger notre jeu.

Fils de Canadiens français qui ont dérivé sur une terre ingrate jusque dans les collines voisines du Maine américain, fils d'un petit peuple inquiet de son avenir dans ce monde déchiré par la Deuxième Grande Guerre, dans la rue principale de notre village, avec nos bottes de feutre, si nous sommes enfants de petites familles, ou nos bottillons de caoutchouc, si nous sommes de famille nombreuse, notre nom est Maurice Richard. Nous sommes forts, nous sommes rapides, nous sommes braves.

Nous avons huit, neuf, dix ans. Le prêtre, les religieuses nous assurent que chacun de nous est accompagné d'un ange gardien invisible qui nous protège. Avons-nous besoin d'anges protecteurs? Maurice Richard est avec nous. C'est lui qui manie notre bâton de hockey. C'est lui qui, par nos yeux, fixe un regard renversant sur l'adversaire. C'est lui qui, dans nos jambes, fait des échappées vers le filet. C'est lui qui pousse, à la vitesse d'une étoile filante, la crotte de cheval gelée entre les deux sacs d'écolier.

Voilà notre vie de champions!

Nous ne savons pas alors que cent ans avant nous, en 1845, tellement d'enfants irlandais jouaient au *hurling* dans les rues de Québec qu'un règlement municipal a interdit ce sport pour permettre aux bourgeois de circuler en paix.

La nuit déjà s'étend sur le village. Les fenêtres sont éclairées d'une lumière jaunâtre. On ne s'est pas aperçus que le jour est fini. Le match se poursuit. Les cris de triomphes, les injures, le claquement des bâtons qui se croisent. Les cliquetis de la palette sur la crotte. Les mères, frissonnant dans les portes ouvertes, nous appellent à la maison pour faire nos devoirs. C'est inutile. Quand on joue au hockey, on n'entend pas les mères.

Maurice Richard a, lui aussi, joué au hockey dans sa rue du quartier de Bordeaux, au nord-est de Montréal. Lui non plus n'entendait pas sa mère qui l'appelait.

Une enfance juchée sur patins

1921. Il y a beaucoup de pauvres dans la province de Québec, dans les premières années du 20ᵉ siècle. Les moins soumis, les plus entreprenants quittent la misère des campagnes pour Québec, Montréal et souvent les villes des États-Unis. Ayant quitté la misère des campagnes, ils se transplantent dans la misère urbaine. Comme tant d'autres, les parents de Maurice Richard quittent leur Gaspésie natale, sur les rives du Saint-Laurent qui, là, ressemble à la mer. La Gaspésie est un pays de terre rocailleuse, de barques de pêche, de mer rude, de morue salée et d'hivers interminables qui font craquer le bois de pauvres maisons bourrées d'enfants pâles.

Dans les villes, les usines offrent des emplois: soixante heures, six jours par semaine. Il semble que l'on peut échapper à la misère. On a l'habitude du travail. Dans le train vers Montréal, avec son sac, Onésime Richard n'ose trop rêver. Quand on est un modeste ouvrier, on ne devient pas riche.

À Montréal, les Gaspésiens ont le mal du pays. Pour retrouver la famille, ils se rencontrent au parc Dominion, sur la rue Notre-Dame. Onésime vient de la vallée de la Matapédia, au centre de la Gaspésie; il est un homme de la terre, de la forêt. Le destin l'attendait dans le parc. Il rencontre Alice, qui arrive de Gaspé, à la pointe de la presqu'île sur le golfe Saint-Laurent. En 1534, Jacques Cartier a planté là sa croix lorsqu'il a pris possession, au nom de la France, des terres du Canada. Beaucoup d'Anglais sont venus s'établir ici, depuis. On y fait surtout la pêche: morue et saumon.

Depuis quelque temps, les usines des pâtes et papier ne fournissent plus à la demande. On élève des barrages pour la nouvelle industrie hydroélectrique. On construit le pont Jacques-Cartier qui reliera Montréal à la rive sud du fleuve Saint-Laurent. Au port de Montréal, près de 2 000 bateaux accostent chaque année; l'on a besoin de bras musclés pour les charger et décharger. On a besoin de bras forts et travailleurs partout. Venant de la ferme ou des forêts, les Canadiens français trouvent dans ces tâches une avenue vers l'avenir.

Avec cette prospérité environnante, un salaire régulier et toutes les commodités nouvelles qu'on pourra s'offrir un jour, la vie d'Alice et d'Onésime est meilleure qu'elle l'était en Gaspésie. Lorsqu'ils écrivent à leurs parents restés là-bas, ils doivent choisir leurs mots et ne pas avoir l'air de parvenus.

C'est dans cette atmosphère d'espoir et de soucis qu'Onésime et Alice se marient et prennent logis dans l'est de la ville, non loin du parc Lafontaine, dans une modeste et basse maison à façade en pierre grise. Onésime Maurice est menuisier. Peu de temps après la naissance d'un premier fils, Maurice, les Richard s'installent dans le Bordeaux, au nord-est de la ville. Les petites maisons sont de prix raisonnable. Tout le monde est canadien-français et catholique. Et la rivière des Prairies est quasiment au bout de la rue. Cela n'est pas le fleuve ni la mer de Gaspésie, mais c'est de l'eau.

Cette relative prospérité n'est pas la sécurité. L'inquiétude n'est pas disparue. S'il y a beaucoup de travail, il y a aussi beaucoup de chômage. En hiver, le taux de chômage s'élève à mesure que descend le thermomètre. En hiver 1921, l'année de la naissance de Maurice Richard, le taux de chômage, à Montréal, dépasse 26 %. Il y a énormément de misère dans la ville.

Un matin de fin d'hiver, Onésime est joyeux comme il ne l'est jamais autant. Il est moins sévère. Sa voix est différente. Les Canadiens ont gagné la coupe Stanley. Les Canadiens sont les champions du monde. Maurice connaît le hockey: c'est le jeu auquel les plus grands s'amusent dans la rue, avec des bâtons et des patins. Maintenant que les Canadiens ont gagné la coupe Stanley, il y a de quoi être heureux. Même s'il préfère le baseball, Onésime aime le hockey. Plus jeune, il était un joueur plutôt vigoureux: il détestait ne pas gagner. Il regarde son fils. L'hiver prochain, le petit aura sa paire de patins. Son «petit homme» jouera au hockey. Maurice observe, écoute: conquérir la coupe Stanley doit être une chose bien importante. Les Canadiens ont gagné! Son père a gagné! Son père est le plus fort. Maurice est fier. L'on devient très heureux si l'on gagne la coupe Stanley!

La coupe Stanley de 1924 a été remportée par Joe Malone et Howie Morenz, mais aussi par Léo Dandurand, le gérant; Édouard Dufour, l'entraîneur; Billy Boucher; Wilfrid Coutu; Sylvio Mantha; Aurèle Joliat; Georges Vézina; qui ont démontré, encore une fois, que les Canadiens français peuvent réussir. C'est ce qu'on dit dans les salles de billard, les restaurants, les tavernes et, le dimanche, sur le perron des églises.

Le petit Maurice accompagne son père à l'épicerie. Les hommes causent comme l'on causait dans les campagnes. Canadien français: qu'est-ce que cela veut dire? Il ne le sait pas. Mais il sait qu'il en est un. Il est de ceux qui ont gagné la coupe Stanley.

Sur les genoux paternels, à travers la fumée de la cigarette d'Onésime, Maurice regarde, dans le journal *La Presse*, les joueurs de hockey. Son père lit leurs noms. Il répète. Parfois les noms sont difficiles. Il ne peut pas les prononcer. Une pleine page est remplie par un joueur en uniforme rouge, qui s'appuie sur son bâton. Son nom est facile: Pit Lépine. Maurice répète. Il est, bien sûr, incapable de lire les mots de Pit Lépine: «Après une pratique ou une partie, rien ne vaut une Buckingham, la seule cigarette qui n'affecte pas la gorge.» L'athlète n'est pas le seul à promouvoir l'usage du tabac. On remarque, parmi les acteurs de cette campagne de publicité, deux autres gloires canadiennes-françaises : Alfred Laliberté, «le plus grand sculpteur du Canada», et Charles Marchand ; «le plus grand chanteur folklorique du Canada». L'on fume beaucoup dans la province de Québec : 3,6 livres de tabac par tête. L'on boit aussi beaucoup de bière. Les prêtres voient les âmes et les corps de leurs ouailles se noyer dans l'alcool ; ils sermonnent. On dépense plus pour «la boisson» que pour l'éducation. Onésime Richard ne boit pas. «La rondelle détourne de la bouteille», lui a confirmé le curé de la paroisse. Il espère que Maurice jouera au hockey. Ou au baseball.

À quatre ans, il est trop petit pour comprendre toutes ces choses dont parlent les adultes, mais il est assez grand pour se tenir debout sur ses premiers patins.

Peu d'autos circulent, en 1925, dans les rues de Montréal. Quand elles passent, sur leurs gros pneus ballons, on prend le temps de les compter. Ils sont bien chanceux les gens qui peuvent s'asseoir dans ces carrosses. Par quels moyens sont-ils devenus aussi riches ? Parfois passe un policier à motocyclette. Cela pétarade... Maurice se bouche les oreilles. Le policier est à la chasse aux bandits. Maurice aimerait cependant bien apercevoir cet autobus à huit roues que certains ont vu.

L'hiver, dans ces rues secondaires, on laisse la neige s'accumuler. Elle durcit sous le passage des piétons et le polissage des traîneaux qui font le transport. Souvent elle tourne en glace. Sur ses patins, le petit Maurice se lance, glisse, tombe parmi les grands qui se disputent avec des bâtons une «pomme de route» déposée là par un cheval. Ils sont sérieux comme s'ils luttaient pour l'or du Pérou.

Les hommes qui les regardent jouer parlent de politique. En 1927, le gouvernement fédéral adopte une loi qui assurera une pension aux personnes qui entrent dans la vieillesse. Le gouvernement de la province de Québec y voit une intrusion dans sa juridiction. Les adultes discutent, Maurice patine. Il est curieusement rapide. On dirait un petit chien affamé qui court après son os. Les adultes s'amusent à le voir. Il s'entête à rester avec les plus grands. Même s'il est plus petit. Alors, il n'a pas toujours sa part. Il est malheureux. Sa mère lui conseille : «Joue avec les enfants de ton âge.» Il s'obstine.

Pour les Richard, qui pensent aux parents restés en Gaspésie, une pension donnée aux vieux qui ont trimé si dur dans leur vie semble une récompense bien méritée. D'un autre côté, cette pension coûtera quelque chose. L'argent de cette pension, le gouvernement viendra le chercher dans vos poches. Des taxes, n'en paie-t-on pas déjà plus qu'on en est capable ? On travaille et on travaille et il ne reste rien. Pour l'instant, Onésime a de l'ouvrage. Beaucoup n'ont pas la même chance.

Certains pensent que quelque chose de pas très beau s'annonce à l'horizon. Le notaire du quartier, qui est bien renseigné, dit que la Bourse est devenue folle. Quand l'économie est folle, elle frappe les pauvres.

Maurice entend cette rengaine des difficultés de la vie, sans écouter. Courir dans les champs, grimper aux arbres jusqu'à la plus haute branche, jouer à la balle et, quand c'est l'hiver, jouer au hockey dans la rue, se bousculer pour la rondelle et s'enfuir quand les autres essaient de vous rattraper; la garder, la soustraire aux attaques et la pousser dans le but: voilà ce qui est amusant. Ses parents sont toujours menacés par quelque chose de mauvais qui s'annonce. Ils sont toujours petits devant quelque chose de gros. Ils ne sont jamais les plus forts. Au hockey, on peut gagner. Dans le jeu, Maurice se découvre un pouvoir que ses parents n'ont pas dans la vie. Comprend-il cela? Le jeu lui enseigne que par ses efforts il peut bâtir son destin.

Dans la rue glacée d'un modeste quartier ouvrier se produit un extraordinaire phénomène: la naissance d'une passion, celle qui dévore Balzac, Shakespeare, Picasso, Leonardo. Maurice Richard, comme ces génies, sera dévoré par le hockey. Et comme tous les génies, il dévorera son art.

Ces patins qu'il a reçus, Maurice Richard ne les enlève plus. Il apprend à tomber sur la glace sans pleurer. Il apprend à suivre les plus grands, à patiner aussi vite qu'eux. Les plus grands le dédaignent. Il insiste. Il se rebiffe. Il s'immisce dans les parties, il s'accroche au jeu. Onésime lui fait, dans la neige de la cour arrière de la maison, une patinoire qu'il arrose à grands seaux. Les autres enfants s'amènent. On s'amuse, on s'épuise, on se querelle. Quand la nuit est trop noire ou quand les mères crient très fort pour appeler leurs enfants, on rentre à la maison. L'heure est venue d'écrire dans le cahier d'école.

Bientôt, on délaisse la patinoire familiale; celle de l'école est plus lisse et surtout plus vaste. Et, il y a ce petit lac, non loin, dans le champ. Le petit Maurice grandit. Il veut toujours aller plus loin; la rivière des Prairies forme la plus grande patinoire possible. Maurice n'enlève pas ses patins pour se rendre là où l'on joue au hockey. Il n'enlève pas ses patins pour manger rapidement à la table. Le futur Rocket forme les muscles dans ses jambes. Le petit Maurice ne sait pas cela. Il joue. Il joue. Il joue.

En 1927, les grands parlent d'une affaire très compliquée de la politique. Les Canadiens français se sont fait enlever, par les Anglais d'Angleterre, un morceau de la province de Québec qui s'appelle le

Labrador. Qu'est-ce que cela veut dire? Dans son quartier, certains voisins, en installant la clôture, essaient de gagner quelques pouces sur la ligne d'arpentage. À cause de cela, les parents se chicanent. Les mères se crient des insultes. Il y a de véhémentes protestations chez les ouvriers du quartier de Bordeaux quand le Conseil privé de Londres donne le Labrador à Terre-Neuve. Cette île n'est même pas au Canada.

Le petit Maurice bombe le torse et s'en va jouer. Il ne laissera personne prendre ce qui est à lui. Il se renfrogne; personne ne lui volera sa rondelle.

En mai 1928, un samedi, les mères sont fébriles. Maurice et ses amis s'amusent dans la rue avec une balle de caoutchouc et un bâton. Sur leurs balcons, les mères parlent du magasin Eaton's, sur la rue Sainte-Catherine. Eaton's invite les femmes à se rendre voir les nouvelles robes de la mode d'été. Les robes chez Eaton's sont bien chères. Et on est plus à l'aise chez Dupuis Frères. Là, on parle français comme nous. Oui, mais les robes sont plus belles chez Eaton's, dans l'Ouest. L'Ouest, c'est loin. C'est comme un autre pays. Un jour, Maurice ira voir cet autre pays. Les mères parlent aussi d'un avion. «La vie devient si rapide.» C'est la première fois depuis la création du monde que des robes arrivent si vite chez Eaton's. Trois heures plus tôt, les robes étaient encore sur les machines à coudre dans la manufacture à Toronto. Elles ont été pliées dans des caisses; on a empilé les caisses dans des camions qui se sont précipités vers l'aéroport. Un avion les a transportées: 300 milles, entre Toronto et Montréal. Cela n'a pris que deux heures et trente-sept minutes. Quelques instants plus tard, les robes d'été sont exhibées dans la vitrines d'Eaton's, devant une foule de femmes incrédules. Cette mode est trop nouvelle. Cet avion est trop rapide. Dans le quartier de Bordeaux, les mères causent. Le monde change. Le monde va vite. Le monde va aller de plus en plus vite. Des choses étranges arrivent dans le monde maintenant. Tout cela est bien compliqué...

Maurice aime ce qui va vite: sa bicyclette, les voitures qui filent à 65 milles à l'heure, le train sur le pont de la rivière des Prairies, les avions et ses patins.

La Dépression
s'abat sur Montréal

1929. Un raz-de-marée de misère dévaste Montréal où résident 818 577 des 2 874 255 habitants de la province de Québec. Durant les fêtes de décembre 1930, 22,8 % de la population est sans emploi. En 1932, 31 % de la population ne trouve pas où gagner son pain.

Les commerces font faillite. Les entreprises s'écroulent. On aveugle les fenêtres des usines, on enchaîne et cadenasse les portes des clôtures qui les protègent. Même les églises sont affectées: des curés perdent l'argent de leur paroisse qu'ils ont investi dans le marché boursier. L'Université de Montréal n'a plus les ressources pour payer ses professeurs. Certains sont condamnés à mendier. Durant les années fastes, l'Université a mis en chantier des édifices pour abriter cette jeunesse qui allait inventer l'avenir de la province. Faute de moyens, elle interrompt la construction. En 1932, plus de 200 écoles sont forcées de fermer. À Montréal, mais aussi dans des petites villes, des enfants fouillent dans les dépotoirs, comme des petits corbeaux blancs, à la recherche d'un bout de pain. Des locataires, incapables de payer leur logement, sont expulsés. On les voit attendre – attendre quoi? – dans la rue, assis sur des caisses, parmi les meubles empilés. Certaines évictions déclenchent presque des émeutes. Un locataire expulsé a été tué par la balle d'un policier.

Malgré cette misère, les pauvres des campagnes quittent encore leur potager rempli de légumes, leur poulailler où pépient les poules, les étables où meuglent les vaches et bêlent les moutons, pour s'en venir à la ville. Par quel rêve sont-ils attirés? À Montréal, on ne rêve plus.

Beaucoup de désœuvrés sont condamnés à errer dans les rues. D'autres, plus fortunés, sont à l'abri. Ils partagent une chambre où ils peuvent entrer quand c'est leur tour. Le jour, la nuit, le lit est occupé par quatre chômeurs qui dorment de travers sur le matelas nu. Deux ou trois autres ronflent sur le plancher.

Le père de Maurice perd son travail. C'est un père responsable de huit enfants. Malgré qu'il ait régulièrement travaillé pour le CP Railways, il n'a jamais pu amasser d'économies. La famille vivait de paie en paie. Maintenant, il n'y a plus de paie. Maurice est l'aîné des garçons. Même s'il n'a que neuf ans, il doit faire sa part. Il doit trouver quelques sous, rendre quelques petits services, dénicher quelque chose que l'on pourrait revendre, échanger. Le voici caddy pour des parvenus au terrain de golf. Il traîne leur sac. Il n'est pas paresseux. Il rapporte quelques sous.

Des hommes amaigris, barbus, en vêtements râpés, désœuvrés, sans le sou, déçus, l'œil hagard, attendent, dans l'air glacial, leur tour d'entrer dans un refuge pour se chauffer et boire un bouillon chaud. L'été, ces malheureux se regroupent dans les parcs. C'est là que des missionnaires communistes leur expliquent qu'ils sont les victimes du capitalisme. La Révolution seule pourra rétablir la justice. Les autorités politiques et religieuses s'inquiètent. Ces idées pernicieuses pourraient enflammer ces cerveaux peu instruits, enfiévrés par la misère. Les désespérés ne doivent pas renier leur espoir catholique. Alors, elles ouvrent d'autres refuges pour attirer les désœuvrés hors des parcs, où des idées dangereuses pourraient les contaminer.

Ceux qui jouissent encore du privilège de travailler n'osent se plaindre que leur salaire décroît. Les chômeurs les considèrent avec jalousie. 45 000 femmes ont encore un emploi. Ces femmes volent leur travail aux pères de famille. Ces hommes sans travail envient aussi les immigrants... Employer des importés, c'est voler du travail aux vrais Canadiens. Partout dans le Canada, d'ailleurs, le ressentiment à l'égard des immigrants est si intense que le gouvernement doit refermer la porte à l'immigration. En 1929, le pays a accueilli 169 000 immigrants. En 1935, le Canada n'en admet que 12 000. De plus, durant la même période, plus de 30 000 immigrants reçus sont expulsés du Canada parce qu'ils sont malades ou parce qu'ils n'ont pas de travail.

Persécutés par les nazis, leur vie tout comme leurs biens menacés, les Juifs supplient qu'on les accueille au Canada. Le peuple canadien appauvri, devenu égoïste, ne veut pas partager sa misère. Il tolère enfin que le gouvernement accepte enfin 4 000 de ces Juifs malheureux. À la même époque, les États-Unis en accueillent 240 000; la Grande-Bretagne, 85 000; l'Argentine, 25 000.

Il est urgent de combattre la misère et la démoralisation nationale. Les municipalités inventent des projets pour employer leurs chômeurs. Le maire de Montréal, Camillien Houde, entreprend des travaux dans les parcs. Il crée de nouveaux terrains de jeu. Il construit des bains publics, rénove des marchés publics. Il améliore les panneaux de circulation. Il construit ici et là dans la ville des abris que le peuple baptisera «camilliennes»; les passants et les pauvres pourront y soulager leurs besoins naturels et, en hiver, s'y réchauffer un instant. Ces quelques milliers de petits emplois réduisent de peu le chômage et la faim. En 1932, le maire de Montréal inaugure le creusage du tunnel Wellington dans le quartier sud-ouest de Montréal.

Le premier ministre de la province de Québec, Alexandre Taschereau, réclame une aide financière plus généreuse du gouvernement d'Ottawa. Pourquoi la province reçoit-elle moins que les autres provinces? Voilà une question que posent les journaux du temps. Voilà une question que l'on tourne et retourne pendant les discussions sur la politique. Voilà ce que l'on dit, redit et répète. Voilà ce que le jeune Maurice Richard entend. C'est bien compliqué.

Onésime Richard, comme tant d'autres, perd son emploi. Quand on a grandi dans la pauvre Gaspésie, on a assez d'orgueil pour ne pas pleurer sur son sort. Cependant, l'on se plaint du gouvernement. Pendant de longues conversations entre désœuvrés, on blâme le gouvernement d'Ottawa. Cependant, on apprend qu'il va enfin aider les familles dans le besoin. C'est ce qu'on nomme le Secours direct. Grâce à un système de coupons, les familles miséreuses pourront se procurer de la nourriture. Pendant plusieurs mois, alors que le père de Maurice est chômeur, les coupons du Secours direct permettent à la famille de manger. L'appétit est considérable quand on grandit et passe des journées complètes sur ses patins à courir une rondelle.

Onésime a de la fierté. Il est incapable de se montrer à l'épicerie du coin et de payer avec les coupons des indigents. Onésime travaillerait s'il y avait du travail. Pourquoi en est-il rendu à recevoir la charité, lui qui est un homme de métier, un père qui ne boit pas, un homme responsable? Il préférerait ne pas manger plutôt que de recevoir la charité; voilà ce qu'il dit à Alice. Maurice a entendu. Maurice est capable, lui aussi, de ne pas manger. Il faut manger, tranche sa mère. Onésime ne veut pas qu'on le voie acheter de la nourriture avec ses coupons de la charité publique. Elle demande à Maurice d'aller à l'épicerie avec les coupons du Secours direct.

Maurice est fier aussi. Il ne veut pas que ses amis le voient à l'épicerie avec les coupons pour les pauvres. Sa mère insiste; il est un grand garçon, il doit se montrer utile. Sur ses patins, il court lentement à l'épicerie. Il n'a pas envie de payer avec des coupons. Quand il va les présenter, tout le monde va savoir que les Richard sont pauvres. On va lui demander si son père se cherche du travail. Et il craint de n'avoir pas assez de coupons. Qu'est-ce qu'il va dire s'il n'a pas assez de coupons, dans sa main, pour tout ce qu'il doit acheter? Il arrive au comptoir. L'épicier remarque les coupons dans sa mitaine. Une cliente arrive avec de l'argent vrai dans son sac. «Attends un peu, avec tes coupons.» Survient un autre client. Et un autre. Ils ont de l'argent et Maurice n'a que des coupons pour les pauvres. Il doit attendre son tour. Le tour des pauvres. Enfin, il est servi. Le dernier. Pourquoi le dernier? Après tous les autres. Pourquoi est-il pauvre? Pourquoi son père a-t-il perdu son travail? Pourquoi son père ne veut-il pas se montrer à l'épicerie? Il retourne à la maison avec son sac de nourriture. Sur ses patins, il n'est jamais le dernier. Il arrive au but avant tous les autres. Personne ne lui demande s'il a de l'argent ou des coupons du Secours direct. Il met la rondelle dans le but plus souvent que ceux qui ont de l'argent vrai. Sur ses patins, il n'attend pas. Il passe le premier. À l'épicerie, tout le monde est passé avant lui. Parce qu'il a des coupons de pauvre. Il a envie de pleurer. Un homme ne pleure pas. Embrassant son sac de nourriture, il patine dans la rue vite, comme s'il avait la rondelle, comme s'il avait de l'argent vrai pour payer l'épicier. Quand il sera un homme comme son père, personne ne le poussera à passer le dernier, il n'aura pas honte d'aller à l'épicerie. Il ne paiera pas avec des coupons de pauvres.

Quand il revient à la maison, sa mère remarque:

– T'es tout en sueur. Par ce temps froid... Tu vas attraper la consomption.

De son côté, la Société Saint-Vincent-de-Paul distribue aux familles affamées de la viande, du pain, du lait; l'hiver, des bénévoles de la Société, qui ne craignent pas de se noircir le visage, se transforment en charbonniers pour leur apporter des sacs de charbon. Au plus froid de l'hiver 1931, le ministre de la Défense nationale juge la situation si grave qu'il se départit des sous-vêtements en réserve pour ses soldats pour habiller ceux qui ont froid.

Le gouvernement fédéral lance des travaux publics d'envergure: rénovation du chemin de fer; construction de grandes routes, et de chemins de campagne. En plein hiver, sur la neige épaisse qui recouvre la province de Québec, des chômeurs, chargés de réparer la route, étendent du gravier sans pouvoir être sûrs que la route en dessous est là où ils croient.

Le petit Maurice, qui patine sur la neige durcie de sa rue, comprend-il, à 10 ans la détresse des habitants de Montréal? Comme tout enfant, il pense que le monde et lui commencent en même temps. Ce monde est bien dur dans lequel il s'avance. Il sait déjà comme sont dures les bousculades sur la patinoire. Dans le grand jeu de la vie, les bousculades sont encore plus implacables. Des gens, des familles terrassés par la misère ne se relèvent pas. Onésime, gêné de ne pouvoir donner à sa famille ce qu'un homme doit donner, se renferme dans son humiliation. Sa colère. Il garde pour lui sa souffrance. Maurice voudrait n'être pas un petit garçon inutile. Il cherche à gagner quelques sous. Lui qui déteste quémander, il cherche dans le voisinage si on a besoin de lui pour des commissions. On sait que ce garçon est honnête, fort, qu'il ne flâne pas. C'est un garçon de peu de mots, en cela semblable à son père.

Sur la patinoire où il s'amuse avec le sérieux de celui qui fait quelque chose de plus important que de jouer, Maurice est entraîné dans un monde différent de celui de la Crise. Ici les règles sont claires, plus simples que celles de la misère. Sur la patinoire, on n'est pas condamné à perdre. Si on s'efforce, si on travaille, si on est rapide, si on est astucieux, on peut gagner. À chaque fois qu'il saisit la rondelle, Maurice commence une vie nouvelle. Celle qu'il a reçue n'a plus d'importance. Il s'empare de la rondelle et invente sa vie. Manipulant la rondelle, il dessine un mouvement qui ne dépend que des battements de son cœur, de la force de ses jambes, de l'agilité de ses bras. Aucun obstacle n'est irrémédiable. Voilà ce que Maurice apprend, les pieds gelés, s'évertuant à devenir un petit homme sur la glace.

Maurice a vu des gens forts brisés par la Crise. Mais il faut devenir fort. Le monde est un endroit où l'on est seul. Même si l'on est plusieurs, c'est seul que l'on affronte son combat. Vaincu, l'on est encore plus seul. La morale de l'histoire: devenir fort, se battre, vaincre. Dans la victoire, on est moins seul; dans ce monde, il ne faut pas perdre.

Le gouvernement? Autour de Maurice, les gens pensent qu'il est un gros bon-à-rien. Peut-il repousser la pauvreté? Non. Peut-il donner à manger aux familles affamées? Non. Peut-il redonner vie aux machines qui rouillent dans leur silence paralysé? Non. Le gouvernement laisse crever les petits tandis qu'il offre des faveurs aux gros. Les adultes affirment cela souvent, avec passion. Il ne comprend pas ces choses, mais il les entend. En plus, le gouvernement est pourri. En 1936, lorsque Maurice a 15 ans, des hommes d'affaires, des hauts fonctionnaires et même le propre frère du premier ministre Taschereau ont accumulé des profits considérables grâce à leurs malversations.

La Crise économique ne donne-t-elle pas raison aux prédicateurs de l'Église catholique? Depuis longtemps, aussi bien dans les églises campagnardes que dans les cathédrales des villes, ils prêchent que la ville est un endroit de perdition, rongé par la misère et le vice. Le seul salut possible est le retour à la terre où résident toutes les vertus. Dans un effort conjoint, l'Église et l'État lancent un programme de colonisation intérieure. Le temps est venu de fuir les villes «tueuses de peuples» où, affirment les prêcheurs et les recruteurs, les puissances de la race «se stérilisent».

En 1930 et en 1931, les Canadiens s'approprient la coupe Stanley. Cette victoire est sans doute réconfortante, mais de 1931 à 1932, plus de 3 700 familles quittent la ville, dirigées vers le Saguenay ou l'Abitibi. Souvent la terre est rocailleuse, les broussailles épaisses, les moustiques assassins et les hivers interminables. Pour les prêtres, leurs ouailles seront là plus à l'abri que dans les villes où ils étaient exposés au matérialisme, au protestantisme, au communisme et à l'anglais.

Une petite souris blanche
en soutane noire

1937. Pourquoi le peuple a-t-il été précipité dans cette Crise où il stagne sans comprendre. Henri Bourrassa, le directeur du journal *Le Devoir* et un orateur à la petite voix grandiloquente, blâme les grandes industries. Leur appétit démesuré pour le profit, accuse-t-il, a causé la Crise. Il rappelle que l'enseignement catholique s'oppose à la recherche immodérée des biens terrestres.

Une autre voix s'élève. Maurice Duplessis, en 1936, a vaincu Taschereau, l'ami des trusts, l'ami des capitalistes anglais, l'ami des profiteurs et l'ennemi de l'agriculture. Duplessis est persuadé que la Crise a été causée par la collusion entre les capitalistes américains, anglais, canadiens-anglais et la complicité des gouvernements.

Plus discrètes, certaines voix connaissent un seul moyen de se hisser hors de la misère: que le peuple s'inspire de la Grande Révolution de Russie! Que le peuple se soulève contre ceux qui les exploitent! Que le peuple impose la justice! Duplessis ne tarde pas à imposer le silence à ces communistes. Contre eux, il fait voter en 1937 la Loi du cadenas, qui lui donne le pouvoir de fermer, de cadenasser, tout établissement qui diffuse la doctrine communiste. Qu'est-ce qui est communiste? La loi ne le définit pas. Certains policiers jugent qu'un texte est communiste s'il est d'un auteur russe: par exemple, Dostoïevski est déclaré communiste. L'Église catholique applaudit Duplessis. Au «prosélytisme de l'erreur», il faut opposer le «prosélytisme de la lumière», prêchent les évêques. Duplessis leur apparaît, en 1937, comme «le fier soldat de l'unique Vérité catholique».

Désarroi. Pauvreté. Chômage. Désespoir. Le sentiment d'être trop petits dans un monde trop grand. Le sentiment d'être victimes. La conviction de subir une injustice fondamentale. Une grande fierté refoulée. Les Canadiens français ont survécu à l'occupation étrangère, ils ont résisté aux politiques d'assimilation, ils ont survécu à leur propre ignorance. Maintenant ils se heurtent à des portes fermées devant l'avenir. Ce petit peuple a besoin d'espoir.

Ce n'est pas, dans le monde, la saison de l'espoir. La guerre civile a éclaté il y a un an en Espagne. Le signe le plus évident en est l'extrême militarisation de l'Allemagne. Les pays voisins ressentent déjà la menace. Pourtant éloigné, le Canada augmente considérablement son budget de défense. Mackenzie King, le premier ministre, assure que le Canada va défendre la liberté si elle est menacée.

Dans la province de Québec, on a une certaine sympathie pour des chefs d'État comme Salazar au Portugal et Franco en Espagne. Ces chefs d'État ne craignent pas de faire usage de leur pouvoir pour défendre la religion catholique. Selon l'enseignement de l'Évangile, ils nourrissent les affamés en les employant à de grands travaux publics. Contrairement à tant de gouvernements amollis par la corruption, ils ne craignent pas de barrer le passage aux communistes athées qui s'amènent à la conquête du monde. Voilà ce que des évêques et des prêtres disent du haut de leur chaire, à une population soumise et croyante.

Faut-il s'étonner que ce petit peuple incertain de lui-même, de son avenir, soit inspiré par des chefs forts qui ont uni leur peuple pour le guider dans la bonne direction? Ces dictateurs du Portugal, d'Espagne et d'Allemagne chassaient les sirènes de la propagande communiste. Doit-on s'étonner que certains aient vu en eux des remparts contre le communisme athée? Les prêtres ne sont pas les seuls à professer des sentiments sympathiques à l'égard des dictateurs. Mackenzie King note dans son journal, le 27 mars 1938, qu'Hitler sera peut-être un personnage semblable à Jeanne d'Arc: le libérateur de son peuple et peut-être, le libérateur de l'Europe.

Maurice a seize, dix-sept ans. Il semble, dans son quartier de l'est de Montréal, que les Canadiens français auraient une meilleure vie si un chef fort dirigeait les affaires de la province de Québec et se faisait respecter. On n'a plus confiance en nos gouvernements.

Ce n'est pas d'Hitler dont il faut se méfier, croit une élite de la province de Québec. C'est du communisme. Élevons une muraille contre le communisme! Le 25 octobre 1936, 100 000 personnes s'assemblent sur la place du Champ de Mars, à Montréal pour exprimer leur refus du communisme et acclamer la royauté du Christ. Le président du Conseil des unions ouvrières lance un vibrant cri du cœur: «Répondons fièrement au communisme que nous reconnaissons le Christ pour notre Sauveur, notre Rédempteur et notre Roi.»

En même temps, dans la ville de Québec, 15 000 fidèles se sont déplacés pour entendre le cardinal Villeneuve dénoncer les idées pernicieuses du communisme. Il remercie Dieu de nous avoir donné Duplessis qui s'est levé debout comme un véritable chrétien pour dire au communisme: «Satan, tu ne passeras pas!»

Non, le monde n'offre pas beaucoup d'espoir aux Canadiens français. Il est enceint d'une tempête. On le sent, comme en juillet, à la campagne, on sent le ciel pesant avant qu'il n'explose. Nous tenons à notre religion. Nous tenons à notre langue française, la plus belle langue au monde; avec fidélité, nous la parlons encore à la manière de nos ancêtres du vieux pays: cette langue que les maîtres anglais ont tenté de nous faire oublier, cette langue qui proclame à l'Amérique et au monde entier que les Canadiens français sont «une race qui ne sait pas mourir».

Le 29 juin 1937, au soir, il pleut sur la ville de Québec. Des milliers de personnes, bravant le mauvais temps, sont venues au Colisée pour écouter des orateurs, à l'occasion du 2ᵉ Congrès de la langue française. Sont alignés sur l'estrade le cardinal Villeneuve dans sa cape pourpre, plusieurs dignitaires politiques, d'importants magistrats, une rangée d'évêques vêtus de soutanes noires décorées de pourpre, des chanoines un peu plus rondelets, un peu moins décorés et de simples membres du clergé, tout en noir. Au microphone, les discours se suivent. Des lamentations sur les blessures inguérissables du passé. Des paroles sombres sur les souffrances actuelles. Il est déjà près de dix heures. On annonce le prochain orateur. La foule se lève. Il tonne sur la ville de Québec fouettée d'éclairs. La clameur de la foule couvre les grondements du ciel. Sous l'immense ovation, un petit homme malingre, vêtu d'une simple soutane noire, au microphone, attend le silence. C'est l'abbé Lionel Groulx, l'historien. Pendant plusieurs minutes, il attend. Embarrassé. De derrière ses petites lunettes rondes, il relit son texte. Finalement l'ovation s'épuise.

Il entreprend son discours. Sa pensée est abstraite; il n'essaie pas de plaire au peuple avec les façons démagogiques de certains politiciens. Sa pensée est précise si les phrases sont pompeuses, longues et solennelles. À quelques moments, une affirmation déclenche une ovation aussi intense que celle qui l'a accueilli au microphone. Certains évêques se sentent un peu mal à l'aise. Ce prêtre en soutane noire qui triomphe ne parle pas de religion mais franchement de politique. D'autres sont rassurés. Dieu n'a-t-il pas confié à l'Église la responsabilité de diriger les croyants dans les affaires du ciel et de la terre? Ils échangent des regards inquiets, approbateurs, impassibles... Tout à coup, le petit historien déclare: «Notre État français, nous l'aurons... Nous aurons aussi un pays français, un pays qui portera son âme dans son visage.»

À ces mots, transportés par la radio dans toutes les régions de la province de Québec, la foule du Colisée danse, applaudit, hurle, chante: le Messie serait-il apparu? Inconfortables, quelques évêques souhaiteraient que l'ovation s'interrompe. L'abbé Groulx a-t-il mesuré les conséquences de son discours? «Un pays français», cela signifie-t-il qu'il prône la séparation de la province de Québec d'avec le Canada? Parmi les inquiets sur l'estrade, il y a Duplessis. Il n'est pas prêt à s'engager sur la route que propose le discours osé de l'historien, mais devant l'approbation de la foule, il doit être prudent. Ce soir, il ne peut contredire le sentiment populaire de la foule.

Le lendemain, lors d'un banquet d'apparat, Duplessis a eu le temps de préparer les mots nécessaires. Au moment de son toast à la province de Québec, il rétorque: «S'il y avait quelqu'un qui voulait prêcher l'isolement...» On sait qui il va griffer. Ses yeux se tournent vers le petit abbé Groulx. Il pointe vers lui son index qui s'agite lorsqu'il lance une grande déclaration: «S'il y avait quelqu'un qui voulait prêcher l'isolement, je lui dirais: vous voulez rapetisser l'âme française, vous voulez restreindre une puissance trop belle et trop grande. On ne saurait, en effet, imposer de bornes au génie français en Amérique.» Le ton est retenu. L'auditoire a compris. Plutôt que de se séparer du Canada, les Canadiens français pourraient conquérir l'Amérique. Quel rêve! Notre petit peuple conquis pourrait conquérir l'Amérique!

À l'école, quelques professeurs connaissent ces discours par cœur; ils les expliquent en classe. Tous ces mots ressemblent à du vent. L'avenir est encore loin. Il aimerait travailler en usine, fabriquer des pièces de machines. Le soir, les week-ends, il aurait du temps pour jouer au hockey.

En lui bout une énergie sans limites qu'il doit brûler. De longues courses à bicyclette. Plus il pousse sur les pédales, plus il a envie de pousser encore. Plus il dépense de l'énergie, plus il lui en reste. Ses jambes ne deviennent jamais lourdes. Ses muscles réclament toujours plus d'efforts. Des plongeons depuis le pont du chemin de fer dans la rivière des Prairies. Maurice retarde le plus longtemps possible le moment de refaire surface. Puis il regrimpe sur le pont, trente pieds au-dessus de la rivière, et plonge encore. De longues nages dans le courant tumultueux. Des sessions de boxe avec les amis. Des parties de baseball. Et l'hiver, tout ces matchs de hockey.

Du brassage de mots qu'est la politique, il n'entend qu'une rumeur lointaine. Le monde réel est le terrain où il joue. La force qui l'intéresse est celle qui frappe la balle plus loin que la limite du champ, qui assène un coup de poing qui fera tituber son adversaire, qui rend une rondelle invisible aux yeux du gardien de but. Que sait-on quand on a seize ans? On ne vieillira pas comme ses parents. Il est plus amusant de jouer que de travailler. Les gardiens de but ne résistent pas à la fracassante intelligence de ses tirs. Il est déjà célèbre dans son quartier. Très occupé à ses jeux, Maurice a-t-il entendu la petite voix grêle de l'abbé Groulx, cette souris blanche en soutane noire?

Les vérités apprises dans les campagnes sont mises à l'épreuve dans les villes. La vie ne ressemble pas aux enseignements de l'Église. Malgré tout, les Canadiens français se tiennent debout dans leur histoire. Le destin leur réserve un grand avenir. Dans les collèges, les étudiants chantent en chœur dans leurs chapelles un hymne qui enflamme leurs jeunes cœurs: «Regarde avec amour sur les bords d'un grand fleuve, un peuple jeune encore qui grandit frémissant... Tu l'as, plus d'une fois, préservé dans l'épreuve...» La province de Québec croit au Messie. Elle croit aussi aux miracles. Dieu n'abandonnera pas ses Canadiens français isolés sur le continent américain.

On a commencé à bâtir une basilique en l'honneur de saint Joseph, le père adoptif de Jésus. À cause de la Crise économique, les sources financières sont à sec. On a interrompu les travaux. Les murs sont debout sur la montagne mais le temple n'a pas de toit. Saint Joseph dormira-t-il à la belle étoile? Que faire? On ne peut laisser une basilique inachevée? L'on consulte l'humble frère André; sa simple piété a été l'origine de cette marée de piété envers saint Joseph. L'humble frère suggère de placer la statue de saint Joseph entre les murs, sous le toit absent. Il pleuvra. Il fera froid. Il neigera. Saint Joseph décidera s'il veut un toit ou non. Quelques mois plus tard, on sait qu'il veut un toit. Miracle! Miracle! Le saint charpentier a, quelque part au paradis, actionné des leviers qui ont ouvert les vannes. L'argent coule à torrents vers l'Oratoire.

N'est-ce pas aussi un beau miracle que de faire apparaître la rondelle dans le filet des adversaires? Avec ses yeux noirs et ses cheveux drus, Maurice est si sérieux qu'il a l'air de ne pas s'amuser. Il connaît le nom d'anciens joueurs de hockey comme Howie Morenz, le meilleur compteur des Canadiens de 1925 à 1932. Son père lui parle avec ferveur d'Aurèle Joliat, le meilleur compteur des Canadiens de 1932 à 1936 et le joueur qui a reçu le plus de pénalités. Il sait les noms des joueurs actuels qu'il lit dans le journal, qu'il entend à la radio. C'est surtout Toe Blake qu'il admire. Plutôt que d'écouter les matchs à la radio, Maurice préférerait voir les Canadiens en chair et en os, sur la patinoire du Forum. «Toe Blake à la ligne bleue, Toe Blake contourne le défenseur, Toe Blake devant le but... Toe Blake seul devant le but... Toe Blake lance et compte!!!» Il aimerait entendre leurs patins déchirer la glace, leurs tirs rebondir sur la clôture. Il aimerait entendre les cris de la foule rouler comme un tonnerre enthousiaste. Il voudrait voir de ses propres yeux Toe Blake placer la rondelle dans le filet. Il aimerait observer de ses propres yeux ces joueurs qu'il imite sur les glaces paroissiales. Quitter son quartier et se rendre dans l'Ouest, où est situé le Forum... Le voyage ne se fait pas sans y penser. On ne traverse pas sans une bonne raison la frontière de la rue Saint-Laurent qui divise la ville. Ensuite, il y a le ticket du tramway, le billet d'entrée.

Au terme de sa neuvième année, à l'école, Maurice a gravi les étapes: pee-wee, midget, bantam. En plus de ses matchs réguliers, il s'amuse souvent à son jeu préféré, la «ronde». La règle en est très simple. Celui qui s'approprie la rondelle essaie de la garder le plus longtemps possible malgré les autres joueurs qui s'efforcent de la lui soutirer. Pour la conserver, il feint, il pivote, il s'élance de nouveau, il freine, il la défend, il fonce dans une forêt de bâtons, il s'enfuit avec la précieuse rondelle poursuivi par la meute. À ce jeu, il développe sa vitesse, il assouplit ses mouvements, il renforce son équilibre, il améliore son endurance, il aiguise ses réflexes, il raffine ses ruses. Le sait-il?

Maurice est devenu trop fort pour la ligue de son école. Ses services sont requis par le Bordeaux, la plus forte équipe de la paroisse.

Les joueurs sont plus âgés que lui, plus costauds. Il va s'endurcir, apprendre, les égaler, les surpasser. Son père lui donne quelques conseils d'expérience. Il a déjà pris une grande décision; son métier sera machiniste. C'est un bon métier. Dans les petites annonces du journal, on demande des machinistes. Avec les automobiles, les camions, les avions, les tracteurs et toutes sortes de nouvelles machines qui font le travail des hommes, on a besoin d'hommes qui savent faire des pièces de machine. C'est un métier mieux payé que celui de son père, menuisier. Il s'inscrit à l'École technique. Bien sûr, Maurice Richard jouera pour l'équipe de l'École, mais il n'a pas envie de quitter son équipe, le Bordeaux. Pendant deux ans, il joue pour les deux équipes à la fois.

Le propriétaire d'une équipe de la Ligue des Parcs remarque ce joueur si déterminé qu'il a l'air beaucoup plus vieux que ses seize ans. Il l'invite à joindre son club, le P.E. Paquette; c'est le nom de sa station-service. Dès son premier match, Maurice marque six buts. Maurice mène l'équipe, trois années de suite, au championnat de la Ligue des Parcs. Au cours de la saison 1938-1939, le P.E. Paquette totalise 144 buts. Maurice en a marqué 133. Durant un match normal, il expédie la rondelle huit à dix fois au fond du filet. L'athlète se forme. Son corps se durcit, mais aussi sa volonté. Souvent il dispute deux matchs par soir, quatre matchs durant le week-end. Et il ne refuse pas de se soumettre, le dimanche, aux séances d'entraînement que lui propose Onésime.

Après les matchs du Bordeaux, l'instructeur invite souvent ses joueurs à la maison paternelle. Ils dévorent des sandwiches arrosés d'un Pepsi ou d'un Kik, ils discutent hockey, écoutent les nouvelles du sport à la radio ou bien la musique de leurs disques 78 tours. Parfois, ils écartent les meubles pour danser. Maurice n'est pas bavard. Que reste-t-il à dire quand on a marqué sept buts durant le match? Qu'on aurait pu en marquer dix si on n'avait pas commis ces erreurs stupides... Maurice déteste la danse. Il a dix-sept ans. Lucille, la petite sœur de l'instructeur, qui a 13 ans, se donne la mission d'enseigner la rumba à ce grand garçon. Il est si timide. Il est habillé d'un costume qu'il n'a pas dû payer trop cher. Quand il danse, il se contracte comme s'il allait recevoir un coup d'épaule. Quand il parle, il ne dit jamais plus qu'une phrase. Courte. Comme tous ces garçons, il ne sait parler que de leurs parties de hockey. S'il faisait l'effort, il serait capable de danser. Il pourrait danser assez bien. Mais il n'a pas vraiment envie de bien danser. Lucille connaît bien le hockey. Avec la permission de sa mère, elle va voir jouer l'équipe de son frère, l'instructeur. Sans aucun doute, Maurice est le meilleur joueur de la ligue.

9

Voici venir le temps de la guerre

1938. Le ciel ne cesse de s'appesantir sur les pays d'Europe. Ceux qui ont connu la Première Guerre mondiale assurent que ce temps-ci ressemble à ce temps-là. En septembre, les leaders des principaux pays d'Europe se rencontrent à Munich. Hitler se dit prêt à mettre en branle sa machine de guerre. Pour le prouver, sous le regard passif de la France et l'Angleterre, il annexe une portion de la Tchécoslovaquie. La paix est encore plus incertaine. On aura besoin d'armes. Paradoxalement, les machines qui commencent à ronronner dans les usines de guerre apportent un peu d'espoir aux chômeurs du Canada.

Préoccupé par les ambitions d'Hitler, le Canada renforce sa défense de la côte atlantique. La Gendarmerie royale, craignant le sabotage, surveille les usines stratégiques. La Grande-Bretagne impose le service militaire le 26 avril 1939. Ottawa ne tardera pas à imiter Londres, prédit-on. Il y a, dans la capitale fédérale, beaucoup de serviteurs dévoués de l'Empire britannique. Ce n'est pas pour rien que, quelques jours plus tard, le roi Georges VI s'amène au Canada. Sa Majesté passe en revue, à Québec, le Royal 22e Régiment. Le recrutement débute. Maurice, s'il faut se battre, ira se battre.

Beaucoup de Canadiens français s'opposent à l'idée d'un conscription qui enverrait leurs fils mourir en Europe. Les Jeunes Patriotes publient une brochure: «La jeunesse canadienne-française préfère vivre librement dans son vieux Québec français plutôt que d'aller mourir au service d'une Confédération anti-française et plus britannique que canadienne.» Peut-on reprocher à la jeunesse de préférer la vie à la mort? Les Jeunes Patriotes expriment leur malaise de vivre au sein d'un pays si soumis à l'Angleterre. Quelques mois plus tard, sur la place du Champ de Mars à Montréal, Camillien Houde, le maire de la ville, s'adresse à une foule d'étudiants. Après les souffrances et les humiliations que les Anglais leur ont fait subir, il ne comprend pas, dit-il, pour quelle raison les Canadiens français iraient mourir pour l'Angleterre. Et si la France elle-même entrait en guerre, quelle raison les Canadiens français auraient-ils de verser leur sang pour elle? La France n'est plus le même pays que la mère patrie de nos ancêtres: elle n'est plus monarchique, elle n'est même plus catholique. Crépitent des applaudissements hystériques. Non, les jeunes Canadiens français ne doivent pas donner leur vie, leur sang à l'Angleterre! Non, les jeunes ne doivent pas donner leur vie à la France! S'alliant à l'Angleterre, la France démontre qu'elle approuve sa politique d'injustice à l'égard des Canadiens français. La jeune foule du Champ de Mars trépigne.

Sans tenir compte de nos réticences, les événements se précipitent. Le 1er septembre 1939, Hitler envahit la Pologne. Deux jours plus tard, la Grande-Bretagne déclare la guerre à l'Allemagne. La France aussitôt se range à ses côtés. Le consulat allemand à Montréal est aussitôt entouré de policiers. Partout au Canada, les ressortissants allemands sont arrêtés. Tout commerce avec l'Allemagne est interdit. Au marché Maisonneuve, dans l'est francophone de Montréal, des citoyens protestent contre une éventuelle entrée en guerre du Canada que va annoncer Mackenzie King, valet de l'Angleterre. René Chalout, un politicien nationaliste, harangue la foule: «Ottawa ne peut pas lier le peuple canadien-français.» Maxime Raymond, un autre député nationaliste, dépose une pétition signée par 100 000 Canadiens français réclamant que le Canada s'abstienne de participer aux guerres extérieures. Dans les églises, les curés rappellent à leurs ouailles que les Canadiens français sont un petit peuple menacé de tout côté. Pour survivre, il a besoin de tout son sang et de toute sa jeunesse. Nous ne devons pas verser notre sang ni perdre notre jeunesse en terre étrangère.

Mackenzie King assure qu'il n'est pas «insensible» aux objections de la province de Québec quand Ernest Lapointe, l'influent ministre de la Justice, lui fait savoir que ses collègues canadiens-français démissionneront si le gouvernement établit la conscription. Se faisant rassurant, King ne croit pas nécessaire, dit-il, d'établir la conscription pour le service d'outre-mer.

Le samedi 9 septembre 1939, après des discussions déchirantes, le gouvernement fédéral, par un vote à main levée, exprime le vœu que le Canada demande au roi de déclarer en son nom la guerre à l'Allemagne.

On annonce de nouveaux impôts. De nouvelles taxes, même sur la consommation d'électricité. On demande à la population de manger du poisson en conserve; le poisson frais devrait servir à nourrir les soldats en Europe. Journaux et radios seront sous surveillance. Les politiciens doivent faire approuver leurs déclarations avant de les diffuser. Duplessis refuse de se soumettre; jamais il ne fera approuver ses discours par Ottawa!

Les dépenses de guerre seront phénoménales. Le gouvernement fédéral lance un Emprunt pour la guerre. Toute occasion est bonne au gouvernement fédéral pour amoindrir l'autonomie des provinces, assure Duplessis. Cette fois, l'excuse est la guerre. Le peuple de la province de Québec ne veut pas cette guerre. Duplessis enjoint ses électeurs de se dresser contre l'Emprunt pour la guerre. Même le chef de l'opposition, Adélard Godbout, s'engage à quitter le Parti libéral si un seul Canadien français est mobilisé contre sa volonté. À Ottawa, les ministres et les députés de la province de Québec continuent de s'opposer à la conscription.

Duplessis aurait-il des sympathies nazies? Certains le suggèrent. Les Montréalais, un matin, trouvent dans leur courrier un curieux dépliant illustré des photographies de Staline et d'Hitler. Si on plie le papier de la façon suggérée, Hitler et Staline forment le portrait de Duplessis. Le dépliant ne circule pas longtemps. La police le saisit parce qu'il contrevient à la loi du cadenas. Portant le visage de Staline, il est évident que c'est un instrument de propagande communiste.

Finalement, *Le Devoir*, journal de l'élite intellectuelle, tranche le débat: les Canadiens français ne voteront ni pour Staline, ni pour Hitler, ni pour Chamberlain, ni pour Churchill. Il s'agit de choisir «entre Ottawa maître à Québec et Québec maître à Québec».

Maurice Richard ne lit pas *Le Devoir* comme le notaire et le prêtre de sa paroisse, mais comme tous les Montréalais il a vu défiler des soldats dans les rues, au même pas, le fusil à l'épaule, marchant avec conviction vers la guerre. L'ennemi de l'autre côté de l'océan, dans des pays aussi lointains que les siècles anciens d'où sont venus les ancêtres. Si nécessaire, Maurice ira au front. Tirer une balle, ça doit être comme placer la rondelle dans le filet. Mais il n'acceptera pas de porter une jupe comme ces soldats qui, la veille, ont défilé sur la belle rue Sherbrooke. C'étaient les Black Watch du Royal Highland Regiment, avec leurs cornemuses.

Le dimanche, les gens se rendent au port voir un bateau de guerre amarré. Des affiches au bureau de poste, dans les épiceries, dans les restaurants, à l'usine, avertissent: l'ennemi a des yeux et des oreilles partout. Soyons discrets! L'armée surveille maintenant l'entrée du canal de Lachine pour parer à toute infiltration. Dans les parcs, des soldats s'entraînent. Dans les gymnases, des étudiants s'exercent au maniement des baïonnettes. Huit mille volontaires canadiens se seraient embarqués en secret pour la Grande-Bretagne.

Tout ce qu'il entend n'est que complication et contradiction. La vie lui semble une grande chicane. Il ne fuit pas une querelle, mais il ne faut pas que ce soit une querelle de mots. La vie ne lui semble faite que de mots. Il n'aime pas parler. Il n'aime pas ceux qui parlent trop. Tout le monde semble trop parler. Il se sent impuissant dans ce monde où l'on parle trop, où tout se contredit, où les règles sont évanescentes. À ce monde trop grand il préfère la glace solide, avec des limites définies, des lois claires. Il se sent à l'aise sur la patinoire, sur le terrain de baseball. Là on peut achever quelque chose d'indiscutable: marquer un but. Gagner.

On trempe dans les idées qui circulent comme les œufs noyés dans le vinaigre qu'offre le restaurant du quartier, sur le comptoir, près de la caisse enregistreuse. Les gens discutent, se plaignent, s'inquiètent. Les Canadiens français sont traités avec injustice, sont menacés de sombrer. On se sent mal aimés, inférieurs; dans son malaise, on a une viscérale fierté d'avoir survécu à tous ses malheurs et une colère atavique. Plus d'un siècle et demi de soumission l'a retenue, mais cette force un jour éclatera. Gonflé de ce tumulte, le jeune Maurice Richard saute sur la patinoire!

À l'automne 1939, des jeunes hommes de son quartier s'enrôlent. Certains travaillent à l'entretien et à la réparation des avions. Maurice aimerait ce genre de travail, mais il va jouer pour le Verdun junior. Cette équipe est un club-école des Canadiens. Maurice termine la saison au premier rang des marqueurs. Et le Verdun junior gagne le championnat de la province de Québec. La force des joueurs du Verdun est leur désir de jouer pour les Canadiens. En même temps, Maurice, étudiant de jour à l'École technique, reste dans l'équipe J.E. Paquette. Ses buts sont notés sous le nom de Maurice Rochon.

Pendant les vacances d'été, il travaille chez Crane, un entreprise de produits de plomberie. C'est à plusieurs kilomètres de la maison; il s'y rend à bicyclette. C'est une façon d'entraîner ses jambes. Il fait aussi de la boxe avec des amis. On l'encourage à prendre des leçons. Il s'inscrit à l'école du réputé Harry Hurst. Certains amateurs croient avoir découvert un futur champion. Il se prépare pour le tournoi des Golden Gloves. Un coup de son instructeur sur le nez, malheureusement, l'empêche d'y participer. Son énergie est illimitée. Plusieurs équipes souhaitent attirer ce jeune joueur si bien préparé. Aura-t-il le temps d'aller à l'école?

Les usines ont recommencé à tourner. Sur une affiche, un machiniste comme Maurice, tout attentif à son tour mécanique, s'applique à fabriquer une pièce. Derrière l'ouvrier, on voit un avion allié qui abat un avion ennemi. Grâce au travail de l'ouvrier, nos armées vaincront. À son propre tour mécanique, Maurice s'applique. Son père lui a appris que le travail qui mérite d'être fait mérite d'être bien fait. Surtout, il a en lui un instinct obsessif qui le fait recommencer jusqu'à ce que la pièce soit parfaite.

La politique est en tempête. Quel appui les Canadiens sont-ils prêts à déployer pour aider la Grande-Bretagne; en guerre contre l'Allemagne? Le gouvernement de Duplessis est défait en septembre 1939. Durant la campagne électorale fédérale de 1940, les candidats conservateurs comme libéraux, dans la province de Québec, jurent qu'ils s'opposeront à la conscription. Faut-il les croire? Les Canadiens français se souviennent de la Première Guerre mondiale. Le gouvernement leur a alors imposé la conscription, même s'ils la rejetaient par une vaste majorité.

Si les jeunes Canadiens français étaient forcés d'aller combattre en Europe, craignait le clergé en 1914, ils connaîtraient dans ces pays peu catholiques des expériences «délétères»; à leur retour du front, leur âme blessée serait incapable de vertu. Depuis des générations, le clergé encourage les familles à être nombreuses pour contrebalancer la menace de l'immigration anglophone. Si l'on voulait, au Canada, une proportion raisonnable de Canadiens français catholiques, il fallait produire beaucoup d'enfants. C'était la revanche des berceaux. Cette belle jeunesse ne devait pas aller se faire massacrer dans une guerre étrangère, mais vivre au Canada et élever des familles avec de nombreux enfants. Les nationalistes soutenaient le même argument: le sang canadien-français ne devait pas aller se perdre en sol étranger. Les Canadiens français devaient lutter, mais au Canada, pour la survie de leur peuple. En Ontario, au Nouveau-Brunswick, au Manitoba, les Canadiens français ne pouvaient pas exercer leur droit de vivre dans la langue sacrée de leurs ancêtres, les véritables fondateurs du Canada. C'est au Canada qu'ils devaient lutter pour leur avenir au lieu d'aller perdre leur vie pour l'Angleterre. Ainsi parlaient, en 1914, les prêtres et les nationalistes. Ils tiennent le même discours en 1940. Mackenzie King entend les Canadiens français et il s'engage à ne pas imposer la conscription. Le 26 mars 1940, il est reporté au pouvoir avec un soutien très ferme de la province de Québec.

Hitler, après avoir envahi le Danemark et la Norvège le 9 avril, étend son emprise sur la Belgique, la Hollande et le Luxembourg dans les semaines qui suivent. À Montréal, une cinquième colonne de fascistes se prépare à devenir la première patrouille d'Hitler quand il aura conquis le Canada. Dans une rafle spectaculaire, la Gendarmerie royale les encercle: ses membres sont des citoyens d'origine allemande, italienne, des Canadiens français et des Canadiens anglais. Adrien Arcand, le chef du groupe, et dix complices sont incarcérés. À la menace de l'expansion nazie s'est donc ajoutée la menace intérieure; certaines provinces du Canada réclament la conscription.

Les nazis entrent dans Paris le 14 juin 1940. Cette humiliation, les Canadiens français la comprennent; elle ressemble à celle qu'ils ont subie en 1759, aux Plaines d'Abraham. La mère patrie est vaincue. L'Église et l'école ont tellement célébré la gloire de la France; on la croyait invincible, éternelle, comme disaient les discours. La France est écrasée sous la botte nazie. Nous sentons la guerre plus proche.

Aussitôt, Mackenzie King profite de la circonstance pour annoncer un service militaire obligatoire sur le sol canadien. Les députés anglophones l'appuient avec enthousiasme. Ceux de la province de Québec se sentent trahis: King a promis qu'il n'imposerait jamais la conscription.

Au Parlement de Québec, le député nationaliste René Chalout voudrait que la Chambre déclare son opposition au service militaire obligatoire. Adélard Godbout, le nouveau premier ministre libéral, rétorque que le gouvernement fédéral fait son devoir en demandant aux jeunes Canadiens de défendre leur pays qui est en danger. La motion de Chalout est rejetée. Duplessis, le chef de l'opposition, a voté en sa faveur.

Il faut aller au combat, mais l'armée est une institution anglaise. L'on a mémoire de la Première Guerre mondiale. Cette armée n'était pas l'armée des Canadiens français. Elle était l'armée de ceux qui ne reconnaissent pas les droits des Canadiens français, de ceux qui ne respectent pas l'autonomie de la province de Québec, de ceux qui ne respectent pas les droits des Canadiens français au Nouveau-Brunswick, en Ontario, au Manitoba. L'armée canadienne veut les Canadiens français parce qu'elle a besoin de chair à canon comme en 14-18, dit-on dans les demeures. En juillet 1940, au quartier général de l'armée canadienne, seulement quatre officiers sur 88 sont des Canadiens français.

Les célibataires et les veufs sans enfants sont appelés au service obligatoire. Préférant les dangers du mariage à ceux de la guerre, les jeunes gens s'empressent de convaincre leur amie ou une connaissance et courent à l'église. Les cérémonies du mariage tournent au rythme accéléré des usines de guerre. L'on s'épouse à toute heure, l'on s'épouse en série, l'on s'épouse en groupe. Les prêtres et les ministres sont exténués.

Mackenzie King a accepté de prendre en charge des Allemands que la Grande-Bretagne a fait prisonniers. Le 6 juillet, des centaines de Montréalais se rendent à la gare pour voir ces ennemis, deux par deux, défiler sous la surveillance de soldats armés vers le train qui les mènera au camp de détention.

Camillien Houde, le maire de Montréal, accuse King d'avoir menti aux Canadiens français. Le cinq août, il est arrêté par la Gendarmerie royale et conduit dans un camp à Petawawa, en Ontario, où sont assemblés des espions, des fascistes et des ressortissants de nations ennemies. On lui confie la responsabilité de couper du bois pour chauffer le camp pour l'hiver.

La guerre n'empêche pas les fleurs de pousser, elle n'empêche pas les feuilles de tomber. En septembre, Maurice Richard piaffe d'impatience. Il est déterminé à crever le filet des adversaires. Il se sent fort. Il est jeune. Qu'ils viennent sur la patinoire!

Amour et fierté

1940. À la suite de sa performance chez le Verdun junior, Maurice Richard est invité au camp d'entraînement du Canadien de la Ligue senior. Le machiniste a 19 ans. À son premier match, il se donne comme s'il avait la responsabilité de gagner seul la guerre. Deux buts! C'est un exploit pour une recrue. C'est insuffisant pour Maurice. Il arrache la rondelle, il zigzague sur la glace, on lui bloque le passage, il repart, il fonce, il déjoue, on le bloque, il reprend la rondelle et poussé par une détermination éclatante, il se dirige vers le but. Un adversaire le charge, il chancelle, perd l'équilibre, retrouve la rondelle, pivote sous la poussée, s'affale, dérape sur le ventre, le pied en avant. La clôture de bois arrête le bolide humain. Maurice entend un craquement sec. Comme de la glace qui se casse. C'est sa cheville.

La lame de son patin s'est coincée dans l'interstice entre deux planches.

La saison de cette formidable recrue est terminée. Certains assurent que l'avenir de Maurice s'arrête ici. Après cet accident, sa jambe, estiment-ils, ne recouvrera jamais sa puissance. Voilà gaspillé un talent exceptionnel. Appuyé sur sa béquille, pendant l'automne, l'hiver, le jeune machiniste pense parfois comme eux. Mais si sa carrière de hockey est terminée, pourquoi a-t-il en lui ce désir si intense de jouer? Alors qu'il se déplace sur une jambe, pourquoi est-il si attiré par la patinoire? Dans cette jambe démantibulée, pourquoi sent-il une force qui renaît? Il va jouer encore... Il est décidé à jouer.

Inactif, il s'ennuie. Alors qu'il ne peut s'étourdir de sport, il est forcé de prêter attention à ce qui se passe. L'on sent peser la guerre... Plusieurs de ses amis se sont enrôlés. Les nationalistes déblatèrent contre la conscription. L'Église, qui était à leur côté, semble changer d'avis. Le cardinal Villeneuve demande au peuple entier de la province de Québec de se mettre à genoux pour demander à Dieu la victoire de nos armées sur celle d'Hitler, qui menace la chrétienté. Ses béquilles posées sur le banquette de son église paroissiale, Maurice Richard se met à genou, malgré la douleur. Il prie, mais il lui semble qu'une bonne bagarre contre les Allemands aurait plus d'effet qu'une prière. Il ne craint pas un nazi. Mais comment se battre? Avec cette jambe blessée, il ne peut même pas jouer au hockey.

Le 9 février 1941, près de 10 000 personnes sont rassemblées à l'église Notre-Dame. Le chœur de l'église brille de ses centaines de chandelles posées autour du premier ministre Godbout, des ministres, des archevêques, des évêques. Le ministre fédéral de la Justice, Ernest Lapointe, lit au microphone, sur le ton d'un discours politique, la prière spéciale pour la paix. Les évêques accordent 50 jours d'indulgence à ceux qui la répéteront. Cela signifie 50 jours de moins à souffrir au purgatoire, après le décès. À la sortie de la messe, les fidèles se joignent à un défilé militaire.

À Québec, la prière se transforme en bagarre. Quatre cents soldats du Highland Light Infantry de Brandford, en Ontario, décident de protester contre l'arrestation de deux de leurs confrères surpris par la police dans un bordel. Que faisaient des policiers dans un bordel? Quand les soldats anglophones commencent à lancer des insultes aux curieux, les Québécois retrouvent l'armée comme ils la connaissent: une institution anglophone qui n'a pas de respect pour eux. Cette fois, on ne se laissera pas humilier! On va se bagarrer! On reprend les hostilités de la bataille des plaines d'Abraham, là où on les a laissées en 1759.

D'autres seraient restés dans leur fauteuil; mais, en mars 1941, Maurice Richard retourne chez les Canadiens senior pour les séries éliminatoires. Il n'y accomplit pas de merveilles, juge-t-il. Les séries éliminatoires ne lui suffisent pas. On le retrouve dans les rangs de son ancienne équipe, le J.E. Paquette. Sous le nom de Maurice Rochon, il participe à 15 des 17 buts marqués par l'équipe.

Le soir du 9 juin, Montréal disparaît dans l'obscurité. À 10 h 30, comme si les sous-marins ennemis remontaient le fleuve, les fenêtres deviennent noires, les rues deviennent obscures, les automobiles s'immobilisent, phares éteints. Il faudra recommencer. La répétition n'était pas parfaite. Des citoyens incrédules n'ont pas voulu éteindre leurs lumières. Les ennemis auraient pu repérer la ville. La bombarder. Une plus rigoureuse discipline sera exigée la prochaine fois.

Maurice se présente volontaire au Centre de recrutement de Longueuil, de l'autre côté du pont Jacques-Cartier. Il se voit dans l'uniforme de l'Aviation royale. Mais il revient bredouille. On le juge inapte au service à cause de cette cheville qu'il s'est fracturée.

Le gouvernement fédéral lance son premier emprunt de guerre. Le service de la propagande l'a rebaptisé «emprunt de la Victoire». Pour souligner l'événement, les citoyens de Montréal sont invités à une fête populaire au parc Lafontaine. Le peuple de notre si pacifique province a besoin d'un peu d'éducation. À cet effet, on lui montre une scène de guerre. La foule est saisie d'effroi en regardant la réplique d'un couvent s'écrouler sous un bombardement, avec de terrifiants effets d'explosion et de flammes. Quand le vent chasse la fumée, on peut lire en lettres lumineuses au-dessus du désastre: «Achetez des obligations de la victoire!»

Le 22 juin, Hitler attaque la Russie. On demande aux ménagères de diminuer leur utilisation de graisse végétale. Comme toutes les mères, sans trop savoir pourquoi, Alice, la mère de Maurice, récupère, après les repas, la graisse animale de même que les os. En septembre, les femmes sont invitées à se joindre à l'Armée comme auxiliaires. Déjà 25 000 femmes travaillent de nuit dans les usines d'armement. Dans son église paroissiale, Maurice entend le prêtre expliquer que le rôle de la femme est au foyer; chacun doit faire sa part pour la guerre, mais les femmes ne devraient pas être exposées aux dangers moraux de se trouver la nuit avec des hommes. La place véritable de la femme est à la maison où elle devrait enseigner à ses enfants les valeurs chrétiennes. C'est la raison pour laquelle Dieu l'a créée.

Du rififi dans l'est

1941. À l'automne, Maurice Richard est de retour avec le Canadien senior. Sa cheville est totalement refaite. Il a retrouvé sa rapidité. Son coup de patin est puissant, précis, incisif. Son jeu est déchaîné. Il ne tolère pas un obstacle. Il semble étouffer s'il ne marque pas de buts.

Le voici qui échappe à ses poursuivants. Il résiste au choc des défenseurs. Il s'approche du gardien. Comment le surprendre? Au lieu de lâcher un boulet, Maurice bifurque vers la droite, passe derrière le filet et, avant que les défenseurs médusés ne le rattrapent, va projeter la rondelle d'un coup de revers. Un défenseur arrive enfin. Comme un coup de hache, il lui abat son bâton sur la jambe. Son patin dérape. Maurice perd l'équilibre. Dans sa chute, il étend le bras. Son poignet, sorti du gant de cuir, heurte le montant de la cage. Du fer. Maurice entend ce bruit d'os qui se casse. Les connaisseurs jugent: après une cheville fêlée, un poignet cassé, c'est cette fois la fin. Hélas! Immobilisé encore une fois, Maurice s'ennuie. Il feuillette *La Presse.* Voici une illustration en couleurs, pleine page: un beau soldat, en uniforme kaki, se tient au garde-à-vous; sa bien-aimée le contemple comme s'il était la grande pyramide d'Égypte. «Amour et fierté, proclame la légende; elle est à l'usine, il est à l'armée.» Un couple de rêve. La belle est bien coiffée, elle porte une robe coquette, bien fermée au cou. Grâce à son travail à l'usine, elle peut s'offrir le salon de coiffure, la boutique de mode et un discret collier de fausses perles! La guerre est une bien jolie chose. Maurice tourne la page.

Le 7 décembre, les Japonais attaquent Pearl Harbour. *La Presse* veut encore faire rêver ses lecteurs avec une autre de ses illustrations: c'est le jour de l'An. Une famille nombreuse est réunie autour d'une table bien garnie: tourtières, tartes. La porte s'ouvre. C'est le fils, un conscrit qui revient après avoir terminé son camp d'entraînement de quatre mois. Il est impressionnant avec son long manteau kaki, ses guêtres grises, ses bottines luisantes et sa besace. Sa maman aux cheveux blancs vient l'embrasser. Une jeune sœur lui offre un plateau de beignes. Maurice Richard, assis à la table de cuisine, songe. La guerre, ce n'est pas le retour à la maison; c'est se battre là où les canons crachent le feu. Il aimerait bien se battre contre les nazis. L'an dernier, il a été rejeté à cause de sa cheville brisée. Et maintenant, ce poignet fêlé... Encore inactif, il est irritable. Prêt à exploser. Il se retient. Il ne comprend pas les nouvelles embrouillées de la guerre que rapporte la radio. Il préfère les chansons. Surtout les chansons western.

En ce début d'année 1942, le gouvernement canadien annonce la tenue d'un plébiscite national: Mackenzie King a promis de ne pas établir un service militaire obligatoire pour outre-mer; il demande au peuple de le libérer de cette promesse électorale. Adélard Godbout, le premier ministre de la province de Québec, lui répond: «Nos mères-patries en guerre ont besoin de munitions, d'armes, de nourriture; pour le Canada, la meilleure façon d'aider l'Europe, c'est d'utiliser les ressources de son agriculture et de son industrie. Envoyer notre jeunesse à la guerre serait un "crime"». *Le Devoir* proclame: «N'ayant aucune responsabilité dans cette guerre, le Canada n'a pas le droit de saborder sa propre protection.»

Dix mille personnes, au marché Saint-Jacques, dans l'est de Montréal, crient un NON retentissant au service militaire obligatoire. L'un des orateurs assure que les Canadiens français sont prêts à donner leur vie pour défendre «leur petite patrie», mais qu'ils refusent de mourir pour «l'autre patrie», celle des *Deux Cents* de Toronto qui mènent le pays, celle des profiteurs internationaux, des marchands de caoutchouc, de pétrole, de coton et d'opium. Ces mots passent sur la foule comme un ouragan de ferveur. Trop nombreux, les gens n'ont pu être admis à l'intérieur. Des milliers de personnes sont rassemblées devant la salle pour écouter la voix des haut-parleurs. Il est difficile d'entendre. Des tramways qui roulent en grondant sur leurs rails passent fréquemment. Cette artère unit l'est à l'ouest de la ville. Les tramways couvrent la voix des orateurs. La foule s'impatiente. Ces tramways passent trop souvent. Trop bruyamment. La foule va arrêter ce trafic. Ils se frayent un passage en labourant les gens. La foule se fâche. Elle essaie de renverser un wagon. Les passagers, à l'intérieur, sont terrorisés. Le véhicule trop lourd reste sur les rails. Frustrée, la foule s'attaque aux fenêtres. On bombarde le tramway de morceaux de glace. Les passagers débarquent. Injures. Menaces. Des coups. Ils se défendent.

Des militaires anglophones assistent au spectacle. L'un deux se plaint de ne rien comprendre: «This is an English country. These French Canadians should speak English.» Cette proposition n'est pas bienvenue au carrefour des rues Amherst et Ontario. Des patriotes de la langue française attaquent. La bagarre tourne en une petite guerre qui se généralise dans la foule. Parce qu'ils n'aiment pas recevoir des taloches dans leur beau petit visage, des étudiants décident qu'ils serait plus amusant de se rendre dans un bordel du voisinage pour en expulser les clients sans leur laisser le temps d'attraper leur pantalon. La police à moto charge. Ceux qui le peuvent montent sur les tramways. La police à cheval fonce. Des nez saignent. Des dents cassées. Des têtes ensanglantées. Dix-neuf personnes en cellules. Ainsi se termine cette manifestation en faveur de la paix.

Il est évident que les Canadiens français ne comprennent pas l'imminence du danger nazi. Le gouvernement intensifie la propagande. Des tanks défilent pour soutenir de leur pesante lenteur le deuxième emprunt de la Victoire. Une campagne de publicité vante l'efficacité des usines canadiennes: à toutes les trois minutes, elles produisent un véhicule motorisé pour les Forces alliées. Le machiniste Maurice Richard ne peut pas ne pas se sentir fier. Mis bout à bout, les véhicules de guerre fabriqués au Canada formeraient un défilé de 600 milles. Les murs sont couverts d'affiches: sur l'une d'elle, des guerriers fatigués; l'horizon est barbouillé d'explosions. Autour, ce n'est que désolation: troncs d'arbres brûlés, tanks renversés, barbelés, sol troué d'obus. Ces soldat ne méritent-ils pas qu'on les aide? Sur une autre affiche, une ouvrière aux joues rouges, tient, comme une mère son bébé, un obus dans ses bras: «Je fabrique des bombes et j'achète des obligations de la Victoire.» Que pourrait-elle faire de plus?

Au début de janvier 1942, le gouvernement rationne le sucre. Alice, la mère de Maurice, est préoccupée. Sa famille aime le sucré. Comment fera-t-elle, sans sucre? Cette guerre complique le travail d'une mère. Les enfants ont besoin de sucre pour grandir. Et Maurice est maigre comme une échalote. Il se démène trop dans ses sports. Il a besoin de sucre. Oh, si cette guerre peut finir!

En avril, le gouvernement rationne l'essence. La nouvelle loi interdit de dépasser 40 milles à l'heure. Cette loi rabattra le caquet à ces automobilistes qui pensent avoir le droit d'écraser ceux qui ne possèdent pas de voiture. Les pneus et les chambres à air sont aussi rationnés. Le gouvernement a besoin du caoutchouc pour les véhicules de guerre.

Adélard Godbout, qui s'est déjà opposé à la conscription, proclame son admiration pour les soldats: «Si M. King me commande de traverser en Europe pour être le cireur de bottes des soldats, j'irai», déclare-t-il dans un élan de franchise comme en ont les politiciens quand ils contredisent ce qu'ils pensaient auparavant. Il prophétise: «Dans un mois, nous pouvons avoir l'ennemi ici.» La conscription, laisse-t-il sous-entendre, est nécessaire.

Peu après, 20 000 personnes se pressent au marché Atwater, dans l'ouest de Montréal, pour acclamer des orateurs nationalistes. Mackenzie King a promis de ne pas envoyer ses enfants à la guerre; qu'il respecte sa promesse. Au plébiscite, le 27 avril 1942, les électeurs de la province de Québec refusent de le libérer de sa promesse. Ils votent non à 71,2 %; dans certaines régions, à 90 %. Les autres provinces votent oui à 80 %. Le Canada est divisé.

Pendant cette période troublée se déroulent les séries éliminatoires de la Ligue senior de hockey. Maurice connaît l'ennemi: ce sont les cinq joueurs et leur gardien de but, de l'autre côté de la ligne bleue. Au hockey, il sait où il doit aller: vers le filet. Il ne se sent pas inutile comme lorsqu'on parle de la guerre. Il sait comment vaincre l'adversaire. Le champ de bataille n'est pas sur un continent étranger... De l'autre côté de la mer, c'est si loin. Ses ancêtres ont quitté ce pays et n'y sont jamais retournés. La patinoire est un champ de bataille bien délimité. À la fin de cette saison 1941-1942, les séries éliminatoires sont plus réelles pour lui que la Seconde Guerre mondiale. Quelques semaines à peine après s'être cassé le poignet, Maurice, guéri, revient au jeu, saute sur la patinoire comme s'il allait mettre fin à la guerre. En quatre matchs, il envoie quatre fois la rondelle dans le filet.

Le 11 mai, les Montréalais, incrédules, apprennent qu'un navire de la marine marchande canadienne a été torpillé par un sous-marin allemand, dans le golfe Saint-Laurent. C'est à des centaines de milles de la rue des Richard, mais le Saint-Laurent est un fleuve de la province de Québec. Cet événement est survenu en Gaspésie. C'est la région du père et de la mère de Maurice. Il a de la parenté qui y reste encore. En juin, les journaux rapportent que, dans les environs de Saint-Jean, à Terre-Neuve, deux torpilles auraient explosé sur la rive. À l'autre extrémité du pays, l'île de Vancouver est frappée de quelques boulets tirés par un sous-marin japonais. Et, dans le fleuve Saint-Laurent, trois autres navires sont coulés. Une centaines de rescapés échappent à la noyade. Horrifiés, ils racontent leur aventure aux villageois. Le gouvernement ne peut plus rester le bras croisés à ne rien faire.

Pendant l'été, Maurice travaille dans une usine de guerre. Les heures sont longues, mais n'absorbent pas toute son énergie. Il pratique la natation, il joue au baseball et il voit Lucille, sa petite amie. Il est retourné se présenter aux recruteurs de l'aviation, mais il a été recalé à cause de ce poignet cassé. L'an dernier, c'était à cause de sa cheville. Il voudrait bien s'enrôler comme ses amis. Voir du pays. Réparer des avions. Apprendre l'anglais comme eux.

Le gouvernement d'Ottawa se donne finalement le pouvoir d'appeler sous les drapeaux tous ceux qui sont en mesure d'aller combattre. Sa mère n'aime pas cette loi: on pourrait venir chercher ses aînés. Maurice la rassure: un nazi ne lui fait pas peur. Onésime se tait: les Richard sont des gens paisibles.

L'été s'écoule dans une quiétude que ne trouble pas la guerre lointaine. Cependant, le 20 août 1942, les Canadiens lèvent les yeux vers le ciel, dans la direction vers où ils croient que se trouve l'Europe. Plus de mille soldats canadiens ont été massacrés dans une tentative de débarquement à Dieppe, en Normandie. Les Alliés croyaient surprendre l'ennemi. Les Allemands les attendaient en haut de la falaise. Plus de mille autres Canadiens auraient été faits prisonniers. Des amis de Maurice auraient-ils été tués? Si les autorités militaires n'avaient pas rejeté sa candidature, il aurait peut-être été envoyé à Dieppe. Aurait-il été plus chanceux sur la plage de Normandie que sur les patinoires où il a été si souvent blessé? Serait-il encore en vie? C'est une journée triste. Mais il est en vie. La mort ne voulait pas de lui; c'est pourquoi il a été jugé impropre au service militaire. Dieu mène notre barque. Le bon Dieu a voulu le garder en vie. Pour quoi faire? Dans les jours qui suivent, Maurice pense au massacre de Normandie. Jamais auparavant il n'a pensé au fait qu'il pourrait être mort. Les soldats ont été débarqués sur les galets. Là, il se sont trouvés offerts au feu ennemi. La mer est devenue rouge de sang. Peut-être aurait-il réussi à grimper cette falaise? Les soldats qui ont atteint le sommet ont joué comme de bons joueurs de hockey.

La saison va bientôt recommencer. Avant de partir à l'attaque, il va penser à ces soldats qui, malgré les balles, les grenades, ont escaladé la falaise et se sont avancés en territoire ennemi. Tant de jeunes morts en onze heures de combat... La rumeur circule dans le quartier de Bordeaux que certaines femmes portent des enfants qui ne connaîtront jamais leur père, mort à Dieppe.

Tu seras un Canadien, mon fils

1942. Dans la communauté serrée des Gaspésiens de Montréal, on raconte l'aventure de deux pêcheurs. Un père et son fils relevaient leurs filets quand, soudainement, la mer s'est levée comme s'ils avaient été sur le dos d'une grosse bête. La barque a été presque renversée. L'eau s'est déchirée devant leurs yeux et ils ont vu apparaître, comme une morue énorme, un sous-marin. Deux Allemands blonds ont sorti la tête. Ils ne parlaient pas français. Les pêcheurs ont compris qu'ils voulaient leur poisson. Les hommes blonds ont pris toute leur pêche. Ils ont payé. Avec de l'argent américain. Voilà ce qu'on raconte.

Maurice écoute. Doit-il croire? Il fait ses *push-up*... La saison de hockey n'est pas loin. Il se prépare. Il va au travail à bicyclette. L'usine est à quelques milles. Les Canadiens, les vrais Canadiens de la Ligue nationale, l'équipe de Toe Blake, seraient intéressés à l'essayer à leur camp d'entraînement. À cause de la guerre, la Ligue nationale est à court de joueurs. Jouer avec les Canadiens?...

Les sous-marins allemands sont rendus dans le fleuve Saint-Laurent. Le 8 septembre, les villageois de Saint-Yvon, un hameau de Gaspésie, découvrent sur la rive du fleuve une torpille «grosse comme un homme». Quelques jours plus tard, des Gaspésiens sur le rivage observent, de leurs yeux incrédules, un combat que se livrent un sous-marin allemand et un patrouilleur de la marine canadienne.

Maurice s'applique à l'usine. Il a été rejeté par les recruteurs. Un jour, l'Armée aura peut-être besoin de lui... Sa cheville brisée et son poignet cassé sont guéris. Il pense ce sourire sur ses dents: «Si je peux jouer au hockey, je suis peut-être capable de faire la guerre.» L'année dernière, le Canadien senior a joué un match d'exhibition contre l'Armée. Le lendemain, un journal écrivait: «Richard bat l'armée au Forum.» L'armée l'a recalé...

Le 8 octobre, un navire marchand de 4 000 tonnes est coulé près de Matane. Presque au même moment, près de Sydney, le Caribou qui fait la navette entre la Nouvelle-Écosse et Terre-Neuve est torpillé: 137 personnes perdent la vie. Et, d'après un sondage, 90 % des Canadiens français s'opposent à la conscription. Pourtant, au milieu de cette population pacifique, derrière des murs épais, dans des laboratoires secrets, cachés dans les universités, des savants britanniques, américains et canadiens travaillent à inventer des bombes qui tueront le plus de gens possible.

Même si les citoyens perçoivent l'odeur de la guerre, les Canadiens préparent la prochaine saison. Loin d'abolir ce sport, le gouvernement l'encourage. Le hockey est une saine distraction. Quatre-vingts et quelques joueurs de la Ligue nationale de hockey se sont portés volontaires pour la guerre. Conséquemment, les joueurs sont rares. Leur nombre a été réduit à 14 par équipe. La ligue a supprimé la période supplémentaire dans les cas de score nul. À cause des restrictions du temps de guerre, les trains ne peuvent plus attendre en gare que le match soit terminé, avant de repartir avec l'équipe voyageuse.

Depuis qu'il a fait sa connaissance, Lucille a suivi chacun des matchs auxquels Maurice Richard a participé, le plus souvent à l'extérieur, sous les étoiles transies par la froidure humide de Montréal. Le vent transperçait le petit manteau d'étoffe avec le col de fourrure qu'elle remontait autour son cou et contre ses joues rougies. Elle frottait dans la fourrure le bout de son nez blanchi par le gel. Couvrant ses oreilles, elle nouait sous son menton un foulard de laine tricoté par sa grand-mère. Le froid enfonçait des aiguilles dans ses orteils à travers ses bottillons décorés de fourrure.

Elle a dix-sept ans. Maurice en a vingt et un. Le machiniste ne s'inquiète plus de l'avenir. Il gagne au moins 20 dollars par semaine. Avec la guerre, il y a beaucoup de travail. Les heures sont longues. Il faut être méticuleux; les pièces serviront à la guerre.

Plus de joueurs partent à l'Armée. Récemment, Kenny Reardon, chez les Canadiens, et Syl Apps chez les Leafs. La pénurie de joueurs pourrait faciliter l'entrée de Maurice chez les Canadiens. Certains estiment son ossature trop fragile pour la Ligue nationale. À Boston, les Bruins n'hésitent pas à engager une recrue de 16 ans, Armand «Bep» Guidolin, le plus jeune joueur à jamais évoluer dans la Ligue nationale. Les Red Wings de Detroit sont défendus par un gardien de but de 17 ans: Harry Lumley. Même les arbitres sont rares. On supplie d'anciens joueurs comme Aurèle Joliat ou Bill Chadwick de jouer ce rôle. Cette année, on demande à Red Horner de devenir arbitre. Cet ancien capitaine des Leafs, un défenseur, pendant huit ans détenu le record des punitions.

Les Canadiens invitent Maurice: les vrais Canadiens! L'équipe de Toe Blake, d'Howie Morenz, d'Aurèle Joliat! Il se présente aussitôt au camp d'entraînement. Quelques jours plus tard, le 12 septembre, il épouse Lucille Norchet, sa bien-aimée. Maurice va jouer avec les Canadiens! Dans le quartier de Bordeaux, on n'ose pas croire la nouvelle. En même temps, on la croit, car on connaît Maurice: «J'ai de la chance. Plusieurs sont partis à la guerre. Les joueurs sont rares. C'est pour ça qu'ils me donnent mon tour.»

Tony Gorman, le gérant, et Dick Irvin, l'instructeur, connaissent les faits d'armes de Maurice. Ils savent aussi que ses os se brisent facilement. L'impétueuse recrue est doué d'un insatiable désir de marquer des buts. Il est à demi-cheval sauvage, à demi-soldat bien discipliné. Le gérant et l'instructeur décident de parier sur ce radieux animal, même s'il est fragile. Sa jeune ossature va se raffermir. Ils lui offrent un contrat pour les deux prochaines années.

Les Canadiens n'ont pas conquis la coupe Stanley depuis 1931, il y a onze ans. L'an dernier, ils se sont classés au sixième rang de la Ligue nationale. L'année précédente, au septième rang. À Montréal, la foule du Forum exige des victoires. Les partisans réclament que les chrétiens dévorent les lions. Depuis que les Canadiens ne gagnent plus, l'équipe joue devant beaucoup de fauteuils vides.

Maigre, le corps dur de muscles, le visage rugueux comme une pierre dans un champ de la Gaspésie, le regard perçant de celui qui a le don de voir ce qui est invisible aux autres, muet comme si son âme était habitée d'une rage à la veille de se déchaîner, habité d'une volonté qui ressemble à un entêtement obsessif, Maurice Richard pense à son père. Onésime, avec quelques vêtements dans son sac, est venu s'implanter dans la grande ville de Montréal. Souvent, il a raconté son expédition. En arrivant au Forum, avec son sac d'équipement, Maurice se sent lui aussi comme un immigrant. Ce quartier de la ville lui est étranger. Il entend parler une langue qui n'est pas la sienne. Une langue qu'il a appris à ne pas aimer, car c'est la langue des maîtres, lui a-t-on enseigné. Il regarde les murs qui ont vibré des cris de la foule quand Joliat, Malone, Morenz ou Blake marquaient des buts. Il s'approche de la patinoire. Ce n'est plus le temps de Joliat, de Morenz... C'est maintenant son temps. Le temps de Maurice Richard. C'est à son tour d'aller au filet. C'est à lui de démontrer qu'un Canadien français ne se laisse arrêter par personne. Cette étincelle dans ses yeux, c'est la faim. Comme son père, comme tous les Canadiens français qui abandonnaient leur village pour venir chercher une meilleure vie à Montréal, il a une ardente faim de vivre. Il est en patins sur la glace qui brille comme un miroir, sur cette patinoire où tant d'autres rêvent de jouer. Il est comme l'écolier devant son cahier ouvert, comme le poète devant sa page blanche.

Maurice Richard entre dans une organisation anglaise comme toutes les entreprises qui donnent du travail. Maurice connaît peu d'anglais. Il arrive avec cette conviction que ceux de sa race ont été dominés, humiliés. Voilà ce que les professeurs, les politiciens et les prêtres lui ont enseigné. Ici, sur la patinoire, Maurice ne pourra blâmer que lui-même. Il ne se laissera pas maltraiter. Il va répliquer par un coup à chaque coup reçu. Il regarde le filet vide, au bout de la patinoire. Il va y mettre la rondelle. Il n'a pas peur de l'effort, il n'a pas peur des coups, il n'a pas peur des risques. Il n'a pas peur de la douleur. Il n'a pas peur de son rêve.

Maurice joue son premier match contre les Bruins avec Elmer Lach, au centre, Tony Demers, à l'aile gauche qui doit bientôt aller rejoindre l'Armée. Deux fois, Demers marque. La jeune recrue lui a fourni une aide. Les Canadiens remportent la victoire.

Maurice Richard n'a pas marqué, mais sa volonté de gagner a impressionné le juge de ligne Aurèle Joliat qui, au début des années 30, fut le meilleur marqueur de Canadiens et le joueur le plus puni de la Ligue nationale. Le hockey est aussi une grande famille. Joliat, informé par un ami, a suivi le développement du jeune Maurice depuis ses exploits avec le J.E. Paquette... Maurice ne se penche pas sur le passé. C'est le présent qui l'obsède. Et l'avenir n'est pas plus loin que le filet derrière les adversaires.

Pour le match suivant, les Canadiens se rendent à New York. On ne traverse plus aussi facilement la frontière entre le Canada et les États-Unis; c'est la guerre. Des espions et autres ennemis aussi dangereux que Butch Bouchard, Ken Reardon et Maurice Richard pourraient s'infiltrer. Ils sont refoulés. Les Canadiens perdent 4-3.

Maurice déteste se faire intercepter lorsqu'il veut aller quelque part. Depuis son enfance, il s'entraîne à contourner les obstacles ou à les renverser. Les Canadiens ont été battus par les douaniers. Maurice aurait dû traverser la frontière... Il ne parle pas anglais... Mais Reardon parle anglais, Butch aussi... Ils auraient dû réussir à traverser... Les Canadiens ont perdu. Maurice n'a pas trouvé le moyen de passer à travers les défenseurs américains qui bloquaient leur frontière. Il prend la responsabilité de la défaite. Ce jeune homme trouve le monde bien injuste. Il compte les heures avant le retour des Rangers.

Le lendemain, 8 novembre, ils descendent au Forum. Maurice a la conviction qu'un instant de vengeance va lui être accordé. À lui de frapper. Il arrache la rondelle à un attaquant qui est parvenu près du filet des Canadiens. Il la retient. Il se dirige vers le centre de la patinoire. Les adversaires se précipitent vers lui. D'embardée en embardée, il les évite. Il jongle avec la rondelle. D'un regard, il balaie la glace. Il a analysé la position des adversaires, il a saisi leur prochain mouvement; en un instant, il trace dans son esprit le sentier qu'il doit suivre entre les obstacles. Poussant la rondelle, la tête baissée mais le regard sur le filet, il s'élance; ses patins tracent sur la glace les zigzags d'un éclair. Les adversaires, inutilement, l'entravent avec leurs bâtons. Maurice arrive seul devant Steve Bukinski, le gardien de but. Maurice lui lance un regard comme un coup de poing. Le coin supérieur de la cage est ouvert. Il tire du revers: «Maurice Richard lance... et compte!» Le jeune joueur s'est vengé de l'injustice américaine.

C'est le premier but de Maurice Richard dans la Ligue nationale. La foule clairsemée du Forum se dresse. Elle reconnaît le Messie espéré. Elle hurle de plaisir. Dans les banquettes arrière, de vieux partisans aux cheveux blancs sous leur casquette plate se souviennent d'Howie Morenz, le plus grand joueur de hockey de tous les temps. Le vieux champion est au Forum. Il a vu ce but. La foule rugit d'admiration. Morenz a déjà entendu cette clameur. Il se souvient. Il sait que la foule ne se trompe pas.

Ceux qui n'ont pas été témoins de l'exploit du nouveau Canadien sont incrédules. On veut voir ce jeune Richard. Il ne déçoit pas ceux qui reviennent au Forum. Le 22 novembre: trois buts! Son premier tour du chapeau dans la Ligue nationale.

Hors patinoire, cet étonnant numéro 15 est effacé. On ne le remarquerait pas si ce n'était de ses yeux noirs qui percent ce qu'ils effleurent. Avant un match, il se renferme sur lui-même. Après un match, il se tait s'il a perdu. Si l'équipe a gagné, il se tait aussi.

Ensuite, comme beaucoup de partisans qui viennent le voir jouer, il ne parle pas l'anglais. Dans le vestiaire, les Canadiens parlent anglais. Cela le frustre de ne pas comprendre. Il ne connaît que quelques mots. S'il essayait de parler, il serait ridicule. Il préfère l'orgueil du silence. S'il a quelque chose à dire, il le dira avec la rondelle! Par l'agilité, la ruse, la force de ses tirs, Maurice se venge de l'inconfort de ne pas parler cette langue que l'on parle autour de lui.

Il ne refuse pas d'apprendre l'anglais. Ce qu'il déteste, c'est de ne pas savoir. Il se sent aussi maladroit que s'il ne savait pas patiner. À l'école, on n'encourageait pas l'étude de la langue des Anglais; les Canadiens français qui parlent l'anglais, disait-on, épousent des Anglaises et ont des enfants protestants. À force d'écouter, il va finir par comprendre. Il parlera plus tard. Ce qui compte maintenant, c'est de projeter la rondelle dans le filet. Et résister à la fatigue. Comme Maurice, plusieurs Canadiens sont aussi employés dans des usines d'armement. L'équipe doit tenir ses séances d'exercice en dehors des heures de travail. Parfois, entre deux pleines journées devant sa machine, on dispute un match de hockey. On s'entraîne en plus pour raffiner une nouvelle stratégie. Il n'est pas rare de se rendre à l'usine en descendant du train où l'on a passé la nuit, après un match.

Tony Demers parti à la guerre, Dick Irvin envoie Maurice à l'offensive avec Buddy O'Connor et Gordon Drillon, un ex-joueur des Maple Leafs. Après une quinzaine de matchs, le jeune Richard a cinq buts et six mentions d'aide à son actif. A-t-on été trop hâtif en le comparant à Howie Morentz? On en discute comme des théologiens. Et contrairement à des théologiens, on s'entend: les statistiques de Maurice ne sont qu'un peu au-dessus de la moyenne, mais sa manière de marquer ses buts est absolument époustouflante.

Deux jours après Noël, les Bruins sont au Forum. Maurice a déjoué une fois le gardien de but et recueilli deux mentions d'aide. La dernière période est entamée. Sur la glace depuis trois minutes, il a utilisé toutes les ressources de sa passion. En sueur, il cherche son souffle. Les Bruins se sont ralliés. Ils ont décidé de ne pas repartir sans une victoire malgré les dommages subis au début. Ils combattent vigoureusement. La rondelle est balayée dans le territoire des Canadiens. Maurice la happe. Il est hors d'haleine. Il se réfugie, un instant, derrière le filet. De son regard noir, il analyse la position des adversaires et de ses coéquipiers, puis il baisse la tête comme un taureau qui va charger. À son premier coup de patin, la foule se lève. Elle le suit, le regarde contourner les obstacles, les défoncer. Les partisans commencent à applaudir ce but inéluctable.

Il reste à déjouer John Crawford. Un défenseur aux épaules «plus larges que ça». Il porte un fameux casque de cuir. Maurice s'amène. Le défenseur s'approche, massif comme un tank. La foule retient son souffle. Collision! Le bruit sourd des deux corps qui s'emboutissent. Maurice s'écroule. Et le pesant Crawford s'abat sur lui. Maurice tombe sur sa propre jambe repliée. Quand Crawford l'écrase, il entend le bruit familier d'un os qui se rompt: sa cheville. Il grimace. Le petit Canadien français ne deviendra jamais un Howie Morentz.

Plusieurs fois, Dick Irvin lui a conseillé de relever la tête quand il fonce. Tête baissée, il est plus vulnérable aux coups. Maurice écoute les conseils de son instructeur et il continue de patiner à sa manière. Dick Irvin n'aimerait pas qu'il perde de la vitesse? Entêté, ce Richard. Maurice est fier, même appuyé sur une béquille.

Gorman et Irvin songent à se départir de leur jeune recrue vedette aux os de porcelaine. Ils l'offrent aux Red Wings puis aux Rangers. Aux artistes fragiles, ces équipes préfèrent des joueurs robustes.

L'avenir est incertain. Il veut jouer au hockey, mais il semble que le hockey le rejette comme la mer en Gaspésie, disait sa mère, rejette les échoueries. Peut-être son corps n'est-il pas bâti pour ce sport? Son père le voyait plutôt joueur de baseball. Toutes ces blessures seraient- elles des signes qui lui indiquent de s'adonner à un autre sport? Pourquoi attire-t-il toutes ces malchances? Il est responsable d'une femme, maintenant. S'il se brise un membre, s'il devient infirme, cela aura des conséquences. L'avenir ne s'annonce pas beau du côté du hockey. Maurice devrait-il se contenter d'être un machiniste? Comme on dit, «la gagne est» bonne. C'est un bon métier. Et la guerre n'est pas près de s'arrêter.

Le 24 avril 1943, une pleine page de *La Presse* retient son attention; on y voit une grosse main qui coiffe d'un lourd chapeau nazi une église au milieu d'un village québécois typique. Voilà le danger! Voilà ce contre quoi les Canadiens français doivent se défendre. L'argent ne suffit pas pour vaincre. Nos soldats ont besoin de viande. Le Canada est un grand producteur de viande de bœuf et de porc. La viande canadienne sera d'abord destinée aux troupes alliées et à nos troupes. Son rationnement devient nécessaire. Cela ennuie Lucille. Après un match, Maurice mangerait un animal entier. Il ne va pas se rassasier de quelques morues. Pourtant, soutenu par sa béquille, il ne joue pas. En voyant les coupons de rationnement, Maurice se souvient des coupons du Secours direct, dans le temps de la Crise... Il aime mieux ne pas se rappeler cela... Les usine tournent, les ouvriers turbinent. Chaque semaine, le Canada produit 6 navires de guerre, 80 avions, 3 500 véhicules motorisés, 336 véhicules blindés, 900 canons, 525 000 obus, etc. Et Maurice sautille avec une béquille.

Les mois de convalescence sont pénibles. Son âme est un torrent de vie, mais, une fois de plus, il est paralysé. Des journaux ont décrit l'extrême fragilité de la jeune vedette. Certains l'ont condamnée à ne plus jamais jouer. Le numéro 15 avale ces mots comme de la boue. Un jour, il sera guéri. Alors... au lieu de jouer au hockey, il devrait comme beaucoup d'autres se joindre à l'Armée...

Il y a dans le monde des forces mauvaises. Elles ont donné la misère à sa famille quand ses parents vivaient en Gaspésie. Pourquoi s'acharnent-elles sur lui?... Ça ne peut être une punition du ciel, car il ne fait rien contre la religion; il ne vole pas, il ne se met pas ivre, il ne sacre pas, il n'a qu'une femme dans sa vie et c'est Lucille... Pour quelle raison la malchance le poursuit-elle? Va-t-elle aussi s'attaquer à Lucille qui est enceinte?

Aussitôt débarrassé de ses béquilles, il se représente au Centre de recrutement de l'armée. Le caporal reconnaît le célèbre joueur des Canadiens et il lui explique que pour être accepté dans l'armée, il ne faut pas être trop cassant: l'Armée a besoin d'hommes solides. La guerre, ce n'est pas un jeu.

13

Quand un homme devient une fusée

1943. Maurice revient au camp d'entraînement des Canadiens, tiraillé par le doute. Est-il vraiment apte à jouer dans la Ligue nationale? Pour fuir ses préoccupations, il se jette dans la mêlée. La compétition est féroce. Plusieurs recrues veulent jouer pour les Canadiens. Maurice se démène. Bousculé, il résiste. Il est rapide. Il est décidé. Pourrait-on croire qu'il a eu les deux chevilles fracturées et un poignet cassé? Ce jeune est différent des autres. Il a repris confiance en lui. Elmer Lach, qui joue depuis trois ans avec les Canadiens, est étonné par les trucs qu'utilise cette recrue déchaînée pour déconcerter les adversaires.

À l'ouverture de la saison, les joueurs de la Ligue nationale doivent s'ajuster à une modification d'importance. Une nouvelle ligne rouge divise la patinoire en son milieu. Jusqu'à maintenant, un joueur dans sa propre zone ne pouvait faire une passe à un coéquipier qui était de l'autre côté de la ligne bleue. Désormais, le même joueur pourra faire une passe à son coéquipier s'il n'est pas au-delà de la ligne rouge. Le jeu en sera avivé, croient les administrateurs. Des passes imaginatives créeront un jeu moins fermé, plus spectaculaire. Tracer une ligne rouge sur de la glace peut sembler un acte dérisoire quand la plus grande tragédie humaine de l'histoire se vit sur les champs de bataille et dans les camps de prisonniers. Pour Maurice, cette ligne rouge est un profond souci. Il pense à des mouvements possibles, il invente des combinaisons. Comment utiliser cette ligne rouge pour augmenter la vitesse d'attaque? Comment, dès la zone d'origine, embrouiller les adversaires pour une attaque imprévisible?

Paul Bibeault, le gardien de but des Canadiens, a été appelé sous les drapeaux. Pour le remplacer, on appelle Bill Durnan, qui joue pour les Royals de Montréal. C'est un gardien à qui la rondelle échappe rarement. Durnan la voit venir; elle atterrit dans son gant. Ambidextre, il s'est fait coudre des gants spéciaux qui lui permettent de tenir le bâton soit d'une main, soit de l'autre, pour confondre les tireurs.

Dick Irvin a bien observé ses joueurs. Il a décidé de mettre ensemble, dans la même ligne d'attaque, dans une même éprouvette, trois ingrédients qui, par une réaction chimique, devraient produire l'équivalent d'une de ces bombes secrètes. Maurice Richard, Elmer Lach et Toe Blake formeront la principale ligne d'attaque des Canadiens.

Maurice faisait partie de la même équipe que Toe Blake... Maintenant, il jouera avec lui. Toe Blake! Toe Blake, le héros des matchs qu'il écoutait à la radio: «Toe Blake à la ligne bleue... Toe Blake s'avance vers le gardien... Toe Blake lance et... compte!!!» Toe Blake, le héros qu'il imitait sur les patinoires paroissiales. Maurice n'a jamais pensé que ça lui arriverait un jour. Il lui passe la rondelle pour qu'il tire au but. Toe la lui retourne. L'adversaire est confondu. Il tire: «Maurice Richard lance et compte!» Toe Blake se dépasse pour n'être pas dépassé par cet énergique jeune homme.

Le 23 octobre, Lucille accouche d'une petite fille, Huguette. Le père, fier comme s'il venait de gagner la coupe Stanley, timide, tendu, dur comme du bois, va trouver Dick Irvin. Il lui décoche quelques mots comme des rondelles vers le but. À son instructeur étonné, Maurice demande s'il pourrait porter au dos de son chandail le numéro 9. Cela ferait mieux son affaire car, explique-t-il, sa petite fille pèse 9 livres. Un peu surpris par cette effervescence sentimentale, Dick Irvin accepte. Une petite fille pèse neuf livres: une nouvelle vie commence sur la terre.

Le numéro 9: une nouvelle vie. Sous ce simple symbole bout l'âme de Maurice: son amour pour l'enfant, pour la mère, sa générosité, son instinct paternel, son dévouement. Ce chiffre 9 exprime ce qu'il ne peut dire avec les mots. À cause de sa charge émotive, le numéro 9 lui donnera un supplément de force pour canonner les filets. Désormais Maurice jouera pour cette petite fille de neuf livres, pour l'étonner, pour qu'elle soit fière, pour la protéger. Lorsqu'un boxeur tabassé retourne à son coin, souhaitant que le combat finisse, vidé de toute énergie, sa volonté de se défendre épuisée, son instinct bestial de survivre éteint, son visage tuméfié, en sang, alors pour lui redonner vie, pour le ressusciter, l'entraîneur lui dit: «Pense à ton enfant. C'est pour lui que tu te bats. Il sait que tu te bats pour lui. Il veut que tu gagnes. C'est pour lui que tu veux gagner. Il te voit, ton enfant. Il veut que tu gagnes. C'est pour ton enfant que tu vas te lever. C'est pour ton enfant que tu vas te battre!»

Avec son numéro 9 dans son dos, Maurice aura la poussée de cette petite fille joufflue. Elle ne sait pas encore en quel lieu dangereux son père joue sa vie. Jamais elle ne doutera du fait que son père soit le meilleur. Quand il recevra l'hommage de la foule, ce sera pour cette petite. Il se défendra comme si sa vie était en danger. Le hockey est une jungle violente. Maurice, usant de son bâton comme d'une machette, défriche un sentier pour la petite qui le suit, avec ses 9 livres. Pour célébrer sa naissance, il lui promet deux buts: un pour la mère, un pour la fille. Les Canadiens remportent une victoire par 3 à 2 contre les Bruins. Maurice a marqué deux fois. Et c'est ainsi que poussée par une petite fille de neuf livres, la ligne Punch prend son envol!

Du côté de la guerre, plusieurs Canadiens français ont fait le sacrifice de leur vie en Italie, le pays du Pape. Un peloton du Royal 22e Régiment, était responsable de nettoyer sur une colline, la Casa Berardi, infestée de tireurs nazis. Montant à l'attaque, les soldats tombaient sous les balles ennemies. Ils s'appelaient Bernier, Chapdelaine, Beauchamp, Fugère, Lalumière. Malgré la mitraille, ils ont persisté, ils priaient comme des Canadiens français, et sacraient comme l'on sacre en Beauce, dans Portneuf, en Gaspésie. Le commandant a vu tomber 26 de ses 28 soldats. Les deux survivants parvinrent enfin au sommet de la colline. Ils se sont emparés de la Casa Berardi. Blessé aux jambes, le commandant ne pouvait plus marcher. Se traînant, revolver au poing, il a fait un prisonnier. Le menaçant de son arme, il s'est fait transporter sur son dos jusqu'à un poste de secours, derrière les lignes. Maurice Richard aurait aimé être là.

Malgré ses succès, Maurice est troublé par une conviction que la malchance le poursuit comme un mauvais ange. Cet athlète qui pose sur ses adversaires un regard perçant comme les mèches qui trouent le métal à son usine, tout à coup, craint la malchance. Peut-il jouer au hockey? Ne se trouve-t-il chez les Canadiens que parce que les vrais guerriers sont partis à la guerre? La saison dernière, alors qu'il était blessé, aurait-il dû quitter? Il le sent, l'ange de la malchance le guette. Et maintenant, il est responsable d'une femme et d'une petite fille...

Peut-on vraiment croire à sa malchance quand une petite fille affamée vient de naître? Neuf livres. Huguette est bien constituée, avec tous ses membres, comme dit la mère de Maurice, en remerciant le bon Dieu. Peut-on croire à sa malchance quand on a une femme comme Lucille? Quand on joue avec Toe Blake? Quand on porte dans son dos un nouveau numéro à cause d'une petite fille qui croira que son papa est l'homme le plus fort au monde, le plus rapide? Maurice ne peut se débarrasser de la crainte de l'ange malfaisant. Est-il assez fort pour la Ligue nationale? Son corps est-il assez résistant pour la violence des mises en échec? Peut-être est-il réellement fragile? Certains journalistes n'ont pas hésité à l'écrire.

Ce doute qui l'étreint ne serait-il pas le doute du petit peuple dont il est issu? Maurice patine vers un avenir plus grand que rêvé. Il a la trouille. Il se croyait sans avenir. Blessé dans le passé, le Canadien français se sent condamné à l'être dans l'avenir. Vaut-il la peine de risquer d'être un boiteux? Vaut-il la peine de se blesser pour un jeu quand c'est la guerre? Il ne veut plus hésiter. Membre des fameux Canadiens, il doit se donner au hockey comme si la vie entière ne durait que l'espace de ce coup de patin, de ce brusque détour devant l'adversaire, de cette passe à un coéquipier, de ce tir dans le filet. Le jour, il est un employé d'usine. Les nuits ne sont pas toujours paisibles. Dans la chambre du petit appartement, le bébé réclame la tétée. Le jeune père reconnaît que sa fille est aussi obstinée que lui. S'il pense à sa malchance, c'est peut-être qu'il est un peu fatigué...

Mis en échec, il est poussé contre la clôture. Malédiction! Son épaule est disloquée. Cette fois sa carrière est terminée. Des connaisseurs en sont convaincus. Il réapparaît sur la patinoire une semaine plus tard. Il n'a raté que deux matchs. Deux matchs! Il doit reprendre le temps perdu. Depuis que le jeune Richard joue régulièrement, les spectateurs reviennent au Forum. L'épaule a été remise en place, mais la douleur persiste. Cependant, il s'applique au jeu.

Blake à l'aile gauche; Richard, bien qu'il lance de la gauche, à l'aile droite; et Elmer Lach au centre. Dick Irvin se félicite. Sa ligne Punch est belle à voir. La générosité de ses joueurs inventera des prodiges.

Dans les journaux, on parle des fusées dévastatrices V1 et V2 que les nazis saupoudrent sur Londres. Pendant un exercice au Forum, la ligne Punch a lâché une grêle de tirs. Cette fois, Maurice Richard pousse la rondelle. L'un de ces joueurs crie: «Attention, le Rocket s'en vient!» Un journaliste entend le mot. C'est une belle image pour sa prose. Il le rapporte dans son article. Instantanément Maurice, devenu le Rocket, est propulsé à une vitesse électrisante dans l'histoire...

La douleur à son épaule le harcèle. Elle ralentit ses mouvements quand il contracte ses muscles. Le Rocket ne tolère pas d'être contraint. Il s'entête. Il n'accepte pas d'être une fusée lente. Il multiplie les efforts. Avec cette douleur qui ne le quitte pas, il recommence à douter de lui. Est-il trop fragile pour la Ligue nationale? Mais il s'acharne, il ne se rend pas à la douleur. Il veut rester en vol. Jusqu'en décembre, tracassé par la douleur et le doute, il participe à 28 matchs. Huit fois seulement, il porte la rondelle au fond du filet.

L'équipe, cependant, se porte bien. Les Canadiens ont gagné 22 de leurs 25 matchs; les 3 autres ont été nuls. Bill Durnan est invincible. Qu'il tienne son bâton de la main gauche ou de la droite, il est plus vif que la rondelle.

Le dernier jour de décembre, contre Detroit, le Rocket accomplit un tour du chapeau. Après des semaines de peine et de doute qu'elle lui a causé, la douleur à son épaule s'est évanouie. Et les partisans redécouvrent, en ce triste temps, un jeune joueur qui ressemble à du feu sur la glace. Il joue comme si le hockey était plus important que la guerre. En 22 matchs, il marque 23 buts. Le 17 février 1944, à la troisième période, de nouveau contre les Wings, il exécute un tour du chapeau en l'espace de 2 minutes et 33 secondes.

De but en but, de match en match, les Canadiens conquièrent, à la fin de la saison régulière, la première position des équipes. Depuis 1925, depuis presque vingt ans, ils n'y sont jamais remontés. L'année dernière, les Canadiens ont péniblement conquis la quatrième position. Qu'est-ce donc qui a changé? D'abord, Bill Durnan, le gardien de but, n'a accordé en moyenne que 2,18 buts par match. Ensuite, la chimie de la ligne Punch provoque des réactions à la chaîne; elle engrène les impulsions des Canadiens. Finalement, le spectaculaire Rocket est aussi l'artisan minutieux d'initiatives inattendues.

En mars 1944, les Canadiens sont en semi-finale contre les Maple Leafs. Ils perdent le premier match. Le 23, les Canadiens les retrouvent. Le Rocket s'épuise à la tâche: Davidson, un défenseur robuste, couvre Richard, se colle à lui, lui barre le chemin. Le Rocket est impuissant. Il a essayé tous les moyens de se dépêtrer. Inutilement. Cependant, Davidson s'essouffle. Il ralentit tandis que le Rocket patine plus vite. Davidson ne peut plus le suivre, ne peut plus le couvrir. Le Rocket, libéré, s'échappe et marque un but qui étonne autant les partisans que le gardien. À peine la rondelle est-elle sortie du filet qu'il l'y renvoie. Deux buts! Plus rien ne l'arrête. Sa verve est «volcanique», note un poète raté devenu journaliste des sports. Au Forum, on ne l'a jamais vu si rapide... Commence la troisième période. Un troisième but du Rocket! Et ce n'est pas fini! Les Canadiens gagnent 5 à 0. Le Rocket est l'auteur des cinq buts. La structure d'acier du Forum est-elle assez forte pour empêcher l'édifice de s'écrouler sur la danse des partisans?

Le 4 avril, les Canadiens entreprennent le premier match de la série finale contre les Black Hawks. Ils remportent une victoire de 3 à 1. Le Rocket est responsable des trois buts.

Bientôt, les Canadiens ont un avantage de trois matchs sur les Hawks. Le 13 avril, le quatrième match est disputé au Forum. Les partisans de Montréal ont peu de respect pour les adversaires: les Hawks n'arrivent pas à la cheville de leurs Canadiens. Ce match sera le dernier de la série. Et les partisans qui se dirigent vers le Forum ont déjà commencé à célébrer la victoire. Ces Hawks sont des poulets...

Pourtant, à la troisième période, les Black Hawks ont pris une avance de 4 à 1. Les Canadiens semblent démunis. Ils sont maladroits. Les Hawks se moquent d'eux. Ils ont été anesthésiés. Les partisans ne comprennent pas la déroute de leur équipe. Par quelle magie les pauvres Black Hawks arrivent-ils, ce soir, à maîtriser les Canadiens? Quelle pilule a transformé des joueurs médiocres en une équipe qui domine la ligne Punch? Ces joueurs ont été écrasés trois fois de suite par les Canadiens. Pourquoi triomphent-ils ce soir?

Les partisans du Forum n'ont pas vu, depuis 13 ans, la coupe Stanley. La dernière fois, c'était en 1930, au temps de la Crise. Plusieurs n'étaient alors que des enfants. Ce soir, les partisans veulent célébrer leur coupe Stanley! Les Canadiens le désirent-ils? Les partisans n'acceptent pas que leurs joueurs tirent de l'arrière. Les spectateurs piétinent, ils houspillent leur équipe, ils réclament la Coupe que les Hawks sont en train de s'approprier. Les Canadiens sont indifférents, négligeants. Même la ligne Punch a perdu son ardeur. La rondelle valse, ne va jamais où elle devrait être. Les Canadiens se dirigent vers une défaite inévitable. Toutes les conditions étaient rassemblées pour une victoire. La coupe Stanley, ils pouvaient presque la toucher. Maintenant le bateau dérive. La Coupe s'éloigne.

On a préparé la coupe Stanley pour la cérémonie officielle qui devait suivre la partie victorieuse. Tommy Gorman, le gérant, la renvoie dans ses bureaux, la porte bien verrouillée, avec le champagne, la bière, les petits fours et les sandwiches.

Désappointés, certains partisans comprennent ce qui se passe. Les Canadiens sont supérieurs aux Black Hawks. Cela ne fait aucun doute. S'ils ne gagnent pas ce soir, c'est tout simplement parce qu'ils ne veulent pas gagner. Ce jugement, rapidement, court de siège en siège, comme l'étincelle sur la mèche de la dynamite. Tout devient clair. Les Canadiens chipotent pour perdre, ce soir, pour allonger la série. Plus longtemps dure la série, plus l'équipe s'enrichit. Et les joueurs reçoivent un surplus de salaire. Les Canadiens savent qu'ils vont conquérir la Coupe. Pourquoi ne pas faire durer le travail? Le cri d'un spectateur retentit:

– Fake! (Ce match est truqué.)

– Fake!

Le mot est repris:

– Fake!

Le cri s'élève çà et là parmi les spectateurs dépités:

– Fake!

Bientôt c'est la foule qui gronde:

– Fake! Fake! Fake!

La ligne Punch n'accepte pas l'accusation. Quand ils sont appelés sur la glace, les partisans voient des guerriers, non des fuyards. En quelques coups de patins, en quelques passes cinglantes, ils domptent la foule. Maintenant, il faut dompter les adversaires. Ils se meuvent avec une colère disciplinée. Les Hawks sont inquiets. Dans le Forum, il n'y a plus que le silence de la foule, le glissement sec des patins qui tailladent la glace et la musique de la rondelle qui claque sur la palette des bâtons ou cogne sourdement sur la clôture de bois. La foule rêvait d'une victoire. Son rêve a été détruit. Et son rêve renaît. Les Canadiens sont repartis à la conquête de la coupe Stanley. Chicago domine 4 à 1. Mission impossible?

Gagner n'est pas impossible puisque la foule exige la coupe Stanley. Ce n'est pas impossible puisque les Canadiens sont les meilleurs joueurs du monde. Ce n'est pas impossible puisque la ligne Punch fait des miracles. La foule ne doute plus. Le score est maintenant de 4 à 2, grâce à un formidable tir d'Elmer Lach. Le gardien Mike Karakas a été chanceux. Cette rondelle aurait pu le guillotiner.

Il reste quelques minutes de jeu: 4 à 2. Le chemin vers la victoire est impossiblement long. La ligne Punch est décidée de se rendre au bout. Le Rocket combat comme les soldats attaquent une colline où l'ennemi attend avec ses mitraillettes. Et du revers, il catapulte un projectile. Karakas a senti un vent passer: 4 à 3. Les minutes filent...

Peut-on se hâter encore plus? Toe Blake entreprend une montée tumultueuse mais, coincé derrière le filet des Hawks, il ne peut lancer. Le Rocket survient si vite que les défenseurs ne peuvent s'interposer. Toe Blake, assailli par les Hawks, fait glisser entre leurs jambes la rondelle vers le Rocket qui l'accueille avec un tir frappé. La main de Karakas n'a pas été assez rapide: 4 à 4. Le Rocket a établi l'égalité! Personne ne dit plus «Fake!»

Les partisans hurlent, pleurent, chantent, prient. Ils auront la coupe Stanley, ce soir! Maurice Richard, le petit Canadien français, joue au hockey comme Jésus faisait des miracles. Tommy Gorman demande que l'on rapporte la coupe Stanley, le champagne, la bière, les petits fours, les sandwiches.

Les Canadiens reviennent, pour la période supplémentaire, avec la vigueur de condamnés à la pendaison à qui le geôlier aurait dit: «Si vous marquez un but, vous aurez la vie sauve, un camion d'or et une nuit avec Greta Garbo...» Dans leur attaque il y a tant de volonté qu'ils ne peuvent pas ne pas gagner. Les robustes Black Hawks résistent. Pendant neuf minutes, les Canadiens, sans relâche, lancent raid sur raid. Ils sont frais comme s'ils débarquaient à peine sur la glace. Butch Bouchard, de sa ligne bleue, passe la rondelle à Blake déjà près de la zone ennemie. «Toe Blake lance et compte!» Les Canadiens gagnent la coupe Stanley!

Une immense rumeur de joie monte dans le ciel rempli des pleurs de la guerre qui sévit de l'autre côté de la mer. On ne pense pas à cela, à Montréal. C'est la fin d'une petite guerre que l'on célèbre. On a remporté la victoire! C'est la fête! On n'a pas vu la coupe Stanley depuis onze ans à Montréal. Les couvre-chaussures, les chapeaux, les journaux, les foulards, les gants pleuvent sur la glace. On crie. La fête déborde dans la rue. Les joueurs sont reçus à un banquet à l'hôtel Queen's, puis rentrent à l'usine. Ils ont gagné la coupe Stanley, mais ils n'ont pas gagné la guerre. Ils retournent dans les avionneries ou dans les usines. Maurice retourne à la fabrique de munitions.

Toe Blake joue avec les Canadiens depuis 1935 et c'est la première fois qu'il touche à la coupe Stanley. Le vétéran frissonne d'émotion. Il retient ses larmes. Il a conquis cette coupe qu'il exhibe au bout de ses bras tout autour de la patinoire. Puis il la transmet à Maurice Richard. Toe n'aurait pas conquis la coupe Stanley si le Rocket n'avait, par ses deux buts, conquis l'égalité.

Depuis le début de la guerre, les Canadiens français ont été poussés dans ce conflit qui n'est pas leur affaire. Ils ont été trompés par le gouvernement fédéral qui leur promettait de ne pas jeter leurs fils dans les champs de bataille. Dans ce Canada découvert par leurs ancêtres, ils sont les serviteurs, les porteurs d'eau. La langue de leurs ancêtres, leur langue, est dédaignée. Conquérir la coupe Stanley est une fière revanche. Les journaux offrent des manchettes dithyrambiques: «Richard et Blake, deux Canadiens français, les grands responsables des succès des Canadiens!» On se rappelle les beaux jours des Joliat, Lalonde, Vézina, Lépine, Leduc, Mantha... La foule montréalaise célèbre le retour de la coupe Stanley comme si elle avait gagné la Guerre mondiale.

Elle n'est pas terminée. Le grand débat sur la conscription pour le service outre-mer n'est pas fini. D'une part, il faut résister au gouvernement fédéral qui impose sa volonté contraire aux désirs des Canadiens français. D'autre part, des milliers de Canadiens français ont un père ou un fils qui combattent outre-mer ou une fille dans les services de soutien. Leurs sacrifices, leur bravoure seraient contraires aux intérêts de notre avenir? Le peuple est tiraillé par les contradictions. L'avenir est incertain. Le monde explose.

Autour de la patinoire du Forum, la foule a trouvé un monde dans lequel on n'est pas impuissant. La rondelle serait-elle une autre forme d'hostie devant laquelle se prosternent, chaque dimanche, les Canadiens français? Leur province est déchirée par le débat sur la conscription, divisée par les langues, par les cultures, par les écarts économiques. Ouvriers et patrons, anglais et français, juifs et gentils, fils d'ancêtres et immigrants: la population de la province de Québec, d'une seule voix, acclame le Canadien français que leurs enfants déjà imitent dans leurs jeux. Les muscles tendus comme la corde qui va propulser la flèche, Maurice Richard revendique le territoire du hockey. Il l'occupe avec autorité. Et par ce rituel, les Canadiens français regagnent confiance en eux-mêmes, en leur avenir. Chacun se sent un peu moins vaincu, un peu moins humilié, un peu plus fort. Cette messe où l'on communie à l'hostie de caoutchouc nous apprend à gagner.

Le 6 juin 1944, 250 000 soldats alliés, dont beaucoup de Canadiens et de Canadiens français, mettent le pied sur le sol de Normandie, en France...

À l'abattoir, un enfant parle avec les hommes

1944. Pour devenir un homme, dans mon village, il faut passer à l'abattoir. Mon père m'annonce, un matin d'hiver:

– Aujourd'hui, je t'emmène...

Depuis que je fréquente l'école, mon père ne me parle plus beaucoup. Avant, il était fier de me traîner partout: au magasin général, au Conseil municipal, à la forge, chez des clients, à la salle de pool. J'étais curieux et il aimait ma curiosité. J'aimais le suivre; je me sentais un petit homme.

Puis, dès que j'ai commencé l'école, ce n'était plus la même chose. Mon père ne se sent pas à l'aise avec les livres, les dictées, l'orthographe, le calcul, le catéchisme, l'histoire sainte. Pour lui, c'est le domaine de ma mère. Elle était institutrice avant son mariage. L'école est un sujet de conversation pour les femmes comme les bébés et les toilettes.

Un père qui veut faire de son fils un homme instaure un silence un peu bourru, un silence où l'on se comprend sans parler. Où l'on ne se comprend pas aussi. Les pères et les fils ne se parlent pas. Ce silence fait un fils fort.

Il faut donc une bonne raison pour que mon père rompe notre silence. L'abattoir. Le temps est venu pour moi d'apprendre comment on tue les animaux. Quel est le point exact, sur le front du taureau, où l'on applique le coup de masse qui l'endort? Comment, avec des palans, on lève le corps de la bête pour l'éviscérer. Comment écouter, sans un serrement à la gorge, le mugissement plaintif de la bête où la vie s'acharne encore dans un souffle qui s'éteint? Comment considérer froidement le sang qui fume sur le plancher? Comment regarder sans dégoût la panse gonflée de foin non encore digéré? Comment ne pas fermer les yeux devant un cœur qui bat encore dans un bol et une langue, dans un coin, qui s'agite comme si elle léchait encore le bloc de sel? Comment supporter les pleurs d'un agneau qui ne veut pas mourir?

Le boucher m'enseigne le point où, sur la poitrine frémissante du verrat, il faut enfoncer la lame du couteau pour couper l'artère. Il me fait toucher comment est chaud le sang que l'on recueille dans une casserole pour le boudin. J'apprends comment meurent les bêtes. Comme un homme, je regarde le sang qui gicle, les viscères emmêlées, les tripes entortillées, je regarde sans malaise, les yeux dans les yeux, la tête du porc sur une tablette et celle du bœuf accrochée à un mur. Je me promène, comme un homme, dans ces décombres sanglants.

La guerre fait rage dans les vieux pays, tue, déchiquette des femmes, des enfants:

– La guerre, c'est-i' comme ça?

– C'est ben pire, répond l'un des vieux qui fument la pipe.

Un autre homme, qui n'est pas vieux et qui a plusieurs enfants:

– Icitte, on sait pourquoi on tue des animaux. C'est pour que les femmes fassent des tourtières, des cretons, de la saucisse ou du rôti. Mais y en a-t-i' un qui pourrait me dire pourquoi on tue le monde, à la guerre?

Un silence passe dans l'abattoir. Le seul bruit est celui de la lame du couteau qui découpe le jarret du porc. Les hommes observent et sucent leur pipe. Il y a beaucoup de fumée. Cet endroit pue: le tabac fort, le sang, l'urine des bêtes, les viscères. Dès que le verrat a été saigné, on l'arrose d'eau bouillante pour faciliter l'enlèvement des poils. On m'explique que la soie du porc servira à rembourrer un collier de cheval. Je suis content de m'enrichir du savoir de ces hommes.

Devant les bêtes découpées, les hommes parlent de la guerre. Elle est loin de notre village, mais il y a le rationnement de l'essence, du sucre, de la viande. Personne ne veut aller à la guerre. Dans notre paroisse, on n'a pas assez de bras pour faire ce qu'il y a à faire. On n'a pas le temps d'aller se faire tuer de l'autre bord, de l'autre côté de l'océan. Nous, les enfants, on ne peut pas comprendre toutes ces affaires d'adultes, mais on sait qu'ils sont soucieux. Ils écoutent les nouvelles, l'oreille collée sur la radio. À cause de ces mots qu'on n'a jamais entendus, ils ne comprennent pas toujours et nos pères et nos mères, parfois, se chicanent. On n'aime pas cette guerre. Notre Conseil municipal a voté contre, en juin 1942. On a dit au gouvernement notre façon de penser. Malgré cela, plusieurs fils du village sont allés se battre. D'autres qui ne voulaient pas s'enrôler se sont arrangés pour disparaître. Il ne faut même pas parler d'eux. Au moins deux soldats du village ont été tués par les Allemands. Il y a dans les journaux beaucoup d'articles sur la guerre. Je regarde les photographies: il y a des édifices détruits, des gens qui marchent avec des valises, des soldats qui lèvent les mains comme des bandits qu'on a attrapés.

Mon père, qui voyage dans les campagnes voisines, ramasse tout ce qui est en métal: tubes de pâte dentifrice, chaudrons percés, boîtes de conserve; cette ferraille servira à produire des canons. J'admire mon père. Il fera des canons pour battre les Allemands.

L'un des hommes rompt le silence:

– On a encore gagné, samedi soir.

Et il lance une longue traînée de fumée qu'il retenait depuis longtemps.

– Maurice nous a encore fait un trou dans le gardien de Toronto.

Nous avons gagné la partie. Les hommes n'ont plus de soucis. Nous avons gagné. Et nous gagnerons encore.

– Personne peut rester en travers de son chemin. Il passe comme une fusée.

– C'est pour ça qu'il s'appelle le Rocket.

– Ils devraient lui donner un nom en français.

– Y a pas un Anglais qui peut le retenir.

J'écoute ces hommes d'expérience. Je m'instruis. J'ai hâte d'être un homme, d'avoir de la barbe et de connaître des choses comme la guerre, la politique: toutes ces choses que les hommes comprennent si bien. Je ne suis qu'un enfant et ils ont le visage marqué par la vie.

– Y en a qui disent que, depuis la création du monde, jamais un homme a patiné aussi vite que Maurice Richard.

– Sa faiblesse, c'est qu'il est fragile.

– Fragile? Fragile comme une tempête...

– Vous avez pas connu Morenz, vous autres, Howie Morenz, dit le maquignon.

Tout le monde se tait. On ne risque pas un mot. Avec le maquignon, on ne sait jamais s'il est sérieux ou s'il prépare une facétie. Vous pourriez devenir la risée...

– Morenz était rapide comme une balle. Au début des années trente, une balle, c'était ce qu'i' y avait de plus rapide. Morenz était si rapide sur ses patins qu'il prenait même pas la peine de déjouer les défenseurs. Souvent, les deux bœufs se trouvaient sur le cul sans avoir vu qui les avait chargés. Morenz: pas d'hésitation, pas de précaution; il passait comme un coup de téléphone. Avec lui, pas de ruse, pas de petits trucs: c'était zippppp dans le filet. Un joueur comme lui, on verra pas ça de notre vivant...

Un moment de silence, les têtes se recueillent. Je connais tous les noms des Canadiens, incluant le nom de l'instructeur, Dick Irvin... Mon grand-père parle souvent de Morenz.

– Morenz était rapide, reprend le maquignon... Jamais un adversaire a pu le rattraper... Vous avez pas vu jouer Morenz, vous autres...

– L'as-tu vu jouer, toé? demande le secrétaire municipal.

– Non, répond le maquignon.

Il fume le cigare. C'est un homme d'importance; il est l'organisateur des élections du député. Inébranlable, malgré la question du secrétaire municipal, le maquignon décrit, comme s'il avait été présent, les funérailles de Morenz. En 1937, lors d'un match contre les Black Hawks, un adversaire l'a culbuté contre la clôture. Il s'est brisé la jambe. Il ne s'en est pas remis. La vie s'est retirée de lui. Il ne pouvait plus s'enfuir. La mort l'a rattrapé le 8 mars 1937.

— Deux mois avant ma naissance! me suis-je écrié!

— Le service funèbre a eu lieu où il avait vécu, sur la patinoire. Le Forum était trop petit pour contenir la foule venue lui rendre hommage... Morenz était un vrai champion... Il filait comme l'éclair. Un éclair, c'est pas mal plus rapide qu'une petite fusée de rocket...

Le maquignon attaque Maurice Richard. Je dois intervenir:

— Maurice Richard patine plus vite que Morenz parce que Morenz est mort...

Je me sens fier.

— Oui, mais Richard est fragile.

Le secrétaire municipal est d'accord. Il établit professionnellement la liste de ses blessures.

— Maurice est très fragile, insiste le maquignon.

— Faudrait qu'il soit dur des os comme il est dur de la tête, suggère l'un des vieux.

Mon père se lève. Moi aussi. Ça a été une belle matinée à l'abattoir avec ces hommes barbus, chauves, édentés, le visage plissé:

— D'après moi, dit-il, i' a rien de plus beau dans le monde qu'un but de Maurice Richard.

L'un des hommes demeure très soucieux:

— J'ai un de mes garçons qui a pas d'intérêt pour le hockey pantoute. Je me demande ben si on va en faire un homme...

Robin des patinoires

1944. À l'automne, Mackenzie King craint la rupture du Canada: les Canadiens anglais souhaitent qu'une aide accrue soit fournie aux

Forces alliées; les Canadiens français de la province de Québec ne veulent pas aller verser leur sang dans un conflit européen. King repousse encore une décision pourtant inévitable. Son ministre responsable des Forces armées démissionne.

Les Alliés ont besoin d'hommes. Au cours d'une réunion, le 22 novembre, les principaux conseillers militaires de King le convainquent enfin d'instaurer un service obligatoire pour outre-mer. Les ministres canadiens français démissionnent du cabinet.

Les manifestations pour dénoncer la conscription se multiplient. À Montréal, le 29 novembre, lors d'un rallye organisé par le Bloc populaire, André Laurendeau, un journaliste du *Devoir*, demande au Canada de se déclarer indépendant de l'Angleterre pour échapper à la servitude de la mère patrie. Adélard Godbout, chef de l'opposition à Québec, assure que tous les libéraux du Québec s'opposent à la conscription. Duplessis, revenu au pouvoir le 8 août, fait adopter un arrêté en conseil par lequel il accuse le gouvernement d'Ottawa d'avoir violé les «promesses sacrées faites au peuple».

La saison de hockey est commencée. Maurice Richard marque des buts. Des jours plus tard, dans les villes et les campagnes, l'on se les raconte encore avec des inventions de langage. Là où des hommes se réunissent pour fumer, là où des enfants viennent espionner ce que disent les grandes personnes, partout où des hommes se réunissent pour boire de la bière, partout où des familles se réunissent pour un repas, partout où des écoliers qui tardent d'obéir à la cloche qui les appelle, partout où des enfants vont vers une patinoire, l'on se raconte les buts du Rocket comme les exploits de ces héros des temps passés.

Les partisans spéculent déjà sur les possibilités de reconquérir la coupe Stanley. Bill Durnan est le meilleur gardien de but de la Ligue nationale. De nouveaux joueurs comme Ken Mosdell viennent d'être libéré de l'Armée. Dick Irvin maintient la ligne Punch. Les Canadiens, en plus, peuvent lâcher deux autres excellentes lignes d'attaque. On va gagner!

L'ange de la malchance a cessé de poursuivre Maurice. L'an dernier, on lui a chèrement fait payer son nom de Rocket. Il a reçu pas mal de coups. Aucune blessure ne l'a empêché de jouer. Il a regagné confiance en son agilité. Il ne sent plus, sur ses mouvements, cette lourde crainte que ses os pourraient se briser. Maurice Richard entre sur la patinoire avec l'impétuosité d'un pur-sang. Conn Smythe, le propriétaire des Maple Leafs, est revenu de la guerre. Quand il aperçoit le jeune Richard, il offre 25 000 $ pour acheter son contrat. Maurice n'ira pas à Toronto, se jurent Gorman et Irvin.

Désormais, il peut escalader la falaise de glace escarpée au sommet de laquelle trône le filet des adversaires. Il n'est plus soumis à cette crainte que les adversaires, en avalanche, lui cassent les membres, lui déboîtent les articulations. Maurice n'entend plus respirer l'ange de la malchance dans son dos. Plutôt, des ailes lui poussent. Il devient ange. Il devient Icare. Il peut monter, monter, vers le but des adversaires. La cire de ses ailes ne fond pas. Il ne va plus s'aplatir au sol. Sur ses patins, il est solide comme un paysan dont les bottes sont enfoncées dans sa glèbe... Peut-être est-il cet autre dieu grec, Hermès, qui avait des ailes aux talons? Ce coup de patin qui flagelle la glace et la brûle, ce coup de patin donné comme le coup d'épée d'un chevalier sans défaite, cet élan de force brute qui file vers la cible à atteindre, est aussi doté de la délicatesse du coup de pinceau d'un vieux moine qui trace une enluminure.

Au début janvier 1945, les premiers conscrits s'embarquent pour l'Europe. Près de 15 000 jeunes Canadiens ont été appelés. Beaucoup refusent d'aller mourir au loin. Plusieurs manquent à l'appel. En avril, 4 000 déserteurs n'ont pas été retracés. Parmi eux, 2 500 viennent de la province de Québec. On a de l'inquiétude pour ces bateaux chargés de soldats qui partent sur l'Atlantique infestée de sous-marins allemands. On se raconte comment des déserteurs ont berné la police militaire. Et on s'étonne du dernier exploit de Maurice Richard.

Les anciens le comparent au légendaire Victor Delamarre, «le Roi de la force». Ses plus célèbres exploits: harnacher un cheval de 1 000 livres sur son dos, comme un havresac, et grimper, avec la bête dans un poteau. Il a aussi atteint le dernier échelon d'une échelle de 19 pieds avec une auto de 2 260 livres attachée à lui. Il a même soulevé avec son dos un pont de 2 260 livres, sur lequel était posée une voiture de 3 000 livres, elle-même remplie de 6 passagers plutôt joufflus. Tous les Canadiens français connaissent ces prodiges. Nous sommes fiers d'appartenir à ce petit peuple où Dieu a fait naître l'homme le plus fort au monde.

Le Rocket est digne de Victor Delamarre! Il se détache de ses partenaires, il avance seul vers la ligne bleue. Il va foncer dans la barricade des Red Wings. Le très solide et très costaud Earl Siebert l'attend. Le Rocket accélère sa valse avec la rondelle. Il baisse la tête. Va-t-il le déjouer? Va-t-il le renverser? Aucun doute: il ira vers le but. Mais Siebert s'engage vers l'attaquant. Le Rocket, au lieu de ralentir, patine plus vite. Collision! Choc sourd du corps des deux athlètes. Tous deux basculent. Ils ne tombent pas. Ils regagnent leur équilibre. Le Rocket n'a pas perdu la rondelle.

Siebert, pour ne pas s'écrouler, s'est accroché à lui. Le Rocket secoue les épaules pour s'en débarrasser. Le défenseur ne lâche pas prise. Le Rocket se tortille. Siebert resserre son étreinte. Chargé de ce fardeau inattendu, le Rocket persiste. Il veut atteindre le filet. Il reprend sa montée. Sous le poids des deux joueurs, à chaque glissement, ses patins déchirent la glace. La foule entend le bruit de la glace striée. En trois coups, malgré le fardeau de Siebert sur son dos, le Rocket a repris son allure. Siebert traîne ses patins sur la glace; il essaie de freiner l'attaquant. Le Rocket plante ses lames dans la glace comme s'ils étaient des grappins, il avance comme s'il escaladait à la course le pan glacé d'une montagne vertigineuse. De sa main droite, il contrôle la rondelle au bout de son bâton, il fait des broderies qui confondent les adversaires accourus l'un après pour, tous ensemble, reconstruire leur mur imprenable; avec sa main gauche, le Rocket cogne Siebert, essaie de se délester de ce fardeau bien arrimé qui refuse d'être largué. Malgré l'encombrant défenseur sur son dos, il parcourt les soixante pieds qui le séparaient du filet. Il arrive ainsi chargé devant le gardien Harry Lumley. «Maurice Rocket Richard lance et compte!»

Ainsi naissent les légendes:

– C'est pas croyable: déjouer un gardien de but avec un homme sur le dos...

– Victor Delamare avait un cheval su' l'dos.

– Delamarre était pas en patin.

– Avec un cheval su' l'dos, i' est monté à la pointe du clocher d'une église...

– Ça donnerait rien à Maurice de grimper au clocher; c'est pas là qu'i' trouverait le gardien de but!

Notre petit peuple malheureux dans son passé, coincé dans son présent, n'arrive pas à dessiner son rêve d'avenir. Tout à coup est apparu ce jeune athlète qui ne se laisse dominer par personne. Le petit peuple fidèle et incertain s'enflamme pour ce fils qui n'accepte pas la soumission.

Le gouvernement relâche sa loi sur le rationnement à la fin de février. Bonne nouvelle! Maurice va enfin pouvoir, comme avant, manger un steak épais avant son match. Il est plutôt embarrassé par l'attention qu'il reçoit. Il n'est qu'un joueur de l'équipe; il ne fait que son travail. Pourquoi tout ce fla-fla? Malgré ses exploits, il ne rate jamais un exercice. Après, la plupart des joueurs rentrent au vestiaire; il reste sur la glace pour fignoler ses coups de patin, peaufiner ses mouvements, améliorer son tir. Cette rondelle doit aller sur la cible;

elle doit lui obéir comme si elle était sa pensée. Il aura besoin de toute sa force et de toute sa rapidité. Les adversaires ont trouvé la meilleure tactique pour modérer les Canadiens: modérer le Rocket. Il faut boucler ce joueur qui, au moins une fois par match, met en défaut le gardien de but. Il faut semer des embûches sur la route du Rocket.

Chaque équipe désigne un joueur dont la mission est de ralentir le Rocket. Tous les moyens sont acceptables. Harcelons-le, insultons-le, faisons-le trébucher! Il faut lui barrer le passage vers la ligne bleue. Chez les Maple Leafs, Bob Davidson est chargé de couvrir le Rocket. Kenny Smith a la même responsabilité chez les Bruins; Ted Lindsay, chez les Rangers. Ces joueurs appliquent au Rocket les subtiles techniques que les videurs des cabarets de la rue Saint-Laurent destinent aux clients indésirables. Le Rocket a de l'endurance. Pour l'expulser de la patinoire, tous les moyens sont utilisés. Tactiques légales, illégales. On le harponne avec son bâton. On le tasse, on lui applique des coups d'épaule, on l'écrase contre la clôture. On le pilonne de coups de coude, de coups de genou. On l'assaille à plusieurs. On se moque de lui parce qu'il est canadien-français, on le tourne en dérision parce qu'il ne parle pas bien anglais. Ces fléchettes empoisonnées s'insinuent sous sa carapace et, lentement, le mettent en colère. On a remarqué que, sous sa colère, il y a de la violence. Sa détermination n'est plus alors d'enfoncer la rondelle dans le filet mais de démolir l'insulteur. Et l'arbitre lui inflige une pénalité. On travaille donc à le rendre furieux.

Maurice Richard ne parle pas l'anglais; il le comprend un peu. Cela l'énerve. Il sait expédier la rondelle dans le filet plus vite que n'importe qui. Il est un champion. Pourtant, lorsqu'il veut parler anglais, il ne sait pas les mots nécessaires. Ce champion qui soulève les foules balbutie en anglais comme un enfant. Cela l'irrite de ne pouvoir parler comme un homme.

Dans son quartier, personne ne parle anglais à moins qu'on ait dû l'apprendre pour travailler dans un bureau ou dans les tramways. Maurice Richard est fier de sa langue française comme tous les petits Canadiens français qui ont écouté les leçons d'histoire à l'école. Il est fier qu'un Canadien français, du peuple de ceux qu'on appelle porteurs d'eau, frogs, canucks, soit devenu un joueur de hockey craint partout dans la Ligue nationale. Mais cela l'agace de ne pas pouvoir répondre, dans leur langue, à ceux qui l'insultent, avec des mots qui frappent comme un coup de poing.

La voix de la foule a fait un géant de Maurice Richard. Il fait son chemin sur la patinoire comme d'autres le font dans la vie. Lorsqu'ils voient Maurice, à coups de patin, à coups de bâton, à coups d'épaule, par vitesse et par ruse, se frayer un chemin, les partisans voient, sur la patinoire, le héros qui avance sur la glace à la manière dont les Canadiens français rêvent d'avancer courageusement dans l'histoire.

Il apprendra l'anglais, la langue des patrons à l'usine, la langue des soldats de Wolfe sur les plaines d'Abraham en 1759, la langue écrite aux façades des immeubles de Montréal, la langue des banques, la langue des États-Unis, la langue des chansons à la radio, la langue des films, cette langue qui menace la langue française, cette langue anglaise qui est celle de l'Armée comme si un soldat qui parle français était moins brave qu'un soldat de langue anglaise; il apprendra la langue anglaise que les Canadiens français ont refusée parce qu'ils voulaient garder leur langue française, il apprendra la langue de la religion protestante; il apprendra la langue de la Ligue nationale de hockey, la langue de l'équipe des Canadiens. Le Rocket apprendra.

Au vestiaire, son orgueil lui interdit de se sentir ridicule en parlant incorrectement. Dans ce silence renfrogné, parfois, il fait semblant de ne pas écouter. Parfois il comprend un peu. Parfois, sur la patinoire, il croit avoir compris les mots dont un adversaire le fouette au passage. Mais il n'a pas les mots pour répondre. De match en match, il apprend la signification des insultes qui cinglent ses oreilles. Incapable de répondre par une injure à une insulte, il répond par un coup de bâton ou un coup de poing. Ou un but. Les attaques contre le Rocket sont si implacables que Tommy Gorman, craignant la démolition de sa vedette, exige pour son joueur la protection des arbitres. Maurice Richard n'est pas un saint homme non plus. Il est très habile à happer l'adversaire de la main gauche, pendant que, de la main droite, il manipule la rondelle hors de son atteinte.

À New York, le 17 décembre, le défenseur des Rangers qui reçoit la mission d'irriter le Rocket s'appelle «Killer» Dill. Ce dur à cuire pratique aussi le noble art de la boxe que lui ont enseigné ses oncles Tom et Mike Gibbons, de fameux boxeurs. À la première période, le Rocket se soustrait à sa brutalité, mais Toe Blake et Elmer Lach sont ébranlés par ses frustres manigances. Il est inévitable que le Rocket et le «Killer» se trouveront face à face. C'est écrit, en grosses lettres, comme une manchette de journal. La foule se délecte à l'avance de l'explosion qui s'annonce. La tension est tangible sur la patinoire. Les joueurs sentent venir la tempête. Ils se démènent avec prudence. La nervosité rend leurs mouvements hésitants. Dans les estrades, on parie sur l'issue de la bagarre Rocket-Dill. Au début de la seconde période, deux joueurs s'échangent des taloches derrière le filet des New-Yorkais. D'autres joueurs, des deux équipes, s'immiscent dans le combat, séparent les bagarreurs, se menacent et entreprennent de se tabasser. La foule savoure. Mais l'arbitre impose la paix. La trêve sera de courte durée. Il n'est pas juste que Dill fasse la loi en intimidant la ligne Punch. Le Rocket n'accepte pas la loi du «Tueur». Voilà ce qu'il voudrait lui crier à la figure, les yeux dans les yeux, mais il n'ose parler; il ne sait pas suffisamment l'anglais. Mais il crache le feu. «Killer» Dill connaît son handicap. Il connaît sa fierté:

– Goddam Canuck!

Cette insulte, l'athlète du quartier francophone de Bordeaux, à Montréal, la comprend. Le Rocket n'a pas le vocabulaire pour riposter, mais le poing de sa main droite s'enfonce dans le visage de «Killer». Le boxeur atterrit sur la glace. L'arbitre sanctionne les deux pugilistes. Au banc des pénalités, aucune cloison ne sépare les adversaires. Ils s'assoient l'un près de l'autre. Après quelques instants d'étourdissement, «Killer» Dill, revenant à lui, veut reprendre la rixe où elle a été interrompue. Après quelques insultes, il essaie ses poings. Le Rocket évite... se contient. Mais il se contient comme une bombe qui va exploser. Soudain, il éclate! Frappé sur l'œil, «Killer» retourne au pays des rêves.

Les partisans de la province de Québec ressentent une grande fierté. Maurice Richard a encore une fois démontré avec une fulgurante évidence qu'un petit Canadien français ne recule pas devant un adversaire plus gros que lui. Même si on ne parle pas l'anglais, on peut faire son chemin. Avec de la fierté et ses poings... Avec de la fierté et ses poings, la langue française n'est pas inférieure à la langue anglaise. Un Canadien français ne craint plus personne qui parle anglais. Lorsque Maurice Richard s'élance comme si ce coup de patin était le seul qu'il lui est permis de donner durant son passage sur la terre, lorsqu'il lance la rondelle comme si c'était le seul tir qu'il lui est permis de décocher durant son passage sur la terre, le Rocket exprime notre volonté de ne pas toujours perdre, de gagner, un jour.

«Killer» Dill, deux fois K.-O. En plus de sa victoire à la boxe, Maurice a aussi marqué un but magistral et les Canadiens ont gagné 4 à 1. Rentrant à l'hôtel Belvedere, sur la 49e rue, il aperçoit «Killer» Dill devant la porte. Guette-t-il le Rocket pour la prochaine ronde? Il a l'air furieux. Le Rocket roule son poing, dur, dans la poche de son paletot. Contre toute attente, Dill sourit. Le Rocket, sans desserrer son poing dans sa poche, se demande s'il doit aussi sourire. Il ne sourit jamais sans une bonne raison. Tout bonnement, dans son anglais maladroit, le Rocket offre à son adversaire de lui payer le souper. Dill, touchant sa mâchoire, grommelle quelques mots. «Killer» est incapable de mastiquer.

Trois jours après Noël, une neige glacée recouvre les escaliers extérieurs des maisons du quartier de Bordeaux. Aujourd'hui, Maurice et sa famille déménagent. Ils quittent l'appartement au troisième étage de la rue des Érables pour un appartement au deuxième étage de la rue Papineau. Maurice peut offrir à Lucille ce petit luxe de grimper un étage de moins. Si les choses tournaient au mal chez les Canadiens, il lui resterait son métier de machiniste... Maurice et son frère montent les escaliers, descendent les escaliers et remontent les escaliers; ils terminent le déménagement à la fin de l'après-midi. Ce soir, les Canadiens jouent contre les Red Wings. Harry Lumley, leur gardien de but, est le meilleur de la Ligue après Durnan. Pour se détendre, Maurice visite son barbier, puis arrive au vestiaire du Forum en se disant fatigué, avec «un petit mal au dos». Ses équipiers sont étonnés de l'entendre se plaindre. Il n'a pas l'habitude de leur dévoiler ses bobos. S'étendant sur la table de massage, il demande qu'on lui remette les muscles en place.

Quand son patin touche la glace du Forum, des étincelles jaillissent! Le déménageur de l'après-midi est léger comme un danseur de ballet. Il marque un but, virevoltant sur un seul patin. Il se fait clown et marque un autre but alors que, tombé, il glisse sur le ventre. Il est rapide comme un météore. Il est solide comme un grand guerrier. Les adversaires le suivent inutilement. Il crépite d'astuces. Il les trompe à volonté. Il déjoue deux, trois, quatre joueurs qui lui barrent le passage; il se défile. Ils n'arrivent pas à le terrasser. Il rebondit comme une balle de caoutchouc. Ses partisans, en extase: «Maurice! Maurice!» dansent dans les estrades. Le Rocket marque un but quand il le veut. C'est l'hystérie au Forum. Le Rocket: cinq buts, trois mentions d'aide. Le Rocket a enchâssé deux buts dans un intervalle de 8 secondes. Les Canadiens ont gagné 9 à 1.

Les partisans s'attardent là où les miracles ont eu lieu. Entassés dans les couloirs, pressés l'un sur l'autre, ils se poussent; ils veulent s'approcher de Maurice, l'apercevoir, obtenir son autographe. À sa machine à écrire, le poète raté devenu journaliste des sports se demande, dans une bouffée d'inspiration: «Le Rocket est-il mortel?»... L'athlète a 23 ans.

Un match contre Toronto n'est jamais un match comme les autres. Les deux villes, l'une française, l'autre anglaise, rivalisent pour leur développement et leur influence. Ces matchs sont une métaphore de la vie quotidienne. Les partisans de Montréal voient sur la glace, à une échelle humaine, le défi que lui lance Toronto. Ce soir du 25 février 1945, le Rocket étourdira-t-il Toronto? Il a marqué son 44e but de la saison. Aucun autre joueur n'a atteint cette cime depuis Joe Malone en 1918.

Du côté des Maple Leafs, on ne veut pas que, contre Toronto, le Rocket dépasse le record de Joe Malone. L'histoire retiendrait cette faute. Les Leafs doivent le menotter. Les excellents défenseurs Bob Davidson et Nick Metz s'y emploient. On le crochète, on l'injurie, on le bloque. Ils jugent plus important d'encadrer le Rocket que de surveiller les autres Canadiens. Blake, O'Connor, Bouchard, Lach en profitent pour marquer. Le Rocket se faufile, il est repris, on l'enserre, on l'aplatit sur la clôture; il s'évade. Les joueurs de Toronto le poursuivent. Il est si rapide. Il veut marquer ce but. Maintenant. La foule s'enflamme: «Vas-y, Maurice!» Le Rocket atteint la ligne bleue. Les Leafs s'essoufflent. La foule halète. Il est seul devant le filet. Il tire. La foule aura son but! Frankie McCool saisit la rondelle. La foule se rassied avec un grondement de déception. Le jeu recommence. On manque d'air dans le Forum. À tous moments, les partisans se dressent et cravachent de leurs cris le dos du Rocket. Il leur semble ne pas se dépenser autant qu'ils l'en savent capable. La nervosité est épaisse. Tout va déflagrer! Des escarmouches éclatent ici et là. Trois fois, les joueurs s'engagent dans des bagarres générales. Les partisans invectivent les Leafs, encouragent les Canadiens. Les joueurs se rossent, s'arrachent l'uniforme, se sabrent à coups de bâton, roulent sur la glace, s'étranglent l'un l'autre. Puis le calme revient. La foule se rassoit dans l'attente du 45e but de Maurice. C'est ce soir, au Forum, devant ses partisans, contre les Leafs que le Rocket a décidé de marquer le but de son record mondial. Ce soir! Il est désespéré. Il se sent comme un bête tombée dans une fosse. Il s'énerve. Il creuse pour sortir. Plus on le paralyse, plus il s'agite.

L'aiguille de l'horloge indique la quinzième minute de la troisième période. Est-il trop tard? Encore cinq minutes de jeu. Pour Maurice, il n'est jamais trop tard. Quatre minutes. Le Rocket n'a besoin que de quelques secondes. Le Rocket va marquer ce but. «Donnes-y Maurice, t'es capable!» Les partisans attendent debout, prêts pour le triomphe. Ils lui réclament ce but. À grands cris. Malgré ses efforts exténuants, il semble aussi frais qu'au début du match. Il monte vers l'adversaire comme s'il descendait une piste. Toe Blake lui passe la rondelle. Le Rocket est devant le filet. Un tonnerre d'encouragements. Il effectue un virage brusque. Trois minutes. Le gardien de but ne peut jamais estimer d'où partira le tir. Maurice choisit un angle difficile. Son tir doit être excessivement précis. Le bolide siffle. McCool le sent passer. Il ne l'a pas vu. «Maurice Rocket Richard lance et compte!» C'est son 45e but! Un record mondial!

14 000 partisans entrent en transe. Dans un ouragan d'adulation, les objets volent sur la glace. Le délire dure onze minutes. Les agents de sécurité s'inquiètent. Le Forum va-t-il tenir?

Et la fanfare s'apaise. Les partisans ont besoin de se reposer un peu. De leur siège, ils ont joué ce match avec les Canadiens; ils ont patiné dans les patins de Maurice. Ils sont exténués. Les muscles dans leurs bras se sont crispés chaque fois que le Rocket tirait au filet. Ils ont marqué leur 45e but. Le match a été violent: l'arbitre a imposé 18 pénalités. Personne ne pense à cette autre violente partie qui se dispute en Europe, cette partie où les projectiles qui atteignent le but donnent la mort.

Une homme aux cheveux blancs, frêle, s'avance sur la patinoire. Il y a peu de temps, lui semble-t-il, il zigzaguait sur la glace comme le jeune Rocket. Il se souvient des cris de la foule quand son tir foudroyait le gardien de but. Les haut-parleurs annoncent Joe Malone! En 1918, il a établi le record que le Rocket a, ce soir, battu. La foule l'accueille comme s'il était encore le champion.

Et une émotion insoutenable renaît comme un feu dans le sol de la forêt. Les cœurs s'agitent. Des serrements dans la gorge. Des larmes. Les mains qui applaudissent ressemblent à des oiseaux qui danseraient autour de Joe Malone et de Maurice Richard. Le vieux champion remet au jeune champion la rondelle qui a battu son record. C'est la vie. Un champion dépasse un champion pour qu'un autre le dépasse. Malone semble tout petit.

Parce qu'il engendre des fils comme le Rocket, ce petit peuple sait qu'il aura un grand destin. On essuie les larmes. L'ancien champion et le nouveau sortent ensemble. Dans cinquante ans, on racontera encore ce moment. Les Canadiens français ne sont plus condamnés à être porteurs d'eau, servants, employés. Nous sommes les champions du monde!

À quoi songe Maurice? Il est assez content, mais il se trouve encore loin de son 50e but. 45: ce n'est pas mauvais, mais il veut atteindre 50 buts... Au journaliste de la radio, il se contente de dire: «Ce record est tout à l'honneur des Canadiens français...»

Quelques soirs plus tard, c'est son dernier match de la saison régulière, disputé devant ses partisans. Il a derrière lui 49 buts. Il veut leur donner son 50e. Les Black Hawks sont décidés à l'empêcher de se mouvoir. Tous les coups sont justifiables; c'est la consigne. On doit creuser une tranchée infranchissable devant le filet. Les partisans savent que Maurice va marquer son 50e but ici... Pourquoi alors ne pousse-t-il pas la rondelle dans le filet? On s'impatiente. Il a encore raté un tir. On ne l'a jamais vu si bien tirer à côté du filet. La rondelle lui échappe. Les partisans s'énervent. Le Rocket se multiplie, invente des stratagèmes, des ruses. Sa volonté est tendue à l'extrême. Trop tendue. Il est nerveux. Trop nerveux. Il échoue encore. La rondelle ne va pas où il l'expédie. La foule réclame le but. Il va le lui donner. Électrisé par sa volonté, il va crever la défensive. Porter la rondelle dans le filet. Il est si résolu; son instinct naturel s'est replié. L'animal souverain fait des calculs. Son génie ne le guide plus.

Maurice Richard entreprend la troisième période. Désespéré. Dérouté. Déçu. Décidé. Il va renverser tout ce qui se trouvera sur son passage. Une énergie démente l'anime. Les muscles dans ses jambes sont de puissants ressorts. Les adversaires ne sont pas assez rapides pour s'interposer. Le Rocket va marquer son 50e but. Il le sent. La foule le sent. Les partisans vont obtenir le record qu'ils exigent à grands cris. Le Rocket fonce. Le gardien de but se sait condamné. Les partisans lèvent les bras pour le triomphe. Venant aussi vite que possible, Wilf Field s'écrase sur le Rocket qui perd pied et s'étend sur la glace. La faute est évidente. L'arbitre accorde au Rocket un lancer de punition. Cette fois, ce sera le 50e but! Les partisans dansent.

Tendu, devant une foule qui exige l'impossible, il décoche un tir. Frappé sur sa jambière, Stevenson est repoussé. La rondelle retombe devant lui. Maurice Rocket Richard n'a pas marqué son 50e but au Forum. Les partisans quittent comme si on leur avait volé quelque chose.

C'est à Boston, quelques jours plus tard, que le Rocket le réussit.

Le trésor n'est pas dans l'île

1945. Maintenant, les séries éliminatoires. C'est une mer dangereuse. Il faut atteindre l'île où la coupe Stanley attend d'être embrassée par les champions. Les Canadiens se sentent invincibles. Mais la coupe Stanley est convoitée par des pirates, les Maple Leafs. Hap Day, leur instructeur, a rédigé son plan d'attaque que tous comprennent. Essentiellement, il faut briser la ligne Punch en isolant le Rocket. Tous les moyens seront acceptables. Peut-être se fera-t-on attribuer quelques pénalités... Les conséquences en seront moins désastreuses que si on laissait régner le Rocket. Bob Davidson est plutôt fier d'avoir encore été sélectionné pour l'exaspérer.

Premier match. Maurice se heurte à Davidson où qu'il se tourne. Sa pesante insistance est embarrassante. Le Rocket ne peut rien accomplir.

Cet après-midi, quand il était dans son lit, pour une sieste impossible, il jouait à l'avance dans sa tête le match qu'il allait disputer. Il a vu, dans son insomnie, les lenteurs de la défense. Il se sentait prêt. À cause de Davidson, Maurice est impuissant. Baissant la tête, il va foncer vers le gardien de but comme un taureau vers la cape rouge du torero. Davidson ne le laisse pas s'échapper. Il ne peut aller agripper la rondelle. Si elle vient sur son bâton, il ne peut faire une passe. Il est pris comme une morue de la Gaspésie de sa mère. Vingt-deux secondes avant la fin de la troisième période, Ted Kennedy marque un but. Toronto blanchit Montréal 1à 0. Les Maple Leafs ont été tenaces. Hap Day avait averti ses joueurs: ils seraient expulsés de l'équipe si, à la fin de ce match, leurs sous-vêtements n'étaient pas trempés de sueur.

Au match suivant, les Leafs appliquent le même traitement à Maurice Richard qui fulmine, bataille et n'arrive à rien. Le jeu est dur. Les Leafs blessent Reardon, O'Connor, Lach et Bouchard. Le Rocket ne produit pas plus que s'il était blessé. Cependant, il ne se décourage pas. Plus on le retient, plus il se débat. Comme Shakespeare quand il n'avait plus d'inspiration. Comme un tremblement de terre qui va tout secouer. Mais son bâton magique ne crée pas de merveilles. Les Leafs, au Forum, humilient les Canadiens 4 à 1.

Après tant de déception, les Canadiens gagnent enfin le troisième match. Mais le Rocket ne jubile pas. Durant son insomnie, il repasse le match dans sa tête. Il n'est pas content de lui.

Quatrième match. Chargé de frustration, de passion, le Rocket descend sur la patinoire. Davidson l'attend. La tactique de Hap Day ne change pas: on isole le fauve pour qu'il ne puisse pas chasser. Subitement, comme il a si souvent préparé ce mouvement durant ses insomnies, Maurice Richard s'envole. Et la rondelle, comme un éclair inattendu, frappe le fond du filet de Frank McCool. Ce boulet, qu'il a plusieurs fois essayé de décocher, était propulsé par la conviction qu'un tir raté est un instant de vie qu'on lui dérobe. Chaque défaite est une mort.

Le gardien Frank McCool souffre d'ulcères parfois intolérables que lui a causés la tension d'anticiper les boulets lancés contre lui. Parfois, la douleur est si aiguë qu'il est incapable de se tenir sur ses patins. Après le tir que Maurice Richard lui a infligé, il se masse l'estomac à deux mains pour calmer le mal.

Les Canadiens français ont suivi les moindres mouvements de leur héros. Ils ont reçu de lui un message: persévérance! Persévérance! C'est ce que prêchent leurs prêtres et leurs chefs politiques. Persévérance!

Match suivant: le cinquième de la série. Comme le fleuve Saint-Laurent longtemps contenu par l'hiver se libère de ses glaces, le Rocket se déchaîne dans une formidable fête: quatre buts. Les Canadiens triomphent 10 à 3. Les Maple Leafs sont emportés par les flots. Les partisans des Canadiens retrouvent espoir. Maurice n'a pas perdu son pouvoir magique. La coupe Stanley va revenir à Montréal!

Et le 31 mars a lieu le dernier match de la semi-finale. De nouveau capturé par Davidson et les autres, le Rocket ne peut marquer. La ligne Punch est déconcertée. L'entière équipe est frappée d'inertie. Les Canadiens sont éliminés. Ted Kennedy, Bob Davidson et Mel Hill ont imposé leur loi. Les Maple Leafs reprennent aux Canadiens la coupe Stanley. Pour le Rocket, c'est une défaite inadmissible. Meilleur marqueur de buts de tous les temps, il a perdu la coupe Stanley. Il poignarde à coups de patins la porte du vestiaire.

Maurice demeure inconsolable. Le 13 avril, Lucille lui donne un fils qu'il prend dans ses bras sans pouvoir retenir ses larmes. Les larmes sont plus faciles que les mots. Cet enfant trop léger pour les bras de l'athlète, il le hisse au bout de ses bras comme s'il était cette coupe Stanley que les Canadiens n'ont pas réussi à gagner. Il portera le nom de son père. Il aura alors quelqu'un à imiter. Quelqu'un à dépasser. C'est à lui qu'il aurait voulu dédier son cinquantième but... Pour que ce petit apprenne la détermination, pour qu'il soit lui aussi allumé par l'envie de lutter, de pousser les limites, de briser les obstacles, le Rocket va conquérir d'autres records. Petit, regarde ton père filer vers son 100e but, son 200e... Cependant l'arrivée de ce fils ne le console pas d'avoir perdu la coupe Stanley. Il passe des nuits blanches à penser à l'échec des Canadiens. Console-toi, Maurice! Déjà on surnomme Maurice junior, ton fils, le petit Rocket.

Ailleurs sur la planète Terre, la guerre a encore étendu ses ravages. L'Allemagne a été très affaiblie par l'échec de ses armées à Stalingrad. 200 000 de leurs soldats ont perdu la vie; plus de 90 000 ont été faits prisonniers des Russes qui ont reconquis leur ville maison par maison, quartier par quartier. D'autre part, les Alliés font des gains en Afrique du Nord. L'armée française, se détachant des collaborateurs de Vichy, retrouve son unité. Les Forces françaises libres rejoignent les Alliés. L'Allemagne n'a plus de choix. Elle capitule le 8 mai 1945.

C'est la paix! On pense à l'avenir. Pour préparer un avenir prospère, il faut augmenter la population du Canada. Le défi: d'abord, augmenter le taux de natalité. Ne vaudrait-il pas mieux accroître l'immigration? La discussion s'engage. Si l'on favorise la natalité par une allocation familiale, ne va-t-on pas encourager le lapinage des Canadiens français qui font déjà trop d'enfants?

Une allocation familiale? La province de Québec repousse cette nouvelle intrusion du gouvernement d'Ottawa dans une juridiction provinciale. De plus, l'allocation serait refusée par Ottawa aux enfants de moins de seize ans qui ne fréquentent pas l'école. Les honnêtes fermiers, les honnêtes ouvriers de la province de Québec ont besoin des bras de leurs enfants. La loi de l'allocation familiale va-t-elle changer la loi du Québec qui permet aux enfants de quitter l'école à quatorze ans? Puis l'allocation familiale décroîtra après le sixième enfant. C'est une autre manœuvre hypocrite des Anglais protestants, qui, c'est bien connu, n'aiment pas avoir beaucoup d'enfants; c'est un assaut contre l'avenir de notre peuple. Des dames distinguées dénoncent l'allocation familiale comme un moyen déguisé de ramener dans leur foyer les femmes qui travaillent en usines...

Alors ne vaudrait-il pas mieux accélérer l'immigration? Dans la province de Québec, on suspecte une autre menace. Depuis le fameux rapport de Lord Durham, les Anglais utilisent l'immigration pour noyer la minorité française et catholique. On n'acceptera pas la noyade! Les Canadiens français n'ont plus peur de se tenir debout!

La loi de l'allocation familiale entre en vigueur. Le 1er juillet 1945, Lucille et Maurice Richard reçoivent un chèque du gouvernement parce qu'ils sont parents de deux enfants! Cela non plus ne remplace pas la coupe Stanley.

Faisons un brin de philosophie

1998. Pour humer l'odeur du hockey avant de commencer ce livre, je décide d'aller au Forum. L'ancien temple du hockey est éviscéré par le pic des investisseurs. Mais je m'arrête un instant. C'est dimanche. Les pelles mécaniques sont muettes; je peux entendre l'écho lointain des cris des partisans. Les fantômes n'ont pas voulu quitter. Ensuite, je me dirige vers le Centre Molson, le nouveau temple du hockey à Montréal.

Une célèbre photographie de Maurice Richard est suspendue dans le hall. Une photographie d'action: le Rocket part à l'attaque. Je suis encore une fois, moi un homme de soixante ans, happé par l'intensité dure de ce regard qui me darde. Et je me souviens. Lorsqu'on jouait au hockey, on imitait son regard pour se faire craindre des adversaires. On avait beaucoup examiné ses photographies dans le journal. On lisait aussi ces bandes dessinées où Superman avaient des yeux capables de percer les murs. Le Rocket voyait à travers ses adversaires.

Je raconte cette anecdote à mon guide, une jeune femme convaincue que les joueurs de baseball ne sont pas des athlètes. Durant un match, ils ne perdent pas de poids comme les joueurs de hockey, m'a-t-elle expliqué. Elle trouve charmante mon anecdote sur les yeux du Rocket, mais elle m'assure que les enfants d'aujourd'hui n'ont pas ma naïveté. De plus, elle m'apprend que cette photographie a été mise en scène. Je suis déçu. Peu importe.

L'écrivain de soixante et un ans qui se souvient du héros de son enfance observe le visage du Rocket: anguleux, plus vieux que son âge; les épaules fortes, les jambes... Et ces yeux qui ressemblent à deux balles en mouvement vers la cible. Excusez-moi. C'est de la mauvaise poésie.

Qu'est-ce qui nourrissait le feu de ce regard?

Dans le regard de Maurice Richard, il y a la mémoire de la Gaspésie, où vivaient ses parents avant leur immigration à Montréal; une région où la pêche à la morue était médiocre, la mer difficile, la terre pierreuse, la forêt chenue et le vent rude. Ses ancêtres inclinaient la tête quand le prêtre leur prêchait la soumission. Mais il leur restait une colère inassouvie, un sentiment d'avoir un destin injuste.

Dans ce regard, il y a la détermination de ses parents qui ont immigré à la ville. Pour eux, Montréal était un autre pays. Ils emportaient leurs souvenirs. Maurice a appris que si l'individu n'est pas plus fort que la mer, il ne ramènera jamais sa barque au port. S'il n'est pas plus fort que la forêt, il ne ramènera jamais du bois pour chauffer la demeure. Pour élever plusieurs enfants, ses parents ont trimé ferme. Ils lui ont donné une leçon fondamentale: celle de l'effort.

Il y a dans les yeux de Maurice la misère durant la Crise économique de 1929. Enfant, lorsqu'il regardait le monde des adultes, il voyait l'insécurité, le désœuvrement, l'humiliation, le désespoir. Maurice a vu des gens mal nourris, des pères de famille mendier, des familles évincées de leur appartement. Est-il resté au fond de ses yeux un peu de la terreur ressentie?

À Montréal, la finance, l'industrie étaient dominés par l'élite anglaise. Dans ses yeux, y aurait-il la révolte de l'adolescent qui veut sortir de son ghetto? Son champ de bataille sera le hockey. Par ce sport, il renversera son statut de dominé. Le feu dans ses yeux serait-il la passion d'être admiré par les foules afin de compenser pour les années de mépris?

Durant ces années difficiles, le monde est devenu trop grand pour les chefs de notre tribu. Nos chefs sont impuissants, pitoyables. Les Canadiens français ont besoin d'un héros plus fort que les tempêtes. L'avenir se dérobe dans l'incertitude. Ils retrouvent un peu de stabilité dans leur religion. Les politiciens se tiennent près des évêques. Ensemble, ils organisent des rallyes où les discours de la religion et les sermons de la politique se ressemblent. Avec le même vocabulaire, on fait la promotion de la foi catholique et de la langue française.

Un fait est certain: en cette Amérique anglophone et protestante, Dieu nous a confié la mission d'être les défenseurs de la langue française et de la religion catholique. Dans l'incertitude, ce grand destin nous guidera. Arrive Maurice Richard. Il veut atteindre le filet des adversaires. Il est déterminé à renverser tous les obstacles. Avec une fierté abrasive, il refuse la soumission. Il veut gagner. La patinoire est son Amérique. Il ne subira la domination de personne. Électrisé par sa volonté de se consumer pour atteindre son but, Maurice Richard bondit sur la glace du Forum. La patinoire devient un grand théâtre où le peuple se reconnaît dans chaque succès du Rocket, dans chaque épreuve, dans chaque tentative d'atteindre le but, dans chaque rebuffade subie, dans chaque coup donné en revanche. Le jeu n'est plus un jeu, c'est la vie. S'il est frappé, s'il reçoit un croc-en-jambe, un coup d'épaule, tous les Canadiens français ressentent le coup. Si Maurice rend le coup, c'est tous les Canadiens français qui se vengent. Quand il réussit un exploit, toute la province de Québec fait un pas de plus vers son grand destin. Si l'arbitre commet une erreur contre lui, toute la province de Québec, une fois de plus dans son histoire, subit une injustice. Désormais le Rocket doit vivre comme un héros de légende. Il n'a plus le choix. Il est condamné à être un héros. Un héros national. Grâce à ses prouesses, les Canadiens français ne sont plus petits, ils ne sont plus faibles, ils ne craignent plus les forts ni les gros. Il est fini le temps des victimes.

Peut-être tout cela est-il dans le regard de Maurice Richard?... Il est dans son territoire. Il lève les yeux. Le but est loin. Entre lui et le gardien, cinq adversaires vont tenter de lui faire rebrousser chemin. Maurice peut compter sur les joueurs de la ligne Punch mais devant un défi, un homme se retrouve seul. Le Rocket est seul. Il brasse la rondelle du bout de son bâton. D'un regard cinglant, il balaie les adversaires qui forment une palissade: «Vas-y, Maurice!» scandent les partisans. Il baisse la tête et entreprend son escalade. C'est une aventure dans l'inconnu. Le Rocket invente chaque mouvement dans un contexte qui s'invente aussi à mesure.

On écrit peu de théâtre à Montréal. Le hockey est le Grand Théâtre national de la province de Québec. Le personnage du Rocket grandit à chaque but qu'il inscrit. Ce grand personnage enseigne à la foule: quel que soit le mur devant soi, on peut le traverser par l'intelligence, par la ruse, par l'entêtement, par la conviction. Plus l'obstacle est difficile, plus désirable est le but. Plus beau est le but.

Un but du Rocket, c'est plus que du théâtre; c'est de la politique. Est-ce la terreur de cette responsabilité qui épouvante son regard?

Seule une bombe atomique pourrait arrêter les Canadiens

1945. Le hockey n'est qu'un jeu. Un jeu simple: on tire une rondelle de caoutchouc dans un filet alors que les adversaires tentent de vous en empêcher. Bien sûr, ces joueurs rembourrés sont dérisoires comparés aux soldats qui, s'avançant sous le feu des ennemis, ont eu la poitrine ouverte. Il n'est pas sérieux que des hommes combattent pour un morceau de caoutchouc. L'on s'amuse à ce jeu alors que des milliers d'hommes, de femmes et d'enfants sont tués. N'est-il pas troublant que des foules réunies autour des patinoires pour la petite guerre du hockey vocifèrent alors qu'ils se taisent quand des prisonniers maigres sont poussés vers les douches dont ils ne reviendront pas?

À Montréal, la guerre est si loin. On se sent à l'abri. On a du travail. On gagne un salaire... Pourtant il réside au fond des âmes une petite inquiétude rongeuse. Cette guerre pourrait-elle s'étendre au Canada? Pourquoi le bon Dieu laisse-t-il s'accomplir tant de méfaits? Pourquoi permet-il aux hommes de détruire sa création? Il y a ceux qui ne savent rien parce qu'ils n'ont pas eu l'occasion d'apprendre. Il y a ceux qui ont trop de travail et n'ont pas le temps de penser à la guerre. Il y a les jeunes filles qui peuvent maintenant s'acheter de jolies robes parce qu'elles gagnent un salaire en mettant de la poudre dans les obus qui vont tuer des gens. Il y a ceux qui croient que toute la jeunesse de la province de Québec devrait être en uniforme pour combattre les nazis. Il y a ceux qui affirment que les jeunes Québécois doivent demeurer dans la province de Québec pour que se continue la vie de ce petit peuple lui aussi menacé. Toutes ces gens se retrouvent ensemble autour de la patinoire du Forum. Les circonvolutions de cette dérisoire rondelle que Maurice Richard manipule, avec des serpentements, des oscillations, sur la palette de son bâton, unissent la population.

Le Rocket et sa rondelle: ces gestes sont peut-être dérisoires... En son temps, les mots que Shakespeare traçait à l'encre sur le papier n'étaient-ils pas dérisoires devant la peste à Londres, les persécutions religieuses en Irlande et en Écosse, les complots pour accéder au trône, l'exécution de Marie Stuart, la guerre de Dix ans contre l'Espagne, la destruction de l'Invincible Armada, et l'expansion des activités maritimes et industrielles du temps de la reine Elizabeth?

La radio, les journaux rapportent des bombardements, des villes détruites; tout cela est si loin... L'Europe des ancêtres. C'est comme un lieu de pèlerinage où on n'ira jamais. Les Canadiens français enfin connaissent ce qu'ils croient être la prospérité. Cette relative abondance ajoute à l'ambiguïté terrible de la guerre qui s'étire.

Peu à peu, les combattants reviennent d'Europe. Ceux qui sont vivants. 600 000 Canadiens ont combattu en Europe. 10 000 Canadiens français ont donné leur vie. Le 30 juillet 1945, un premier bateau militaire rentre dans le port de Québec, ramenant à son bord 4 500 aviateurs et soldats. J'ai 8 ans, et je m'attarde avec mes parents sur la photographie de ce grand bateau en première page du journal. Souriants, les soldats en uniforme sont ramassés contre la rambarde. Les parents, sur le quai, les amis, les frères, les sœurs font des signes pour se faire reconnaître. Quelques jours plus tard, le gouvernement fédéral abolit les restrictions sur la vente de boissons alcoolisées.

Le rationnement de la viande a été aboli. Pourquoi le gouvernement rétablit-il l'interdiction de servir de la viande dans les établissements qui servent des repas? Après avoir nourri les troupes qui combattaient les nazis, il faut maintenant nourrir leurs victimes.

Le 8 août 1945, une bombe atomique anéantit Hiroshima. La guerre est terminée. Elle ne renaîtra pas de ses flammes.

À Montréal, selon les bouchers, le rationnement de la viande n'est plus nécessaire. La guerre est finie. Les gens veulent manger de la viande. Pourquoi le commerce des bouchers est-il puni? Le gouvernement permet aux autres commerçants de vendre leurs produits librement. Le 24 septembre, les bouchers déclarent la grève. Par sympathie, d'autres marchands ferment aussi leur échoppe. Quelques bouchers, moins fervents, restent ouverts. Altercations, menaces au couteau, à la hachette, fenêtres brisées, étals renversés, dents cassées, assauts aux œufs, aux tomates; la police intervient.

Cependant, c'est dans un calme pacifique que sont triomphalement accueillis les soldats du Royal 22e Régiment, à leur retour du front. Ils ont démontré de quelle bravoure sont capables les Canadiens français. Durant toute la guerre, on s'est opposé au service militaire en Europe; on fait un triomphe à ceux qui en reviennent!

La paix revenue, le premier ministre Mackenzie King entreprend de reconstituer l'unité du Canada divisé par la querelle de la conscription. Immédiatement, Duplessis lance à King une réplique qui cingle comme un tir de Maurice Richard: «La Confédération présuppose la collaboration et la collaboration ne peut pas se concilier avec la centralisation.»

C'est la paix! Plusieurs équipes de la Ligue nationale sont renforcées par le retour des guerriers. Des joueurs qui se sont entraînés à tuer reprennent leur place dans leurs équipes. Chez les Bruins: Milt Schmidt, Bob Bauer, Woody Dumart. Chuck Rainer retrouve les Rangers. Ken Reardon, batailleur, audacieux à la guerre comme au hockey, revient chez les Canadiens avec une mention de bravoure que lui a remise le feld-maréchal Montgomery. Conn Smythe, des Maple Leafs, est un héros qui a échappé à la mort: son corps a été criblé d'éclats de shrapnel. Certains d'entre eux ont continué de jouer sur des patinoires improvisées dans leur campement. Tous sont mûris par l'expérience du danger, endurcis. Ils ont appris la discipline, le travail en équipe. Après avoir affronté les nazis, c'est avec assurance qu'ils entreprennent leur campagne dans la Ligue nationale de hockey.

Maurice Richard, pendant ce temps, n'a livré ses combats que sur la patinoire. Il n'a pas affronté la mort. Ces joueurs qui ont tenu une mitraillette ne joueront plus de la même façon. Le hockey ne sera plus pareil. Le Rocket se prépare.

La saison s'annonce excitante. Les partisans aussi sont persuadés que la qualité du jeu sera plus élevée, mais la ligne Punch a plus d'expérience, plus de cohésion. Elle sera aiguillonnée par le nouveau défi. Chez les adversaires, on se demande comment lui infliger une catalepsie. Les Bruins ressuscitent leur Kraut Line (la ligne Choucroute) qui, avant la guerre, était la meilleure ligne offensive de la Ligue nationale. Chicago présente sa Pony Line, constituée des frères Doug et Max Bently et de Bill Mosienko. Quant aux Maple Leafs, ils ont réuni une force de frappe constituée de solides gaillards. Plutôt que sur la patinoire, ces joueurs devraient être videurs dans les boîtes de nuits de la rue Saint-Laurent. C'est l'opinion de plusieurs partisans. Dick Irvin est confiant. Seule une bombe atomique pourrait ralentir sa Punch Line, assure-t-il.

Début octobre, premier match: la ligne Punch muselle la Pony Line. Les Canadiens l'emportent sur les Black Hawks 8 à 4. Second match: les cogneurs de Toronto n'ébranlent pas les Canadiens qui l'emportent 4 à 2. Au troisième match, les Canadiens vainquent les Red Wings 3 à 1. Les Canadiens ont de la vigueur; pour eux, la guerre n'était pas finie. La ligne Punch galvanise les partisans qui jubilent. Ils subissent leur première défaite un mois après l'ouverture de la saison, le 4 novembre, au Garden de Boston. Les Canadiens, rapidement, se reconstituent et, une semaine plus tard, contre les Bruins, ils rétablissent la situation 5 à 3.

Le match du 5 février 1946 ressemble à un épisode de la guerre. La dangereuse Kraut Line charge impitoyablement. Bill Durnan suit la rondelle. Son regard analyse son moindre frisson. Comment le tir sera-t-il lâché? Schmidt et ses acolytes arrivent. Il prépare son tir. Devant le filet. Il oublie de freiner. Époustouflante collision. Durnan s'affaisse comme une tour dynamitée. Sa main est fracturée. On doit soutenir Schmidt: une douleur insoutenable le déchire à la hanche.

L'honneur exige vengeance: quelqu'un doit payer pour ces blessures. On se chamaille. Le joueur de centre Bill Crowley s'allonge, victime d'un coup d'épaule d'Elmer Lach. Il se relève. Sa main est incapable d'agripper son bâton. Son poignet est fracturé. Ken Reardon fonce sur Bob Bauer. Épaule disloquée. La dette augmente de part et d'autre. Quelqu'un doit rembourser. L'antique loi du sang s'applique. Pat Eagan subit une entorse au genou. Murray Henderson se blesse à l'épaule. Dans ce chapitre de guerre sur une patinoire, les Canadiens sont déclarés vainqueurs 4 à 2.

Que fait le Rocket? Au cours de son 134e match, il a marqué son 100e but. Cependant, les partisans doivent s'avouer que le Rocket leur semble plus lent. À chaque match, il accomplit quelque prodigieuse manœuvre qui leur donne la sensation d'être plus forts. Ils se sentent alors champions. Et c'est en champions qu'ils font l'amour à leur femme. Mais, depuis quelques matchs, Maurice n'atteint plus sa vitesse exceptionnelle. Ses tirs rencontrent plus souvent les jambières du gardien que le fond du filet. Si Maurice faiblit, les Canadiens faiblissent et le peuple canadien-français tout entier se sent moins fort.

Les partisans ignorent qu'il est souffrant. Chaque fois qu'il pousse son patin contre la glace, une brûlure aiguë lui tranche les os. Seul le soigneur de l'équipe connaît son secret. Dick Irvin a remarqué son ralentissement. Le Rocket s'obstine à jouer. Il est encore le joueur que tous les adversaires aiment épingler. À travers la Ligue nationale flotte, dans toutes les équipes, un mot d'ordre: arrêtez le Rocket. Le répertoire des techniques d'intimidation est aussi vaste que la violence. Le poète raté devenu journaliste des sports résume cette politique: «Si l'on mettait ensemble tous les bâtons qui ont frappé le Rocket, on verrait une forêt.» Quand le Rocket est assailli, ses partisans sont assaillis. Ils espèrent qu'il se défend comme ils rêvent de pouvoir se défendre s'ils étaient assaillis. Ils l'encouragent à laisser tomber les gants. Ils exigent un peu d'esbroufe et quelques coups bien appliqués là où il le faut.

Le Rocket ne marque plus autant de buts. Quand a-t-on vu, la dernière fois, l'un de ses exploits qui vous mettent des picotements dans l'épine dorsale? On ne le distingue plus parmi les autres joueurs. Est-ce que le Rocket est sur la glace? L'an dernier, il a marqué 50 buts en 50 matchs. Cette année, avec plus d'expérience et encore plus de connivence entre les membres de la ligne Punch, il devrait dépasser 50 buts. Le héros n'est pas à la hauteur de ses exploits.

Maurice lit les articles des journaux. Si dur aux coups, il est sensible aux mots. La presse éprouve plus de plaisir à trompeter la chute du héros qu'à annoncer sa naissance. Le Rocket ne peut répondre à ces frappeurs de touches de machines à écrire comme il se défend contre un homme debout sur ses deux patins. Avant les matchs, sur le banc, dans le vestiaire, il s'enroule dans le silence. Durant de longues nuits, il ne dort pas. Le chevalier fougueux ne se pardonne pas de s'être étiré les muscles du genou, d'être devenu plus lent, de souffrir de cette blessure. Sa colère monte contre le joueur ordinaire qu'il est devenu.

Bill Durnan a aussi été blessé. Privés de son exceptionnelle protection, avec un Rocket moins productif, les Canadiens glissent au troisième rang. Le Rocket est irascible. Durant un match contre les Rangers, «Muzz» Patrick le pousse d'une façon déplaisante. Il jette ses gants et attaque l'ex-champion poids-lourd du Canada. S'il absorbe quelques coups, il ne recule pas. L'arbitre, finalement, après une ronde, exile les boxeurs au pénitencier. Le Rocket a, un instant, oublié la douleur à son genou. Quelque temps après, l'énorme Reg Hamilton, des Black Hawks, avec tout le poids de son corps, aplatit le Rocket contre la clôture. Sans peser les avantages et les désavantages de s'attaquer à un géant, le Rocket l'a déjà frappé. La riposte claque. Un dialogue serré de coups. La foule prend tellement de plaisir à cette ronde à poings nus que l'arbitre n'ose intervenir. L'épuisement des pugilistes, à la fin, apaise les hostilités.

Il faut plus au Rocket que l'art de tirer la rondelle pour survivre. Il doit être boxeur. Le répertoire des prises du lutteur est aussi indispensable: prise de tête, clef de bras, étranglement... Maurice ne se retire pas devant un plus gros que lui.

La détermination de la ligne Punch ne s'est pas relâchée. Les Canadiens ont une étonnante réserve de puissance. Ils reprennent le premier rang. Toe Blake, à la fin d'une confrontation avec les Rangers, marque son 200e but. Bill Durnan revient au jeu. Le Rocket retrouve sa fougue. Don Grosso est chargé par son instructeur de l'enchaîner. L'Houdini sur patins s'évade. Les Black Hawks sont humiliés 6 à 2. Après cet échec, Grosso est remplacé par Mariucci à la ligne bleue avec la mission de ne pas laisser passer le Rocket. Deux précautions valent mieux qu'une. Surveiller le Rocket à la ligne bleue n'est pas suffisant. Red Hamill aura la responsabilité de se coller au Rocket comme une sangsue. Ennuyé par tant attention, le Rocket piaffe comme un cheval dans son enclos.

Durant toute la saison régulière, il a souffert de ces tactiques. En séries éliminatoires, il ne lui reste pas de patience pour l'endurer. Il ne va pas supporter ces deux gros boulets accrochés à lui. Mariucci se comporte comme un bandit. Dans une brève leçon, Richard lui enseigne que les actes humains ont des conséquences. L'arbitre les pousse tous deux au cachot. Son verdict: une punition majeure de cinq minutes pour le Rocket et un exil de deux minutes pour Mariucci. Les deux joueurs ont participé ensemble au même combat; les deux hommes se sont frappés avec le même enthousiasme; pourquoi deux sentences différentes?

Les partisans du Rocket expliquent l'injustice: le meilleur joueur de hockey de tous les temps a le défaut d'être un Canadien français. Les arbitres sont anglais, les patrons de la Ligue nationale sont anglais, Clarence Campbell, le président, est anglais. Les patrons sont anglais et les ouvriers sont canadiens français...

Sur le banc des pénalités, le Rocket n'est séparé de Mariucci que par la présence d'un juge de ligne. Il ronge son frein: cinq minutes de pénalité alors que Mariucci n'a que de deux minutes. C'est injuste. L'équipe entière des Canadiens écope. Alors, puisqu'il n'y a pas de justice, aussi bien mériter l'injustice. Par-dessus le juge de ligne, il martèle à coups de poing le visage de Mariucci qui paie ainsi le prix de l'injustice. Ses partisans sont soulagés.

Maurice Richard reçoit une sentence additionnelle: dix minutes. Il ne proteste pas. Cette fois la punition est juste. Mariucci a le visage tuméfié. Avivés, les Canadiens, comme avec des marteaux-piqueurs, démolissent les Black Hawks 5 à 1.

La semi-finale se poursuit. Le Rocket a un œil noirci, les deux arcades sourcilières fendues. Constamment il est harcelé, isolé. Implacablement, les faucons volent autour de lui. Chaque but qu'il marque est une audacieuse conquête du territoire, coup de patin par coup de patin, coup de bâton par coup de bâton, feinte par feinte.

Les Black Hawks déposent les armes après quatre matchs. Les deux derniers matchs de la série se sont terminés sur un score humiliant: 8 à 2 et 7 à 2. Le sort pitoyable des Black Hawks venge celui qu'ils ont imposé à Maurice.

Exaltés par le plaisir d'avoir écrasé les Black Hawks et persuadés de la supériorité de la ligne Punch sur la Kraut Line des Bruins, les partisans, au Forum, se réjouissent déjà de l'issue de la finale. Ils n'auront aucune tolérance pour une faiblesse. Une défaite au premier match serait un mauvais présage. Le Rocket apparaît sur la patinoire. La foule l'acclame comme s'il avait déjà remporté la victoire. Les partisans encouragent leurs joueurs comme leurs ancêtres houspillaient leurs bœufs de travail. Mais les Canadiens s'essoufflent. Ils n'ont que 2 buts; les Bruins, 3. Heureusement, après des efforts désespérés, Murph Chamberlain égalise le score: 3 à 3. Les partisans improvisent une fête comme les Français lorsque Paris a été libérée.

Les partisans, qui ont le droit fondamental de gagner, sont nerveux. Ils ont presque perdu ce premier match. Jusqu'à la dernière minute de la dernière période, ce match leur échappait. Les partisans exigent un but gagnant. Ils se dressent, braqués contre l'échec. Ils n'accepteront que la victoire! Ce n'est pas seulement du hockey; c'est leur vie, leur insécurité, leurs rêves: «Donnes-y Maurice!»

Le Rocket entend. Le score est 3 à 3. Le cœur gonflé de la force de cette vague qui roule autour de la patinoire, il arrache la rondelle à un adversaire qui la protège farouchement, et sans que personne ne puisse s'interposer, il traverse les défenseurs comme si ces gaillards n'étaient qu'une brise. S'approchant du gardien Frank Brimck, il lui lance son regard noir dans les yeux, puis décoche un tir qui passe comme si le gardien n'était pas là. Victoire! 4 à 3. La Kraut Line a été torpillée par la ligne Punch. Le Rocket a renversé le destin. Les partisans sont devenus des géants. Les enfants croient être Superman. Le matin, quand ils s'habillent, ce sont des champions qui commencent un nouveau jour.

Cette première victoire et l'exploit du Rocket ont des réverbérations profondes. La volonté de gagner des Canadiens est encore plus ferme. Les Bruins sont atteints dans cette zone de l'inconscient où l'on doute de soi. Les Canadiens emportent la série finale en cinq matchs. La coupe Stanley revient à Montréal.

Et les partisans célèbrent avec ferveur. Ils sont vengés des injustices commises contre le Rocket, des injustices de la vie quotidienne. À cause de la coupe Stanley, la province de Québec est plus heureuse. On a gagné la coupe Stanley. On va survivre!

Le Rocket exhibe à la foule, au bout de ses bras, la coupe Stanley. À l'école de son quartier, on lui a raconté la légende du saint Graal. Pour son petit peuple qui n'a pas de richesses, qui ne possède que son histoire, la coupe Stanley a un pouvoir magique. Mais il a oublié l'histoire du saint Graal. Les peuples inventent les dieux et les rites dont ils ont besoin. Brandissant la coupe Stanley au-dessus de sa tête, le Rocket sourit, mais il est un athlète mécontent de lui-même. Très mécontent. L'an dernier, il a marqué cinquante buts en cinquante matchs. Cette saison, il n'en a réussi que 27: un peu plus que la moitié de sa récolte de l'an dernier. Il a été deux fois moins bon que l'an dernier. Son sourire est crispé. Seulement vingt-sept buts... Pour un autre joueur, ce serait un accomplissement.

La fête serait-elle déjà terminée? Certains journaux expliquent que sa trépidante mitraille de l'an dernier a été possible parce que les meilleurs joueurs étaient partis à la guerre. Les équipes étaient plus faibles. Maintenant, ils sont revenus. Le Rocket ne passe plus...

Mais les Canadiens ont gagné la coupe Stanley. Les partisans acclament si fort Maurice Richard qu'il ne devrait pas douter de lui-même. Il a marqué sept buts durant les séries éliminatoires. Pourtant il se sent comme un pêcheur de la Gaspésie qui revient à l'heure du souper sans avoir pris assez de poisson pour nourrir sa famille. Durant la saison entière, il a eu la désagréable impression d'être enchaîné. Après une brève flambée de succès, ne serait-il, en dépit de la coupe Stanley conquise, qu'un autre Canadien français destiné à un petit destin? Son record de cinquante buts n'est qu'un souvenir. Maurice Richard, en son tribunal intime, juge que le Rocket a déçu les partisans. Quand on est un Canadien français, peut-être souffre-t-on du vertige dès qu'on quitte le plancher des granges, le plancher des usines, le plancher des bateaux de pêcheurs?

Après une réception des joueurs à l'Hôtel de ville où les accueille le maire, Camillien Houde, la coupe Stanley est déposée au Forum et les vainqueurs se soumettent à une session d'entraînement en préparation à un match contre les meilleurs amateurs du pays. Ainsi, les partisans qui ne pouvaient s'offrir des billets durant la saison régulière auront une occasion de voir leurs Canadiens.

Le Rocket est torturé. Avoir marqué si peu de buts le préoccupe jour et nuit. Quand elle le voit rongé par ses pensées, Lucille essaie de l'apaiser: «Oublie ton hockey, c'est l'été.» Elle a raison, il se penche sur sa fille pour l'amuser un peu. Les jeux d'enfant ne calment pas son âme. Tout occupé à foncer sur sa patinoire intérieure, il se tait. Comment marquer plus de buts? Il rejoue dans sa tête les matchs de la saison achevée. Il les joue comme il se souvient de les avoir joués. Il joue comme il aurait dû les jouer. Comment aurait-il pu réussir cette montée? Il essaie, comme s'il était devant lui, de déjouer tel défenseur, d'échapper à tel adversaire qui le retient. Il reprend encore et encore son tir. Comme au temps de ses cinquante buts. Il essaie et il essaie. Il recommence et recommence. Il doit comprendre ce qui l'a dérangé. Bien sûr, les adversaires auraient voulu l'attacher à un pieu. Mais il s'est toujours arraché à un adversaire, il a toujours repris la rondelle quand on la lui a enlevée, il s'est toujours relevé si on l'avait fait chuter... Quelque chose, cette année, l'a empêtré. Et il rejoue les matchs dans sa tête. Qu'est-ce? Parfois, il sentait ses patins lents comme si la glace avait été molle. Parfois la rondelle lui semblait peser lourd. Parfois, son bâton n'obéissait pas à sa poigne. Peu à peu, il apprivoise son angoisse. Peu à peu, il découvre comment il va jouer la saison prochaine. Son assurance lui revient... L'année de son record de cinquante buts, il n'avait pas de doute et il crevait la défensive. Il glisse dans la somnolence en marquant un but.

Mais il se réveille, prêt à partir pour la salle de montre. Il est vendeur d'autos. Un concessionnaire a voulu distancer la compétition en offrant aux clients le privilège d'acheter leur voiture de Maurice. Cet emploi tue un peu de cet interminable temps mort qu'est l'été. C'est aussi un revenu. Les clients viennent, l'examinent, souvent lui racontent un moment de sa saison, lui demandent un autographe; donnent un coup de pied sur un des pneus et posent les questions de mécanique à un vrai vendeur. Puis ils repartent heureux. Pas très souvent avec une voiture neuve.

Pour se distraire, il joue au golf mais, alors qu'il a entre ses mains son bâton de golf, souvent il croit tenir un bâton de hockey. Il se revoit devant tel défenseur, tel gardien, et tire au but. La balle va trop haut, trop loin. Une rumeur assure que Lester Patrick des Rangers aurait offert 100 000 dollars, une immense somme d'argent, pour acheter son contrat. Cela n'endort pas son anxiété.

Une mauvaise nouvelle

29 juin 1998. Ma petite sœur est condamnée à mort. J'apprends qu'elle est atteinte d'un cancer généralisé. Le médecin lui donne deux, trois mois à vivre. Hier, elle était avec ses petits élèves du village, en visite dans la grande ville de Québec. Elle ne sera pas à l'ouverture des classes, en septembre. Ma petite sœur est un monument au village. Depuis trente-cinq ans, elle enseigne la première année. Tous les habitants qui ont quarante et un ans et moins ont appris d'elle à lire. Ma petite sœur est bonne comme la bonté. Elle est généreuse comme trop de crème glacée sur une trop grosse pointe de tarte au sucre. Son sens de l'humour est si énorme que ces comédiens de la télé ont l'air sinistre après elle. Elle a un sens de l'amour gros comme l'éternité. Elle a un appétit gargantuesque. En plus, elle est monarchiste. Personne n'en sait plus qu'elle sur les princesses et les princes d'Europe. Elle possède quatre appareils vidéo pour enregistrer ses téléromans préférés. Elle les regarde tous, mais elle prend du retard. Elle ne saura jamais comment ils finissent. Ma sœur est condamnée. Quel crime a-t-elle donc commis pour être ainsi punie? Trois mois à vivre. Son mari, en sanglots, me répète qu'elle va mourir. Je n'ai peut-être pas bien compris.

Je suis incrédule. Je suis étonné. Je suis bouleversé. Ma petite sœur va mourir. Elle qui est un formidable remous de vie... Je ne crois pas cela. C'est injuste.

Mais je suis en vie, moi! Je reste en vie, moi. Je saute dans mes patins à roues alignées. Je me pousse le plus vite possible. Je me répète: ma petite sœur va mourir. Je n'arrive pas à y croire. Ma petite sœur souffre du cancer. Va être dévorée par le cancer. Je patine. Moi, son grand frère, je ne peux rien. Moi, le grand frère, je ne peux défendre ma petite sœur. Elle a le cancer. Elle a le cancer comme Maurice Richard. Je patine. Je veux être fatigué. Je veux être épuisé afin de dormir sans être dérangé par ma colère. Par mon chagrin. Que puis-je faire? Devant ce Grendel monstrueux dévoreur d'humains, je ne suis qu'un impuissant Beowulf en patins.

Je patine. La fatigue finit par embrouiller mes pensées. Il ne reste qu'un seul espoir: ma petite sœur doit se battre avec l'énergique détermination de Maurice Richard. Il a vaincu le cancer. Il l'a repoussé comme ses adversaires qui l'empêchaient d'aller vers le filet.

La politique se cache au fond du sport

1946. La Guerre mondiale est terminée. Les Canadiens ont gagné la coupe Stanley. Duplessis veille sur la province de Québec. Tout le monde devrait être heureux...

Le clergé catholique en soutane noire règne sur les Canadiens français mais, lui semble-t-il, ils n'ont plus peur du diable. La menace de l'enfer ne les dérange plus. Les femmes n'aiment plus se dévouer à leur devoir de Canadiennes françaises pour augmenter la population catholique dans cette protestante Amérique. Le travail dans les usines de guerre les a bien changées. Elles fument. Elles boivent du Pepsi. Cela ne peut pas être bon pour leurs enfants. Ces boissons contiennent des produits chimiques qui sont mauvais pour le sang des Canadiens français. Les femmes se sont habituées à recevoir un salaire et à le dépenser avec une frivolité que n'avaient pas leurs mères. Elles sont insoumises au chef de famille. Autour d'elles, il y a toutes ces choses modernes qui dégradent la moralité. Le cinéma sème dans la tête des gens des rêves qui ne sont pas catholiques. Les nouvelles chansons encouragent les amours impudiques. Elles sont remplies de sous-entendus malpropres. Les magazines que dévorent les femmes racontent des vies scandaleuses. Et des idées communistes empoisonnent des chefs d'unions qui encouragent les ouvriers à se révolter. Cela est bien inquiétant. On dirait que le gouvernement est aveugle. L'immoralité et l'immodestie se propagent comme une épidémie. Le cinéma, les panneaux-réclames, les calendriers humilient la femme, en la montrant déshabillée ou nue. Les bandes dessinées ont des effets pernicieux sur les enfants qui devraient plutôt former leur âme en lisant la vie édifiante des saints.

Mackenzie King invite les provinces à une conférence constitutionnelle, à la fin d'avril. Duplessis lutte contre sa politique centralisatrice. Il est un amateur de hockey. Il achète son billet de saison, il a sa loge depuis la fin des années 30. C'est un fervent admirateur de Maurice Richard. Comment pourrait-il marquer un but contre le gouvernement fédéral? Comme le Rocket, il s'acharne. Il accuse le gouvernement fédéral d'avoir une attitude de «type hitlérien»... Un autre tir: «L'autonomie de la province de Québec, c'est l'âme du peuple.» Il se débat. Un tir du revers: «Il ne s'agit pas d'une lutte de partis mais d'une lutte pour la patrie.» Comme Maurice Richard, il tire au but...

Mais est-il un champion sans reproche? Il confie, pour les 99 prochaines années, à la compagnie Hollinger North Shore l'exploitation minière d'un territoire de 4 000 kilomètres carrés dans l'Ungava. Duplessis prétend défendre l'autonomie de la province de Québec; comment peut-il alors confier l'avenir de sa province à une compagnie dont le seul but est d'enrichir ses actionnaires? Il justifie sa décision: le Québec ne possède pas les 200 millions de dollars nécessaires pour développer les formidables ressources de cette région éloignée au nord. Le chef de l'opposition, Adélard Godbout, propose qu'on emprunte sur la garantie de la richesse de l'Ungava: uranium, nickel, fer, cuivre et amiante. Duplessis répond: le petit peuple devra soutenir le coût de l'emprunt et payer encore plus d'impôt. «C'est le scandale du siècle!» s'écrie Adélard Godbout.

Pour le Pape de l'autonomie du Québec, la cession de l'Ungava est une heureuse initiative. Un bon gouvernement doit préparer l'avenir des générations futures. Il a fait un investissement astucieux et rusé. Le peuple verra les bénéfices obtenus.

Les entreprises viennent à son secours. Un brasseur de bière, un fabricant de chaussures publient des messages dans les journaux pour vanter l'acuité de sa vision. La marée du chômage remonte depuis la fin de la guerre. On fait miroiter la construction, dans ce nord lointain, de villes au bord des mines, d'aérodromes d'où les travailleurs iront en avion visiter leurs familles au sud, de ports qui attireront des centaines de bateaux, de voies ferrées, de routes. L'Ungava, aujourd'hui, est une région désolée; demain il y aura partout et pour tous la prospérité! Avant tous, Duplessis a compris cette vérité: le monde moderne a besoin de l'Ungava, de son fer, de son titane. Les Canadiens français doivent lui faire confiance. Avant tous les autres, il a vu l'avenir. Développer l'Ungava est un pari audacieux que fait la nouvelle génération des Canadiens français à l'esprit progressiste. Ce message, illustré de dessins futuristes, est bien reçu. Les ouvriers qui travaillaient pour l'industrie de la guerre se demandent quel sera leur avenir dans l'industrie de la paix. La guerre est finie. Que produira-t-on désormais? L'industrie de la paix pourra-t-elle absorber toute la main-d'œuvre de l'industrie de la guerre? Les Canadiens français craignent le retour du chômage. Reprendra-t-il sa domination sur la province? Durant l'hiver, c'étaient des partisans inquiets qui demandaient au Rocket d'être un dieu.

L'industrie n'a plus besoin d'autant de bras. Pour éviter des congédiements, les unions ouvrières souhaitent que la semaine de travail soit réduite à quarante heures. De leur côté, les entreprises cherchent à réduire leur coût de production au plus bas niveau possible. Les syndicats ouvriers, au début de juin 1946, organisent une grève symbolique. Ils veulent rendre les patrons nerveux. D'abord, l'industrie du textile. Duplessis ne perd pas de temps avant de faire connaître son opinion: si de bons pères de famille canadiens-français se révoltent contre ceux qui mettent du pain dans la bouche de leurs enfants, c'est qu'ils sont les victimes de la propagande communiste. En juillet, l'industrie du bois, à son tour, est paralysée. Le 13 août, à Valleyfield, une ville du textile, les grévistes attendent, à la sortie de l'usine, les briseurs de grève, protégés par la police. On se bat comme l'on se bagarre sur une patinoire pour venger un affront. Duplessis donne à la police l'ordre d'emprisonner les chefs syndicaux: ces communistes auront du temps pour méditer sur les avantages d'un pays libre.

À Ottawa, Mackenzie King médite sur ce grand pays qu'il gouverne. Malgré la divergence de la province de Québec, il a empêché le Canada d'éclater durant les années de guerre. Cependant l'unité du pays est craquelée. Comment pourrait-il rallier tous les Canadiens, quelle que soit leur origine et quelles que soient leurs idées? Un drapeau pourrait devenir, pour tous les citoyens, un point de ralliement. Malheureusement, ce premier ministre qui rêve de faire l'unité de son pays est incapable de faire l'unité de son parti. Certains de ses députés réclament le Red Ensign. D'autres brandissent l'Union Jack. Les députés canadiens-français respecteraient un drapeau libre de tout signe de «servage», c'est-à-dire de tout symbole britannique.

Les Canadiens français ont-ils besoin d'un drapeau? Ils ont le Rocket.

Parade militaire en temps de paix

1946. Les soldats sont de retour au village. Ils ont l'air de s'ennuyer de la guerre. La paix est revenue, mais ils portent encore leur vareuse. Pourquoi se déguisent-ils en soldats? Ils se tiennent ensemble comme les filles, quand elles ont des secrets à se dire. On dirait qu'ils n'aiment pas parler à ceux qui ne sont pas allés à la guerre.

Ce qu'ils préfèrent, c'est parader. La guerre est finie, mais ils paradent. Ils sont quatre, en uniforme kaki. Et il y a un aviateur et un matelot. Ils s'installent en une seule ligne au sommet de la colline, devant l'église, et ils descendent la rue en marchant au même pas. On observe. Leurs bottes de soldats frappent la neige en même temps et elles se relèvent en même temps. Tout ce qu'il y a devant eux doit s'enlever. C'est l'Armée qui passe!

Ils ont appris des mauvaises manières à la guerre. Ils ne dérangent pas leur parade pour un vieux ou une vieille qui monte prier à l'église. S'il y a une fille dans les environs, ils lui crient des taquineries qui la font rougir. S'il y a un homme dans les environs, ils lui disent qu'il a peur de venir se battre. Ils se sont endurcis à la guerre. C'est l'hiver. Le froid fait péter les clous dans les murs de nos maisons, mais les soldats défilent sans foulard de laine et les mains nues.

Nous, les enfants, on a huit ans, neuf ans; on les suit; on les espionne. Ils ont voyagé en train, en bateau, en avion, ils ont traversé la mer, ils ont combattu dans des tanks, dans des tranchées, ils ont tué des Allemands. Ils ont gagné la guerre. On a hâte de grandir. On va aller faire la guerre comme eux. On va gagner la guerre comme eux. Quand on sera revenus au village, on va parader dans la rue et les filles vont glousser. Mais ce n'est pas le temps de la guerre, c'est le temps de l'école.

Tout de suite après la classe, on joue au hockey. D'habitude, j'enroule autour de mes jambes un catalogue Eaton, pour les protéger. C'est un peu pesant, mais des élastiques découpés dans une vieille chambre à air des pneus de la voiture de notre père les fixent bien en place.

Aujourd'hui, je n'ai pas besoin de mes catalogues. J'ai reçu en étrennes du jour de l'An de belles jambières en feutre épais, décorées de beau cuir luisant et renforcées de baguette de bois. À l'épreuve des obus!

Notre partie est commencée. On gagne. C'est trois à un. J'ai presque marqué un but. Qu'est-ce qu'on voit arriver? Une invasion. Les soldats ont mis des patins. Ils envahissent la glace comme si on n'était pas là. Ils s'emparent de la patinoire. Ils sont en vareuse kaki. Ils sont mains nues. Ils nous enlèvent la rondelle. L'une des équipes doit sortir. La nôtre demeure. On va jouer contre l'Armée.

Juste à les voir patiner, on est certains qu'ils ont bu trop de bière. Ils ont l'air de patiner pour la première fois. Ils chancellent comme si la patinoire était couverte de bosses. Ils s'appuient sur leur bâton comme les vieux sur leur canne. Nos parents disent que les soldats boivent beaucoup de bière pour oublier les misères qu'ils ont vues.

Tout à coup, je vois venir Pouce Gagné. Lui, il est un matelot parce que le bas de son pantalon est trois fois plus large que celui d'un homme normal. Il est le plus grand des soldats et il a le menton avancé comme celui de Superman. Ce doit être lui qui a tué le plus d'Allemands. C'est à lui que je vais ressembler quand je vais être un soldat. Pouce Gagné s'approche. Même s'il a les jambes pleines de bière, il s'en vient pas mal vite. Je vais faire comme Maurice Richard: lui soutirer la rondelle. Il s'en vient comme une balle.

Est-ce qu'il a deviné mon stratagème? Il s'arrête sec. Frappe la rondelle d'un coup de bâton qui la lance en orbite. Elle atterrit à la vitesse de la lumière sur ma jambe droite. Elle arrive si fort que je recule de trois pieds. Le choc me fait mal. Je dois avoir l'os cassé. Je perds finalement l'équilibre. Je m'étale sur la glace. J'ai les yeux pleins de larmes tant j'ai mal. J'essuie mes yeux. Maurice Richard ne pleure pas. Je joue au hockey contre des soldats. Ce n'est pas le temps de pleurer.

Mes jambières de feutre ne valent pas un pet: c'est comme si j'avais mis un mouchoir pour me protéger. Au diable, les jambières de feutre avec du cuir et des baguettes! La prochaine fois, je vais remettre mes catalogues Eaton...

22

«Le chevalier contre les dragons»

1946. À quoi sert un président? Un nouveau président a été nommé à la tête de la Ligue nationale. C'est un avocat de Montréal. Un Anglais, naturellement, qui s'appelle Clarence Campbell. Il ressemble vraiment à un Anglais. Connaît-il le hockey? Il a été un joueur amateur. Il ne devait pas avoir beaucoup de talent puisqu'il est devenu un avocat. D'après certains, il a aussi été, pour peu de temps, arbitre dans la Ligue nationale. Il ne devait pas être trop bon. Les Canadiens français n'ont pas droit à ces belles fonctions que les Anglais se transfèrent d'un à l'autre. Le président peut voir gratuitement toutes les parties qu'il veut. Clarence Campbell a été à la guerre. Il travaillait dans les papiers, derrière un bureau. Il n'était pas de la chair à canon comme les Canadiens français. Boursier Rhodes, Clarence Campbell a étudié à l'Université d'Oxford. Si les partisans des Canadiens le savaient, ils ne seraient pas plus impressionnés. Cet homme est distant. Ils n'aiment pas son air supérieur. Ce n'est certainement pas lui qui va attirer les partisans au Forum mais la ligne Punch et Maurice.

Un nouveau gérant arrive chez les Canadiens, Frank Selke. Il était avec les Maple Leafs. On n'a pas beaucoup de confiance en quelqu'un qui vient de Toronto. Conn Smythe, le gérant des Leafs, l'a expédié à Montréal pour le punir d'avoir échangé un joueur sans sa permission alors qu'il était absent à la guerre. Smythe a accusé Selke d'avoir alors tenté de prendre sa place de gérant. Dirigés par Frank Selke, les Maple Leafs sont devenus de redoutables adversaires et ont gagné la coupe Stanley en 1944-1945. Les partisans des Canadiens ne l'ignorent pas. L'inimitié entre Smythe et Selke promet une chaude rivalité entre Montréal et Toronto.

La première constatation de Selke: les fameux Flying Frenchmen sont rapides mais trop légers pour affronter son ancienne équipe. Il est familier avec les manières des Maple Leafs: c'est lui qui les leur a inculquées: pour gagner, il faut empêcher les adversaires de marquer des buts. Les moyens? Ils sont simples: les agripper, les retenir, se cramponner à eux, les broyer. Frank Selke annonce qu'il va embaucher un lutteur pour ajouter du poids aux Canadiens. Conn Smythe réplique que pour coller à la glace les épaules du lutteur, il va engager «Whipper» Watson, le champion lutteur du Canada. Les partisans auront-ils l'occasion de voir un combat entre ce prétendu champion, qu'ils ne connaissent pas, et leur idole, Yvon Robert, le vrai champion, un Canadien français?

La saison débute le 16 octobre. L'administration a voulu donner une ambiance historique à l'événement. Le succès d'aujourd'hui s'appuie sur les succès d'hier. Les champions du passé préparent la voie aux champions d'aujourd'hui. L'histoire nourrit le présent. Jack Laviolette, qui fait la mise au jeu, a été engagé en 1909 par Ambrose O'Brien, le propriétaire des Canadiens d'alors. Ce millionnaire embauchait des joueurs canadiens-français pour que la population de Montréal puisse s'identifier à son équipe. Le spectaculaire Jack Laviolette était aussi joueur de crosse, coureur motocycliste et coureur automobile. Un accident, durant une course, a mis fin à sa carrière de joueur de hockey en 1918. Un autre personnage historique l'accompagne: Joe Malone, qui a joué avec les Canadiens de 1910 à 1922, le meilleur compteur des Canadiens de 1918 à 1921; Joe Malone, dont le Rocket a battu le vertigineux record. Les aînés se rappellent que, lors du premier match disputé dans la Ligue nationale de hockey, en 1917, Joe Malone a marqué cinq buts contre les Sénateurs d'Ottawa. En 1920, dans un seul match, il a enfoncé sept buts dans le filet du St. Patricks de Toronto. L'avenir est le passé amélioré.

Après cette cérémonie presque religieuse, la vraie mise au jeu. Les joueurs de centre se font face: Elmer Lach contre Phil Watson, des Rangers. La rondelle touche à peine la glace: c'est le déclenchement des hostilités. La guerre ne se terminera que quand l'une des équipes aura accaparé la coupe Stanley. Blake, Lach et le Rocket hypnotisent les Rangers. Ces magiciens font disparaître et apparaître la rondelle. Les jeux d'attaque sont rusés. Les tactiques sont inspirées. Les attaques sont irréfutables. L'énergie est électrique. Les mouvements sont imprévisibles. L'énergie est inépuisable. La détermination est foudroyante. Ces joueurs patinent plus vite que le temps qui s'écoule. Sous les assauts, les Canadiens s'avèrent solides comme le mont Royal. Ils se bagarrent comme l'on boxe dans Griffintown, un quartier pauvre de Montréal. Enflammés par l'histoire de leurs prédécesseurs, les Canadiens blanchissent les Rangers 3 à 0. Le Rocket a marqué deux de ces trois buts.

L'été lui a été bénéfique. Maurice s'est réconcilié avec ce joueur ordinaire qu'il a été la saison dernière. L'année de ses cinquante buts en cinquante matchs a été une période de bonheur excessif. La saison dernière, était-il simplement fatigué? Le fils de pauvres Gaspésiens a-t-il été pris de vertige après s'être rendu si haut? Issu d'une lignée qui a vécu tant d'échecs, aurait-il perdu confiance en lui? Ces questions l'ont tenaillé. Peut-être n'était-il qu'un petit Canadien français apeuré de son succès. Durant l'été, Maurice s'est reposé, il a passé du temps avec Lucille, il s'est amusé avec ses enfants, il a joué au golf, il a joué à la balle, il est allé à la pêche. Il est en forme. Il est moins taciturne. Il ne veut plus avoir peur de son succès.

On croit voir du hockey; c'est la guerre! Il y a des coups. Du sang. Des blessures. Personne ne souhaite la paix. Le Rocket se surpasse. À la mi-décembre, il additionne six buts en trois matchs. Dans un match contre les Rangers, il marque deux buts et fournit deux assistances. Le 28 décembre, contre Chicago, il récolte trois buts. Le Rocket n'aura que du mépris pour lui-même s'il ne marque pas cinquante buts cette année. Mais il doit produire plus. Patiner plus vite. Mieux deviner les mouvements de l'adversaire. Dépasser plus vite. Contourner plus vite. Plus ses adversaires lui causent d'ennuis, mieux il s'échappe, plus son coup de patin est acéré, plus il y a de vapeur dans les pistons de ses jambes. Le Rocket ressemble à un saint de la religion catholique: plus il souffre, meilleur il devient.

Soudain, en pleine euphorie, le Rocket tombe en panne. Pendant cinq matchs interminables, il est incapable de berner un gardien de but. Les Canadiens subissent cinq défaites de suite. Les partisans s'impatientent. Les journalistes s'alarment. Qu'est-ce qui paralyse le Rocket? La malchance?... La malchance peut-elle vous paralyser pendant cinq matchs de suite? Ils demeurent confiants. Le Rocket va retrouver son chemin vers le filet des adversaires.

Scandale! Le gouvernement fédéral vote une augmentation de traitement à vingt-cinq hauts fonctionnaires. Nos journaux s'insurgent: seulement deux d'entre eux sont Canadiens français. Pourtant nous constituons le quart de la population du pays. Discrimination: les Canadiens français fournissent les manœuvres, les porteurs d'eau; pas les hauts fonctionnaires! Nos journalistes enquêtent. Sur vingt-deux sous-ministres, aucun n'est canadien-français. Zéro. À Québec, l'Assemblée législative proteste contre l'injustice: 58 votes à 0.

Le gouvernement du Canada est exactement comme l'Armée: une affaire d'Anglais. Heureusement, les gens ont le hockey: «Donnes-y Maurice!»

Toronto a la tête anglaise. Montréal a le cœur français. Sur les patinoires de ces villes se jouent, plus vrais que nature, les passions de notre vie politique. Le 6 février 1947, le joueur de centre de la ligne Punch, Elmer Lach, est violemment mis en échec par Don Metz. Était-ce une collision fortuite? Était-ce une embuscade sauvage? Lach ne se relève pas. Sa tête a heurté la glace. Révoltés, les Canadiens sautent sur la patinoire pour venger Lach. Escrime à coups de bâtons. Boxe. Lutte. De toutes les escarmouches entre Montréal et Toronto, c'est la plus véhémente. Lach ne bouge pas. L'inénarrable bagarre se répand. Les gradins deviennent aussi animés que la patinoire. Quand l'échauffourée s'éteint, Don Metz ne reçoit qu'une pénalité mineure. Lach est toujours inconscient. Une pénalité mineure? C'est injuste. Les brancardiers sortent le joueur de centre toujours inconscient. Les Canadiens ont le cœur serré. Plusieurs ont vu Don Metz attaquer sournoisement Lach. Deux minutes de pénalité? Justice doit être faite. À l'abordage! Ils envahissent la glace pour attaquer les Leafs qui croyaient la paix revenue.

Le Rocket apporte son honnête contribution. Il s'assure de donner plus de coups qu'il n'en reçoit, de frapper plus fort qu'on ne le frappe. Il est convaincu que Metz a appliqué à Elmer une poussée sauvage. L'hypocrite n'a reçu qu'une pénalité mineure... Le Rocket aurait pris une majeure. Voilà pourquoi il y a tant de colère dans ses poings. Il la distribue partout où il y a un visage d'adversaire. Le président de la Ligue ne corrigera pas l'injustice. Ce Campbell, le Rocket ne l'aime pas. Au diable, Campbell!... Le Rocket cogne. À vingt-cinq ans, avec ses 181 livres de muscles tendus, il se sent fort comme Gengis Khān à la conquête de la Chine. N'est-il pas à la tête des marqueurs de la Ligue nationale?

Neuf jours plus tard, les Maple Leafs et les Canadiens se retrouvent. Les enflures, les coupures, les ecchymoses cueillies lors du match précédent sont peut-être guéries mais non les blessures à la fierté. Persiste une soif de vengeance. Les deux équipes luttent farouchement pour le territoire de l'autre. Chaque équipe veut éjecter l'opposant. Le Rocket, inspiré par les circonstances périlleuses, réussit trois fois à percer une défense opaque et le gardien de but. Un tour du chapeau! Mais Toronto a pris l'avantage 4 à 3. Le match va s'achever. Désespéré, le visage enflé à cause de coups de coude reçus, le Rocket est exténué mais, dans sa poitrine, son souffle est inépuisable; les bielles de ses jambes augmentent leur poussée à mesure que la fatigue s'intensifie. Les Canadiens marquent! C'est 4 à 4!

Le Rocket devrait être fier. En plus de son tour du chapeau, il est crédité d'une mention d'aide au but qui a évité la défaite à son équipe. Les journalistes s'attroupent autour de lui. Un photographe réclame un sourire. Pourquoi? «Rocket, tu as un tour du chapeau et une assistance!» Pourquoi sourire? Les Canadiens n'ont pas gagné.

Quand les Canadiens perdent, le Rocket est meurtri et le temps devient maussade sur la province de Québec. Même si les Canadiens avaient gagné ce match, il s'accuserait de n'avoir pas joué comme il aurait dû. Telle est son exigence envers lui-même.

Durant le reste de la saison, Elmer Lach est tenu à l'écart de la patinoire. Même privé de son appui et de ses passes, Maurice Richard avance vers son record de 50 buts. Tout autre joueur célébrerait une prodigieuse réussite. Le Rocket est mécontent. Il n'a pas assez de buts. Il craint de rater son objectif. Il est un volcan insatisfait.

Sa passion de gagner n'altère cependant pas sa rude honnêteté: celle avec laquelle «on marche droit», comme disait sa mère. Durant un match où le jeu était excessivement vif, la rondelle touche le fond du filet. Le Rocket était tout devant. L'arbitre lui attribue le but. Le tir était audacieux. C'est la marque du Rocket. Un but de plus qui l'avance vers le record convoité. Ce but ne lui appartient pas. Il va prévenir l'arbitre de son erreur. L'arbitre ne veut pas douter de son jugement. Le Rocket insiste. L'arbitre hésite. Finalement il se rend. Le but sera attribué à son coéquipier Buddy O'Connor.

Les Flying Frenchmen attirent les foules. Les amphithéâtres de la Ligue nationale sont bondés quand passent les Canadiens. Si le Rocket inflige un de ses buts à l'équipe locale, la foule n'hésite plus à l'applaudir. Après moins de cinq ans avec les Canadiens, sa fiche rapporte plus de 150 buts. Le record historique appartient à Nelson «Old Poison» Stuart qui a entassé 324 buts. En quinze ans.

Bref portrait du Rocket comme s'il s'était assis pour poser

1947. Le Rocket a de la vitesse, des réserves de force. Il a une intuition, dans ses yeux noirs, de l'esquive de l'adversaire. Il a une intelligence spontanée de sa tactique. Il décèle sa faiblesse. Son jeu est imprévisible. Sa détermination est si convainquante qu'il lui impose une attitude fataliste: ce but que le Rocket prépare sera marqué! Chacun de ses buts est une histoire avec suspense, rebondissements: une histoire que l'on racontera et qui sera écoutée jusqu'à la fin. Chaque but est un événement; il est différent du but précédent. Tenu d'une seule main, son bâton escamote la rondelle. Les adversaires ne vont plus se l'accaparer. À toute vitesse, il la guide, il la glisse, il l'infiltre à travers une défensive serrée. Son coup de patin scarifie la glace. Ses lames sifflent et pourtant il ne semble qu'effleurer la surface. Il est le patineur le plus rapide de la Ligue nationale. Et, en une fraction de seconde, il se donne l'immobilité d'une colonne. Devant un adversaire abasourdi, il a interrompu sa trajectoire et suggère qu'il se projette dans une direction alors qu'il est déjà engagé dans une direction opposée. Il a pris un raccourci vers le but, laissant derrière lui un adversaire dérouté. Son tir du revers est précis comme la morsure du cobra. Quelle que soit l'obstruction posée par le gardien, ses yeux repèrent la fissure. Sa rondelle suit la ligne imaginaire que son regard a tracée jusqu'au fond de la cage.

Cet homme réservé, sur une patinoire entourée d'une douzaine de mille spectateurs, se métamorphose en un phénoménal artiste. Sans ostentation, il change en spectacle le moindre de ses gestes. La générosité avec laquelle il déploie chaque mouvement émeut les foules. Il prend tous les risques. Il va au bout de l'action. Il fait tout avec émotion. Il fait tout avec un excès retenu. Il patine plus vite. Il se bat plus durement. Il tire plus fort. Il fait plus que les autres. Chaque instant est excessif. À chaque mouvement, il joue sa vie. À chaque mouvement, il se donne comme si c'était son dernier sur la terre. À chaque mouvement, il se donne comme si c'était le seul instant dans sa vie.

Semblables aux écrivains qui se sont risqués à décrire les montagnes Rocheuses, les journalistes des sports cherchent les mots pour raconter cet athlète qui fait bondir les foules, les fait rugir, les fait frissonner, les fait chanter, les fait pleurer. Sous les caractères de leurs machines à écrire, le Rocket devient «fantastique», il est «une merveille physique», «une force terrifiante», «un goéland affamé», il est «une bombe», «un monarque», «un météore». À New York, il est «le Babe Ruth du hockey».

Il a amélioré sa connaissance de la langue anglaise. Il lit ces compliments à son égard, mais il n'a pas une très haute estime pour ces gens qui jouent au hockey, dans leur chaise, avec une machine à écrire. Ce n'est pas leurs mots compliqués qui vont changer son défi: cette saison, il doit marquer 50 buts! Il doit s'efforcer. Les partisans de la province de Québec réclament des buts. Il s'aperçoit qu'ils lui donnent la responsabilité de représenter sur la patinoire la race canadienne-française. Cette race ne veut plus perdre.

Fin de saison

1947. Bientôt, les séries éliminatoires! Le Rocket est prêt. Dans son corps marqué de bleus, d'éraflures, de coupures, de cicatrices, l'appétit de gagner est vorace. Les équipes manifestent une agressivité débridée. Perdre est une humiliation qu'elles ne se pardonnent pas. Des bagarres générales éclatent à Boston, Toronto et New York. Le Rocket n'a jamais tourné le dos à une échauffourée. Comment a-t-il pu ne pas être estropié? Il a été chanceux. Dans chaque équipe, un bulldozer a la responsabilité de repousser le Rocket hors de sa zone. Chez les Bruins, c'est Kenny Smith ou «Porky» Dumart; chez les Wings, «Terrible» Ted Lindsay tient ce rôle avec un plaisir trop évident. Les Rangers comptent sur Tony Leswick. Les Black Hawks ont désigné Doug Bentley ou Alex Katela pour cette mission. Ces distingués personnages ne mettent pas des gants blancs. Maurice a été frappé du coude, attaqué à coups de bâton, entravé, croché, plaqué, mis en échec, agressé, refoulé, tapoché, éperonné de coups de patin. On lui a donné des coups de poing, des crocs-en-jambe. On a roulé sur lui comme des camions lourds. Il a été assiégé comme la tour d'une ville à détruire. On l'a frappé comme pour abattre un grand chêne. Le Rocket a traversé toutes les tempêtes. La foule en a fait un héros. Et les héros doivent être invincibles.

Juste avant la fin de la saison régulière, les Canadiens visitent les Rangers. Ken Reardon est mis en échec par Bryan Hextall. Le défenseur des Canadiens vacille, va tomber, mais retrouve son équilibre. Se redressant, il reçoit sur les dents un coup de bâton de Cal Gardner. Le sang gicle. Reardon prend le chemin de l'infirmerie. Au moment où il passe devant le banc des Rangers, un amateur, derrière les adversaires, lui lance quelque impolitesse. Reardon, par-dessus la clôture, allonge le bras entre deux rangées de Rangers et lance son poing dans la figure de l'insulteur. Un des Rangers n'apprécie pas ce geste. Avec une percutante honnêteté, il rend à Reardon la monnaie de sa pièce. Reardon n'est pas très populaire chez les Rangers. Ils se jettent sur lui comme la misère sur le pauvre monde. Dick Irvin n'a pas besoin de donner à ses Canadiens une leçon de motivation pour les convaincre de se porter à la défense de Reardon. La horde se rue sur les Rangers. Même Bill Durnan a quitté son poste. Il est au milieu de la mêlée, brandissant son bâton comme un tomahawk. Dans la foule, certains amateurs de boxe apprécient que plusieurs joueurs maîtrisent les techniques du noble art. Dans cette danse furieuse, on ne choisit pas son partenaire. On cogne au hasard. On cogne celui qui cogne. On cogne le plus proche. Buddy O'Connor s'écrase. C'était un coup de bâton de Bill Juzda. Le bâton est cassé; on frappe avec les poings. Quand on a les poings écorchés, on passe aux prises de la lutte. Quand l'adversaire est debout, on le fait s'agenouiller. Quand il est à genoux, on le fait s'étendre. Quand il est au sol, on le piétine. Si les bras sont fatigués, on utilise ses pieds. Buddy O'Connor ne se relève pas.

Le Rocket a plongé dans la rixe comme il plongeait, adolescent, du pont du chemin de fer, dans les eaux tumultueuses de la rivière des Prairies. A-t-il obéi à l'instinct de défendre son coéquipier attaqué? A-t-il obéi à la foule qui lui demandait un peu de grabuge? Dans l'improvisation de ce ballet violent, le Rocket poursuit trois joueurs qui fuient les moulinets de son bâton sifflant au-dessus de leur tête. L'un d'eux, tout à coup, freine et le frappe au visage. Le coup porte. Maurice réplique. Étourdi, le joueur s'écroule mollement. Maurice considère sa victime avec un mépris définitif. Promenant sur le paysage son regard noir aux pupilles agrandies par la fureur, il repère Juzda, l'assommeur d'O'Connor. Juzda va payer l'amende.

De son côté, Bryan Hextall pourchasse Butch Bouchard. Avec son bâton, il essaie de le faucher. Bouchard s'empare de l'arme, la jette. Les deux combattants s'éloignent. Attirés par leur colère, ils reviennent l'un sur l'autre, comme deux béliers qui se cornent. À la fin, Bouchard lui déclenche un uppercut. Hextall bascule. Ses patins montent en l'air pendant que son dos s'écrase sur la glace. Bell Mœ, à sa rescousse, casse son bâton sur la tête de Bouchard. Concentré sur sa tâche, Bouchard ne s'est pas aperçu qu'il a reçu cette douceur. D'où vient donc le sang qui coule le long de son oreille? Murph Chamberlain, des Canadiens, aperçoit Joe Cooper qui semble en vacances; appuyé contre la clôture, il contemple l'action. Chamberlain s'élance sur lui et le fait basculer de l'autre côté de la clôture. Pendant ce temps, Kenny Mosdell sillonne la patinoire et distribue le plus de coups possible au plus grand nombre de Rangers possible. Leur entraîneur, Frank Boucher, un bâton dans chaque main, menace de frapper sur tout ce qui bouge. Reardon, qui a mis le feu à la poudrière, ne voit rien de la fête; il est inconscient à l'infirmerie.

La paix revenue, on compte ses blessés. Reardon a subi une fracture du crâne. Déjà privés des services d'Elmer Lach, les Canadiens seront aussi privés d'O'Connor, leur autre joueur de centre. Il a l'os de la joue fracturé. C'est donc avec des effectifs réduits que les Canadiens partent à la conquête de la coupe Stanley.

Encore un peu de philosophie, ce n'est pas mauvais pour la santé

1998. Ce pugilat est-il du hockey? Dans les gradins, la foule a été envoûtée par le chaos. Les spectateurs se sont dressés comme s'ils étaient aussi attaqués. Ils allaient se défendre. Peu à peu la foule a descendu les gradins, s'est approchée de la patinoire. Certains esquissaient des directs de droite, des crochets de gauche comme s'ils faisaient partie d'une équipe. D'autres applaudissaient. D'autres encourageaient leur boxeur préféré comme s'ils avaient parié sur lui. Plusieurs, étreints par la colère, se taisaient. Ils se taisaient, mais leurs poings tremblaient au bout de leurs bras. Quelques femmes défiaient un combattant. En général, elles s'accrochaient à leur homme comme des femmes qui ne veulent pas que leur homme parte à la guerre. Mais ce n'est pas la guerre. Ce n'est que du hockey. Un jeu.

Les joueurs se disputent une rondelle de caoutchouc. Tout à coup cette pièce de caoutchouc semble devenue un gros diamant. Par quelle magie? À peine revenus du front européen, des joueurs se battent comme, soldats, ils se sont battus contre les troupes d'Hitler. D'autres luttent comme ils chasseraient pour nourrir leur famille affamée. Les joueurs canadiens-français frappent comme ils se battent pour leur survivance. Tous convoitent la rondelle comme si elle allait sauver leur vie. Sans bravade, Dick Irvin peut assurer, très calme-ment, à la radio, que ses Canadiens seraient prêts à verser jusqu'à la dernière goutte de leur sang pour gagner la coupe Stanley.

Si les humains ont inventé l'art pour explorer et apprivoiser les mystères de leur vie, ils ont aussi inventé le sport qui permet de guer-royer sans se tuer. Le hockey est aussi une représentation de la vie: sur son chemin, on rencontre des obstacles. Ce sont les adversaires. Le hockey est une métaphore simple. Il est régi par des lois simples, claires. Tous les joueurs les connaissent, tout le monde les comprend. Tous les joueurs sont tenus de les respecter. S'il désobéit à la loi, le coupable est immédiatement puni. Son châtiment est connu à l'avance. Le hockey est comme la vie, mais plus simple à comprendre. Comme l'enfant, le peuple joue. Il aspire à plus d'équité, plus de transpa-rence, plus de simplicité. Au hockey, chaque joueur est essentiel. Au lieu d'être dominé par l'équipe, l'individu contribue à sa force. Se re-groupant autour d'une patinoire, les gens assistent au spectacle de leur propre vie et de leurs propres aspirations. Cette rondelle de caoutchouc dont ils suivent le parcours agité par les efforts, l'astuce, la force, la malchance, la chance, c'est surtout leur propre vie.

Chaque mouvement est délicat. Le joueur qui tient la rondelle doit user d'autant de précautions que ce Chinois qui, au siècle der-nier, transportait la nitroglycérine pour briser le roc dans le tunnel sous les Rocheuses.

Il serait aisé de dire que les joueurs ne peuvent s'arracher à la mentalité d'une guerre à peine finie. Il serait aussi aisé de dire que les affrontements sur la patinoire sont, pour les joueurs, une occasion de devenir, devant la foule, des héros instantanés. Il serait tentant de dire que la foule se régale de ces petites guerres sur la patinoire où elle ne souffre pas et où l'on ne meurt pas. Ou bien, ces mêlées seraient-elles des reliquats de nos anciennes guerres tribales? Seraient-ce des rites instinctifs où l'on se mesure comme se mesu-rent les jeunes bêtes? Cette violence existe-t-elle parce que la parole est plus lente que le coup de poing?

La patinoire est clairement délimitée, avec une surface de jeu bien mesurée. Le joueur y exerce sa liberté avec sa force, sa vitesse, sa vigueur, sa ruse, son sens de l'invention. Les seules limites à sa liberté sont celles de son effort et des lois. Chaque individu est évalué à l'ins-tant brut où la rondelle entre dans le filet.

Les partisans qui regardent un rude match de hockey souhai-tent un monde moins compliqué, où l'individu compterait, où il ne serait pas piégé dans un filet inextricable, où il pourrait quelquefois avoir raison.

26

Dieu regarde la série finale...

1947. À la fin de la saison, le Rocket est le premier marqueur de la Ligue nationale avec ses 45 buts. Ce n'est pas 50. C'est un Rocket insatisfait qui entreprend les séries éliminatoires.

Pour affronter les Canadiens en semi-finale, l'instructeur des Bruins de Boston, Art Ross, dissout sa Kraut Line; il veut arranger une meilleure combinaison de ses effectifs. Il confie à Woody Dumart la responsabilité d'encadrer le Rocket. Comme tous les autres, il s'adonne à sa tâche avec une besogneuse application. Malgré leurs efforts, les Bruins sont éliminés. Pendant ce temps, les Maple Leafs accablent les Red Wings. Pour la plus grande excitation des partisans, Montréal et Toronto vont, une fois encore, rivaliser d'hostilité en finale.

Dans quelle ville la coupe Stanley brillera-t-elle? Du hockey? La finale sera de la politique! De la business! Du théâtre! Ce sera la guerre! Les instructeurs des deux équipes s'échangent des menaces comme des chefs ennemis, avant de laisser tomber les bombes. On rappelle des méfaits subis dans le passé. Cette finale corrigera l'Histoire, redressera la Justice.

Elmer Lach a subi une fracture du crâne. Dick Irvin est convaincu que cette brutale attaque de Juzda était préméditée, délibérée. Les Maple Leafs repoussent l'accusation. Le hockey est un jeu d'hommes; si on est fragile, on peut s'y faire mal. Dick Irvin prend Dieu à témoin. L'issue de la série finale indiquera Son jugement. Du haut du ciel, Dieu suivra la finale de la coupe Stanley. Si l'attaque sur Lach a été planifiée, «Dieu conduira les Canadiens à la coupe Stanley», dit-il. Les partisans des Canadiens sont convaincus que Juzda a attaqué Lach pour démanteler la ligne Punch. De la même façon, ils essaient de se débarrasser du Rocket. Dieu le sait. C'est évident: aux Canadiens, la coupe Stanley!

Dès le premier match, Dieu joue avec le Rocket sur la ligne Punch. Dick Irvin a exhorté ses joueurs à venger Elmer Lach, hors de combat, à la maison. Les Canadiens blanchissent les Leafs 6 à 0. Les Leafs ont été punis par Dieu.

Les Maple Leafs défendront leur honneur. Ils n'ont pas volontairement estropié Elmer Lach. Ce fut un accident. S'ils n'emportent pas le deuxième match, l'accusation de Dick Irvin prévaudra. Le mensonge. Chacun de leurs mouvements reconstruira la vérité. Chaque coup sera infligé pour défendre la vérité. Chaque tir partira pour rappeler la vérité. Chaque échappée sera une invitation à Dieu de rétablir la vérité.

Au début du match, on sent l'inimitié entre les deux équipes froide comme une nuit de janvier, en ce soir printanier du 10 avril. Le jeu est excessivement rapide. Excessivement passionné. Les Maple Leafs prennent l'avantage. L'on joue comme si l'on s'agressait. On ne se frappe pas encore, mais le jeu ressemble à une bagarre. On respecte les règles, mais l'on joue comme s'il n'y en avait pas. Les spectateurs suivent le jeu fascinés comme par la flamme sur la mèche avant que la dynamite n'explose. Le Rocket est entouré, contrôlé. Toute son astuce est inutile: il ne peut s'arracher à la surveillance spéciale qu'on lui accorde.

Durant la première période, Bill Ezenicki, collé à Maurice, ne le laisse pas s'éloigner. Son bâton lui sert de crochet pour le retenir. Solide sur ses patins comme une borne-fontaine, il s'acharne à ébranler le Rocket. Massif, il répète ses assauts à coups d'épaule. En plus, le Rocket reçoit l'attention de Wilson, Lynn, Klukay. Le Rocket est ralenti, toute l'équipe est ralentie. Si on le retient assez longtemps, sa colère va exploser... C'est ce qu'on espère. Il va frapper, il sera invité au banc des pénalités. Tel est leur raisonnement. Alors, on l'entoure de petits soins: coups de coude, coups de manche du bâton, coups de bâton sur les chevilles, crochets appliqués aux jambes, moqueries raciales. Et le Rocket rage. Il est encarcané. Il bout. Il veut s'évader. Une montagne, ce soir, pèse sur son dos, mais il est déterminé à la déménager. Il se sent la force de le faire. Il est encerclé. Il tourne en rond. Il s'épuise. Il ne produit rien. Moins il réussit, plus passionnée est sa volonté. Personne ne se doute que son impatience est exacerbée par une torture à son genou. Il s'est encore déchiré des ligaments lors d'une collision énorme avec Gus Mortson.

Ce qui devait arriver arrive! À la sixième minute de la seconde période, une attaque se forme vers la défensive des Canadiens. Le Rocket s'élance au secours des sentinelles. Vic Lynn veut ralentir son vol: un dur coup d'épaule. Le Rocket chancelle, reprend son équilibre et, avec son bâton qui fend l'air comme un sabre, il part à la chasse. Voyant arriver sur lui ce météore en feu, Vic Lynn lève son bâton pour avertir le Rocket du danger de s'approcher. Comme se détend une catapulte, le bâton du Rocket descend sur le visage de Lynn. Le sang gicle sur la glace où gît Lynn, inconscient. Maurice Richard: pénalité majeure de cinq minutes.

Il regrette profondément d'avoir nui à son équipe en cueillant cette pénalité. Revenant au jeu, il a du tonnerre dans son bâton. Même des gradins les plus éloignés, les partisans voient les éclairs dans ses yeux noirs. À ce moment, Toronto terrasse Montréal 3 à 0.

Bill Ezenicki reprend sa surveillance du Rocket. Peut-on tenir une tempête en laisse? Il s'agrippe à lui. Si la rondelle vient vers Maurice, Ezenicki détourne la passe. Cet assaut constant est insupportable. Et la douleur à son genou s'est aiguisée. Le Rocket ne peut plus supporter le sort qu'on lui fait. Après un autre enfoncement, le Rocket montre les dents. Ezenicki lève son bâton pour lui montrer ce qui l'attend s'il attaque. Apercevant le bâton qui menace, le Rocket craint qu'Ezenicki lui accorde la même gentillesse qu'il a faite à Lynn. Avant qu'Ezenicki ne le frappe, il l'assomme. Un peu de sang. Et les deux gentilshommes font une démonstration d'escrime des bas-fonds. L'arbitre Bill Chadwick essaie de s'interposer. La foule, debout, réclame que le Rocket fasse d'Ezenicki de la viande à cretons. Les belligérants, fatigués, se calment. Les partisans reprennent leur siège. Apaisée, la tempête n'est pas terminée. Comme frappe un éclair, le Rocket assène, par-dessus l'arbitre, un autre coup à la tête d'Ezenicki.

Dans la foule en jouissance, un homme crie des insultes au Rocket. C'est Conn Smythe, le gérant des Leafs. Tout près de lui, une femme réplique: «If you is not happy, stay in Toronto, you!» La femme sait à qui elle s'adresse. On chuchote à Smythe que c'est Lucille, la femme de Maurice Richard. Smythe, soudain distingué, enlève son chapeau, s'excuse et lui tend la main qu'elle refuse. Pourrait-elle convaincre son mari de se joindre aux Maple Leafs? Il lui ferait un cadeau. «Quel maquignon que cet homme!»

Le Rocket retourne au pénitencier. Les deux gladiateurs ont été de force égale: chacun a reçu douze points de suture. Les Leafs blanchissent les Canadiens 3 à 0. Dick Irvin est soucieux: accordant cette victoire aux Leafs, Dieu témoigne-t-il en faveur de Juzda?

Le troisième match de la série a lieu à Toronto. Le Rocket sera-t-il sur la glace? se demandent les journaux. Le président Clarence Campbell est occupé à analyser l'affaire Ezenicki-Richard. À la fin de la matinée, le président de la Ligue nationale rend son verdict: il impose une amende de 250 $ au Rocket. De plus, il le condamne, pour sa mauvaise conduite, à une pénalité d'un match. Il n'apparaîtra donc pas sur la patinoire, ce soir.

Sans le Rocket, les Canadiens, affaiblis, sont démoralisés. Bill Durnan a l'habitude d'être solide comme un mur de brique devant son filet. Ce soir, il ressemble plutôt à une porte ouverte. Entre qui veut. Les Canadiens dérivent vers une défaite inévitable. Après le match, Bill Durnan n'essaie même pas de cacher ses larmes. Il a mal joué. A-t-il vu trop de rondelles dans sa vie? Son corps s'est-il habitué à être bombardé? Ses muscles ne réagissaient pas. Durnan se sent fini. Les Leafs auraient dû perdre ce match, car ils sont une mauvaise équipe. Ils ont encore gagné. Dick Irvin est si malheureux qu'il ne trouve pas la force d'enguirlander ses joueurs. Il regrette d'avoir invoqué le jugement de Dieu dans l'affaire Lach-Juzda. Dieu qui n'aime pas qu'on prononce son nom en vain a donné la victoire aux Maple Leafs.

Pour le quatrième match, on attend le Rocket. Les amateurs connaissent son caractère. Il va tenir à regagner le temps perdu. Faire payer aux Leafs sa pénalité. Les Canadiens sont en mauvaise posture. Plus le défi est difficile, plus il en est exalté. L'obstacle lui est une nourriture magique. Plus la situation est risquée, plus tenace il devient. Dès la matinée, les tickets se vendent au marché noir. Le Maple Leafs Garden n'est pas assez vaste pour contenir tous ceux qui voudraient voir leurs Leafs et les Canadiens régler leurs affaires courantes. Le Rocket va travailler ferme. Comme son instructeur, il croit en Dieu. Cependant il ne s'attend pas à ce que la main de Dieu pousse la rondelle dans le filet. Cela est sa propre responsabilité.

Rassurés par deux victoires consécutives, les Leafs patinent avec assurance. Dieu souffle dans leurs voiles. L'instructeur a défini l'objectif: conserver l'avantage dans la série. La tactique: empêcher le Rocket de leur causer du dégât: donc le ficeler. Ce ne sera pas facile. Enragé contre l'arbitre, contre Clarence Campbell et contre lui-même (il sait le tort que son inconduite a causé), il voudra se faire pardonner par un excès de zèle.

Le match n'est pas plus doux que le précédent. Une lame de patin ouvre le mollet de Butch Bouchard. Les Leafs parviennent à tenir le Rocket à l'écart du jeu. De chaque côté, avec une ardeur furieuse, on s'applique à contrer l'adversaire, à l'affaiblir, à le démolir. À la fin de la troisième période, le score est nul. Une période de prolongation sera donc nécessaire.

Dans le Maple Leafs Garden, même les amateurs halètent tant l'émotion est intense. Les Canadiens se débattent comme des naufragés: s'ils nagent avec vigueur, le rivage viendra vers eux. Chaque spectateur s'épuise, par son désir de la victoire, à donner plus de vitesse à tel joueur, à diriger la rondelle vers tel bâton. Les Canadiens ferraillent. Les Leafs, plus jeunes, se savent imbattables, mais ils n'arrivent pas à le prouver. Le filet des Canadiens est impénétrable. Les joueurs de Montréal sont agressifs. Rapides. Ils frappent fort. Ils tirent à bout portant. De partout. Ils bombardent le gardien de buts. Le Rocket se démène. Dans de semblables conditions il a dans le passé inscrit de beaux buts. Le passé n'est pas le présent. Son équipe compte sur lui. Mais il n'arrive à rien. Il se sent lent. Pesant. Avec ces Leafs qui ne le laissent pas bouger, il ressemble à un cheval attelé à une charrette pleine de pierres. Les Leafs répliquent coup pour coup, tir pour tir, échappée pour échappée. La foule, hors d'haleine, voudrait que le match se termine. Soudainement, à 16 minutes 36 de la période de prolongation, Syl Apps, le capitaine des Leafs, marque. C'est le but gagnant! Dieu est encore du côté des Maple Leafs et leur a donné trois victoires consécutives. Le train qui ramène à Montréal les Canadiens vaincus ressemble à un convoi funéraire.

Le cinquième match, à Montréal, se prépare dans une ambiance survoltée. Les partisans ont déchiffré une magouille de Clarence Campbell. Il ne veut pas remettre la coupe Stanley aux Canadiens; voilà pourquoi il s'en est pris au Rocket. L'empêcher de jouer pendant un match, c'était le meilleur moyen de donner un avantage à Toronto. Lors de son duel avec Ezenicki, Maurice était en état de légitime défense. Ezenicki l'avait attaqué. «Quand i' a pas la rondelle, c'est le plus coriace dur à cuire que j'ai rencontré sur la glace et i' a pas la rondelle souvent.» La religion catholique nous enseigne que si l'on vous donne un soufflet sur la joue droite, il faut présenter la joue gauche. Les Canadiens français ont compris où les a menés cette soumission. Dans le monde moderne, on ne présente pas l'autre joue à celui qui vous frappe; on passe un K.-O... Campbell favorise Toronto. Ainsi vont les conversations...

Les partisans des Canadiens connaissent les règlements. La pénalité d'un match entier n'est appliquée que si le joueur attaqué est blessé si gravement qu'il ne peut revenir au jeu. Après la bagarre, Ezenicki est revenu au jeu, avec des pansements. L'arbitre Bill Chadwick a donc commis une erreur. Clarence Campbell aurait dû la corriger. Il a choisi d'approuver l'erreur. Pour quelle raison? Du haut de sa supériorité d'Anglais, Clarence Campbell a voulu humilier le petit Canadien français qui prend trop de place sur la patinoire. Clarence Campbell applique deux sortes de justice: une pour les siens et une pour les Canadiens français. Don Metz et Bill Juzda ont-ils reçu une pénalité de match quand ils ont agressé Elmer Lach? Non.

Dans les demeures et dans les tavernes, en ville et dans les campagnes, dans les maisons bourgeoises et dans les maisons de ferme, dans les bureaux et dans les garages, on accumule les preuves que Clarence Campbell a décidé que les Maple Leafs emporteront la coupe Stanley.

Avant la mise au jeu, l'ambiance est à la révolution. Les partisans des Canadiens remboursent au Rocket l'amende de 250 $ qu'il a payée à Campbell. Cette somme a été souscrite par des employés de bureaux, des avocats, des vendeurs d'assurances, des épiciers, des conducteurs de tramway, de chauffeurs de taxi. Clarence Campbell mérite une seule réponse: une victoire des Canadiens. Ils ont été filoutés. À eux de se venger. La rondelle dira la vérité. Les partisans suivent le match comme s'ils avaient les patins aux pieds. Quand le Rocket se précipite vers le filet des adversaires, ils montent avec lui. Si le Rocket reçoit un coup d'épaule, ils sont ébranlés avec lui. S'il tire au but, c'est eux qui tirent. Ainsi soutenu, le Rocket retrouve sa liberté. Il offre deux buts à la foule du Forum. Les Canadiens arrachent la victoire 3 à 1.

L'espoir est revenu; la coupe Stanley scintille de nouveau dans les rêves des partisans. D'abord, ils voient les Canadiens emporter le prochain match à Toronto. Après la victoire, ils reviendront à Montréal disputer le dernier match. Et ce sera la coupe Stanley! On rêve. Cette fois, la réalité ne peut pas ne pas ressembler au rêve.

Le sixième match débute. Vingt secondes après le début de la première période, Buddy O'Connor, rétabli de sa blessure, extorque la rondelle à un défenseur, il patine en zigzag vers le gardien de but des Maple Leafs. Il tire. Sans pouvoir y croire, il voit la rondelle passer entre les jambières de Turk Broda comme à travers de la fumée. Dick Irvin se dit qu'enfin Dieu a décidé de parler et qu'il annonce une victoire des Canadiens. Toute la population de la province de Québec est réunie autour des appareils de radio. On suit, minute par minute, on espère, on attend. Dans le ton de la voix de la radio, on croit percevoir des signes que la victoire s'approche. D'un autre côté, les Maple Leafs ont l'avantage d'un match. Dieu leur indique du doigt la coupe Stanley. Ils se dépensent comme s'ils étaient quinze sur la glace. Ils sont partout à la fois, à l'offensive, à la défensive, ils attaquent, ils se replient; leur défensive est impénétrable. Sans répit, ils tirent sur Bill Durnan. Heureusement les Canadiens préservent le score 1à 0.

À 5 minutes 34 secondes de la seconde période, Vic Lynn, qui a reçu un assez mauvais traitement de la part du Rocket, produit un but: égalité. Les Canadiens ne sont plus assurés de la victoire. Après un instant de doute qui a passé sur eux comme un froid frisson, ils retrouvent leur foi. Les voici qui guerroient comme si le dieu de la Victoire les guidait. Cependant, alors qu'ils allaient atteindre la cime, le but de Vic Lynn leur donne l'impression d'être retombés au pied de la montagne. Ragaillardis, les Maple Leafs sentent la victoire proche. À la quatorzième minute de la troisième période, Ted Kennedy marque un but et donne aux Maple Leafs la coupe Stanley.

Défait, Dick Irvin ne comprend pas. Elmer Lach a été blessé intentionnellement par les Maple Leafs. Irvin le sait, Juzda le sait, tout le monde le sait, Dieu le sait. Alors pourquoi Dieu les a-t-Il laissés gagner? Mystère! Mystère! Les partisans des Canadiens ont une certitude: si le Rocket n'avait pas injustement été tenu à l'écart d'un match, les Canadiens auraient remporté la coupe Stanley. Voilà la rengaine de l'opinion publique irritée. C'est la faute à Clarence Campbell si les Canadiens ont perdu. En ce qui concerne le rôle de Dieu, plusieurs pensent qu'Il est souvent du côté des Anglais protestants. On ne comprend pas ça.

Quant au Rocket, il a beau être le meilleur joueur de hockey de tous les temps, il est toujours un Canadien français. Beaucoup n'aiment pas qu'un Canadien français soit le meilleur joueur de hockey au monde. Ils n'ont pas réussi à démolir le Rocket. Alors ils ont utilisé des moyens plus hypocrites. C'est par les règlements qu'ils veulent abattre le Rocket. Voilà ce que pensent bien des partisans des Canadiens.

Mais, ce printemps, il y a beaucoup de discussions enflammées. Le directeur d'une entreprise de textile de la Beauce a accepté d'accueillir dans son usine une centaine de jeunes filles polonaises qui, à la fin de la guerre, ont été délivrées des camps de réfugiés. Selon une entente avec le gouvernement fédéral, l'homme d'affaires s'engage à garantir à ces jeunes filles un emploi de deux ans, à les payer au salaire courant dans la région, à les transporter gratuitement au Canada, et à les loger dans un foyer de religieuses catholiques. L'homme d'affaires a besoin de main-d'œuvre et il veut soulager la misère engendrée par la guerre.

Sa bonne œuvre suscite un débat orageux à la Chambre des communes. Des députés anglophones l'accusent de pratiquer l'esclavage. On accuse Ludger Dionne d'être un marchand d'esclaves. *Le Devoir* mord dans le débat: l'immigration, raisonne-t-il, est fort louable lorsqu'elle augmente le nombre d'anglophones au Canada, mais elle est condamnable quand elle amène des gens qui s'intègrent aux Canadiens français.

Le Rocket, après avoir donné à ses partisans 45 buts durant la saison régulière et 6 buts durant les séries éliminatoires, a devant lui tout un été pour essayer de comprendre pourquoi il n'a même pas atteint son record de 50 buts. Au milieu de son triomphe, un bon mot échappe à Conn Smythe: «Maurice Richard est les trois mousquetaires de la Ligue nationale: Athos, Porthos et Aramis.» Pour quelle équipe jouaient-ils?

Pour réveiller les Canadiens, mettons le feu au Forum!

1947. Maurice Richard, le plus grand hockeyeur des temps modernes, en trois coups de patin, devant des foules en liesse, déjoue les défenseurs les plus coriaces, perce les gardiens les plus opaques. Après le match, avec les journalistes, il parle anglais comme patine quelqu'un qui ne sait pas patiner. Parce qu'il est un homme timide, parce qu'il se sent mal à l'aise de ne pas bien parler cette langue; parce qu'il se sent ridicule de la parler comme il la parle, il se réfugie dans un silence que ses coéquipiers ne franchissent qu'avec prudence. Mais il s'applique. Il écoute. Il lit les journaux anglais. Il apprend des nouveaux mots.

C'est sur la patinoire qu'il retrouve toute sa liberté. Là, il n'a pas besoin de parler. Ni en anglais ni en français. Il parle avec son bâton et, quand il le faut, ses poings. La patinoire est le seul lieu où Maurice se sent léger. La patinoire est le seul endroit où il éprouve le sentiment d'une belle liberté. C'était l'endroit où il est lui-même entièrement, le Rocket, un Canadien français libéré de l'histoire. À chaque mise au jeu, la patinoire redevient un territoire vierge. Tous sont égaux à la mise au jeu. Après chaque joueur crée son destin. Maurice Richard se consume en un spectaculaire incendie. Ses gestes émettent des décharges électriques. Il est un flamboyant casse-cou. Quand le Rocket traverse les défenseurs comme un passe-muraille, les Canadiens français voient un guerrier légendaire qui refait la bataille des plaines d'Abraham et reconquiert le territoire perdu. Il est notre soldat. Voilà pourquoi nous n'exigeons rien de moins que la victoire. Cette guerre est la seule qui nous importe. La seule que nous pouvons gagner.

Maurice a appris l'anglais. Maintenant il sait répliquer avec des mots aux adversaires qui le houspillent. Il comprend mieux les blagues de ses coéquipiers durant les longs voyages en train. Mais son seul véritable ami, parmi les joueurs anglophones, est Kenny Mosdell. Il se sent en confiance avec lui. Il l'estime. Il dit souvent que Kenny est un joueur qui ne reçoit pas l'attention qu'il mérite. Lucille s'entend bien avec Madame Mosdell. Le tigre du quartier de Bordeaux, dans l'est de Montréal, s'est avancé dans le monde anglais avec prudence. Le monde canadien-français lui paraît exigu quand il est à l'étranger. À Montréal, il sent au plus profond de son âme combien ce petit peuple est le sien. Il a pris de l'assurance. Il n'est plus aussi nerveux avant de rencontrer les journalistes. Il peut répondre à leurs questions. Il n'a pas besoin de beaucoup de mots.

L'été, il revient à son environnement francophone, à la ville comme à la campagne. Il oublie un peu plus qu'il ne voudrait les mots et les phrases qu'il a appris. Heureusement, il y a ces parties de balles que les Canadiens disputent contre les équipes des parcs locaux. Il a du plaisir à reparler en anglais. Il éprouve une indiscrète petite fierté de réussir à le faire. Après la partie, on va boire une ou deux bières froides. Après avoir commenté les événements de la partie de balle aussi sérieusement que si c'était un match de hockey, bien sûr on parle de la saison prochaine.

Les partisans cherchent des signes qui annoncent de l'avenir. Ils sont soucieux. Le camp d'entraînement se termine, la saison va débuter, et Maurice Richard n'a pas encore signé son contrat avec les Canadiens. Butch Bouchard se trouve dans la même situation. Tous deux espèrent une augmentation de salaire. Le Forum ne peut plus contenir tous les partisans qui veulent voir les Canadiens. Les coffres-forts de l'administration ne sont plus assez grands pour y enfourner les recettes.

Les journalistes sont respectueux des patrons. L'administration des Canadiens leur distribue de ces petits cadeaux qui font tant plaisir et qui rendent plutôt gentils. Quand on est bien élevé, on se montre reconnaissant. Mieux vaut être poli qu'expulsé de l'organisation. Les journalistes des sports ne sont pas différents de leurs confrères qui couvrent la politique de Duplessis.

Les Canadiens veulent-ils se défaire du Rocket et de Butch Bouchard? Non. Le fond de l'affaire, c'est l'argent. Les Canadiens sont une entreprise commerciale. Comme n'importe quelle compagnie: ils veulent le plus de profits possible. Ils fabriquent du hockey.

Leur coût de production doit rester le plus bas possible. Pour faire plus de revenus, ils paient leurs ouvriers au plus bas salaire possible. Comme les autres compagnies. Pour les partisans, Maurice est un champion; pour les patrons, il est un de leurs ouvriers. Le Rocket devrait se mettre en grève! Un gros rire éclate. Une grève! On ne fait pas la grève dans le sport! Le hockey, ce n'est pas du travail.

Le Rocket est le cœur de l'équipe; les partisans en sont convaincus. Il ne se demande pas s'il est le cœur ou les jambes ou les bras: il veut jouer au hockey. Et ce jeu consiste à mettre la rondelle dans le filet. L'administration le traite comme si elle était insatisfaite de ses services. Ses biceps, ses poignets, ses mollets sont fébriles. Il mérite une augmentation de salaire, mais il a l'impression de mendier. Les patrons refusent. «Nous traversons une période de difficultés budgétaires.» Finalement, il signe son contrat quelques minutes avant le match d'ouverture. Certains murmurent qu'il a accepté une modeste diminution de salaire...

Il se jette avec toute sa fougue dans le premier affrontement. Elmer Lach, guéri, est revenu au jeu. Toe Blake a marqué le premier but de la saison avec une aide de Lach et de Richard. Cependant les Canadiens s'essoufflent. Au milieu du match, ils semblent fatigués. À la troisième période, les joueurs semblent avoir vieilli. Les Rangers repartent avec une victoire par 2 à 1. Voilà un mauvais présage, disent les partisans.

Bill Durnan n'est plus le même. Devant le but, il a l'allure de quelqu'un qui n'a pas envie d'aller à l'usine. Il a si mal à son genou. Une opération subie pendant l'été n'a rien arrangé. Le mal brouille sa concentration. Il a perdu de la souplesse. Son genou ne plie qu'avec douleur. Accroupi pour former avec sa poitrine, ses genoux et ses bras pliés une sorte d'entonnoir pour saisir la rondelle, lui seul sait quel mal il endure. Chaque ligament de son genou lui semble une épine piquée dans sa chair. Il a envie de crier comme une bête. Mais il est un homme et il fait face à la rondelle.

Les partisans analysent cette défaite et d'autres qui suivent. Les Canadiens se sont affaiblis. Le gérant Frank Selke a vendu aux Rangers les contrats de Buddy O'Connor et Frankie Eddols. Tous se souviennent du but d'O'Connor contre les Maple Leafs, à la vingtième seconde de la première période, durant la série finale. C'était un but à la Rocket. Quant au défenseur Frankie Eddols, un pilote de guerre, il a des nerfs d'acier. On a besoin de ce genre d'homme. Pourquoi Selke s'est-il départi de ces deux joueurs? Pour enrichir les actionnaires?

Même le Rocket ne semble plus avoir la même ferveur. Au premier match de la saison, il a reçu une mention d'aide mais, depuis plusieurs semaines, il échoue devant le filet. Le Rocket aurait-il déjà atteint son apogée? Une fois de plus, il se blesse, lui aussi, au genou. À la mi-novembre, sa luxation le tient hors du jeu pendant deux semaines. Elle n'explique cependant pas que le meilleur joueur de hockey de tous les temps soit devenu un joueur ordinaire. Un diamant ne se change jamais en caillou. Que se passe-t-il? Il ne patine plus comme le Rocket patinait. Il n'a plus cette voracité de piller l'adversaire. Son bâton n'opère plus de tours de prestidigitation qui enchantaient les foules. Devant le filet, il n'est plus cet éclair inexorable qui va frapper. Les adversaires ont relâché leur système de surveillance.

Il y a les blessures physiques et les autres. Sous une apparence d'humilité, le Rocket a cette fierté des Canadiens français qui traversent les épreuves en silence, comme s'ils n'étaient pas blessés. Si la fierté retenue de Maurice contient la force d'un ouragan, elle est aussi sensible que la flamme d'une chandelle. Le Rocket a-t-il été désarçonné par le mépris de l'administration lorsqu'il négociait son contrat?

Le Rocket ne ferait pas payer aux partisans la pingrerie des maquignons. Derrière son silence, Maurice doute de chacun de ses mouvements. Il ne se reconnaît plus. Il se sent devenu un autre joueur dans son uniforme: un autre joueur qui s'appliquerait à jouer comme le Rocket mais sans y parvenir. Plus il fait d'efforts, plus il devient un joueur médiocre. Il rumine ses échecs. Pense-t-il trop? Des amis le lui disent. Auparavant il marquait des buts; ensuite, il pensait. Maintenant, il pense. Il pense et ne marque plus. Auparavant, son corps suivait son instinct. Maintenant, son instinct suit, trois pas en arrière, son corps désemparé. Le Rocket pense trop. Il ne dort plus. Il ne parle plus. À la maison. Lucille ne le voit que derrière un mur de silence. Il garde en lui toute cette angoisse. Il est un homme: il s'occupe lui-même de ses sentiments. Il garde tout son inconfort derrière son silence fermé comme un coffre-fort.

Il se déteste quand il répond à Lucille avec impatience. Sa femme, il l'aime autant que le hockey. Quand elle le voit enfoncé dans ses pensées, elle l'aime comme une mère. Elle ose le déranger un peu. Elle pose quelques questions. Ses réponses sont impatientes. Il ne peut pas les retenir. Maurice et Lucille se querellent. Il regrette d'apporter à la maison ses problèmes de patinoire. Elle le rassure. Il s'irrite parce qu'elle le comprend. Que peut-elle faire? Est-ce qu'elle va venir sur la glace marquer des buts? Il est même impatient avec ses enfants. Il se hait, alors. Ce n'est pas la faute des petits si les gardiens de but n'ont plus peur de lui.

La nuit, il se regarde jouer sur la patinoire de son imagination. Il se regarde essayer telle tactique, effectuer tel mouvement, il se regarde échouer... Surtout échouer. Il n'arrive pas à s'endormir. Ou bien, il se réveille tôt comme s'il était déjà un vieil homme au sommeil impossible. Il réfléchit trop. Il le sait. Quand il versait des rondelles dans le filet comme des petits pois dans une casserole, il ne pensait pas tellement; son instinct savait comment faire. Tout était clair. Ses muscles savaient comment se tendre et lâcher un tir dévastateur. Maintenant le Rocket pense trop.

Quand Maurice Richard ne marque pas de but, il semble que quelque chose va mal dans le monde. La marche en avant des Canadiens français ralentit. Maurice Richard ne marque pas et il semble que cette province n'a plus d'avenir. Des nuages s'amoncellent à l'horizon. Le Rocket a le visage creusé. Ses yeux sont enfoncés sous des arcades sourcilières griffées de cicatrices. La pupille noire vibre mais on perçoit la fièvre dans le regard. Sous les yeux, des taches sombres laissées par l'insomnie. L'ange de la malchance serait-il revenu pour dévier de son orbite la rondelle du Rocket?

Les Canadiens ont dévalé tout au bas du classement. Comment une équipe championne a-t-elle pu devenir mauvaise en l'espace de quelques mois? s'interrogent les partisans impatientés. Si Clarence Campbell n'avait été injuste envers Maurice Richard, les Canadiens auraient gagné la coupe Stanley. Les partisans parlent, parlent... Mais que font les vrais champions au dernier rang?

Le Rocket est fait de bois dur comme les érables de Matapédia, le pays de son père, en Gaspésie, mais le Rocket a été blessé par l'intransigeance du hautain Clarence Campbell, durant la série finale. Il a aussi été blessé par l'arrogance de l'administration des Canadiens. Ses patrons ont ébranlé la ferveur barbare du jeune Canadien français qui s'esquinte à demeurer le meilleur joueur de hockey de tous les temps.

Certains de ses coéquipiers sont ennuyés de sa piètre performance. Qu'est-ce donc qui l'empêche de faire son travail? Personne ne se risque à le lui demander. On le craint... Puis on a du respect pour lui... Cependant, dans le vestiaire d'une équipe, personne n'aime les problèmes. Dick Irvin sait cela. Le Rocket est le cœur de l'équipe. Le cœur ne bat plus avec allégresse. Il faut trouver un moyen de le raviver. Après avoir analysé les risques de son action, l'instructeur décide de blâmer le champion. Aiguillonné, le Rocket deviendra furieux. Dans la colère, peut-être retrouvera-t-il son inspiration? Dick Irvin choisit et pèse chacun de ses mots: cette saison, déclare-t-il aux journalistes, le Rocket se repose après l'action enlevante des années passées.

Dick Irvin a vu juste: à la suite de ses propos, le Rocket pourfend, défonce; ses lames brûlent la glace, il balaie la patinoire comme une tempête. Il traverse les murs. Les foules sont soulevées par l'intensité intempestive de son effort, mais elles doivent retenir leurs cris. Le Rocket ne marque pas... Maurice ne lui présente pas ces bouquets de buts. Les partisans discutent. Au lieu de blâmer le Rocket, Dick Irvin devrait peut-être se regarder lui-même. Le meilleur violon au monde n'est rien dans les mains d'un artiste maladroit. L'instructeur a eu tort d'accuser Maurice.

Le Rocket s'épuise à la tâche. Sans résultat. La ruse de Dick Irvin a échoué. Frank Selke, le gérant, à son tour, passe à l'action: il renvoie quatre joueurs. Les autres demeurent, indifférents. L'équipe file vers les écueils. On s'y dirige comme si on tenait à faire naufrage. Impossible de changer le cours; cette équipe semble plus attirée par la défaite que par la victoire.

Le 6 novembre, les Canadiens retrouvent leurs chers rivaux, les Maple Leafs. Reprenant un combat qu'ils n'ont pas eu le temps de terminer auparavant, Vic Lynn et Ken Reardon boxent jusqu'à leur épuisement. Alors ils s'arrêtent. À la suprême insatisfaction de la foule. Les combattants sont envoyés au pénitencier. La paix ne durera pas longtemps. Le Rocket et «Wild» Bill Ezenicki ne vont pas s'éviter. L'ailier droit des Leafs le tamponne sur le portillon du cachot; sous le choc, les charnières arrachées volent. Il y a de la cruauté, de la bêtise, du racisme dans ce beau jeu du hockey. C'est la guerre sans fusil, découpée en segments de vingt minutes.

À la mi-novembre, le fort des Canadiens est assiégé par les Bruins. Durnan est assiégé. Neuf rondelles pénètrent dans son filet. Les partisans réclament le départ de Durnan. Il est d'accord avec eux. Il se sent un joueur fini. Une semaine plus tard, Carl Gardner, des Rangers, monte, rapide et agressif, vers son filet. Durnan se place en position d'attente. Gardner va décocher son tir. Attaquant trop vite, il n'a pas le temps de mettre en joue ni de s'arrêter. Il télescope le gardien qui est assommé par l'épaulette de Gardner. Durnan, le visage en sang, est transporté à l'infirmerie. On le remplace par un jeune inconnu, Gerry McNeil.

Une malchance. Quelque temps plus tard, Murph Chamberlain se casse une jambe. Il ne peut s'empêcher de hurler. Le médecin applique les bandages, le plâtre. Ken Reardon s'amène avec une scie et fait mine de couper comme si c'était une bille de bois. Les Canadiens font naufrage; les matelots ne sont pas encore désespérés.

Une autre malchance. Le Rocket se blesse encore une fois au genou. Une fois encore, il est retenu chez lui, comme dit sa mère, à ressasser ses idées noires. Il a peur de rater le filet. Pourquoi a-t-il si peur? Il a si peur que ses mouvements sont hésitants, ses tirs perdent leur acuité. Trop vouloir, c'est comme ne pas vouloir assez. Auparavant il jouait; maintenant il travaille. Il va recommencer à jouer. Comme dans les bonnes années...

Son genou: maintenant il peut le plier sans trop de mal. Il a hâte de retourner au jeu. Il va s'amuser avec la rondelle. Il a hâte de remonter dans ses patins, d'entendre le crissement de la glace sous ses lames et le claquement de la rondelle sur la palette de son bâton. Dick Irvin va regretter son accusation!

Le Rocket revient sur la patinoire, bien décidé à n'obéir qu'à son instinct. Malheureusement, il n'a pas été assez patient. Le mal l'incommode encore. Il essaie de jouer comme s'il ne ressentait rien. Au début de décembre, il n'est toujours l'auteur que de deux buts. Le 4, au Forum, il marque un but. Sa rondelle n'a pas touché le fond du filet depuis le 27 octobre. Il y a longtemps que Maurice n'a pas entendu la foule, de sa voix immense, crier son bonheur: un bonheur total, un bonheur court, un bonheur viscéral, essentiel. La voix de la foule le métamorphose en héros. Ce souffle puissant de ses partisans, il l'absorbe en lui. Il est sa force. Dieu, créant Adam, souffla sur de la glaise et ainsi lui insuffla une âme. De la même manière, par le souffle de la foule, Maurice Richard redevient le Rocket. Cependant son genou n'est pas guéri. Sa blessure s'est aggravée durant les deux matchs qu'il a disputés. La souffrance est si aiguë, il ne peut la tolérer. «Reardon, as-tu ta scie pour me couper la jambe?» Le médecin le retourne au repos pour trois semaines. Rester chez lui, assis dans un fauteuil, la jambe allongée sur une chaise, et paisiblement écouter à la radio la description des matchs des Canadiens? Il se sent en prison. Lucille entend ses grondements d'impatience. Elle comprend. La place de son homme n'est pas dans un fauteuil. Il est repris par son cauchemar: ne plus trouver le chemin du but. Les Canadiens perdent. Le Rocket se souvient de ce temps récent où il était le meilleur marqueur de buts de tous les temps.

Les partisans palabrent. L'an dernier, les Canadiens formaient la meilleure équipe. Cette saison, ils ne se rendront pas aux séries éliminatoires. Que s'est-il passé? Cédé aux Rangers, Buddy O'Connor est devenu le meilleur marqueur de buts de la Ligue nationale. Les Canadiens auraient bien besoin de lui, mais grâce à Frank Selke,

O'Connor marque des buts pour les Rangers. Les spectateurs désertent le Forum. Ils reviendront quand on y verra des victoires! Pourquoi assister au massacre des Canadiens? Malgré les petits cadeaux de l'administration de l'équipe, les journalistes se permettent de penser sur leur machines à écrire. Frank Selke perçoit une odeur de révolution. Et Dick Irvin a les nerfs à fleur de peau. Arrive le temps de Noël. Après une autre défaite, un journaliste surgit dans le vestiaire costumé en père Noël. Le joyeux bonhomme à la barbe blanche rit de son gros rire dans ce salon mortuaire. Dick Irvin, comme s'il trouvait soudainement le coupable de tous ses malheurs, chasse le père Noël à coups de pied. Ce soir-là, les journalistes n'ont pas à se creuser les méninges pour trouver le sujet de leur article.

Même s'il ne marque plus de buts, le Rocket demeure la cible favorite des adversaires. Ils craignent le réveil du champion. Le Rocket est une matière dangereuse; il faut l'emballer de la bonne façon. Il est encore le joueur qu'il faut harceler. Du plus grand au plus petit, du meilleur au pire, chaque adversaire tente sa chance contre lui. On essaie de faire chanceler le Rocket, de l'écraser, de l'ébranler... Mais l'adversaire qui se frotte au Rocket sent sous l'uniforme un corps dur comme le roc. Le Rocket est patient. Coupable de ne pas marquer, il ne veut pas en plus nuire à son équipe en prenant des pénalités pour avoir retourné à l'envoyeur un coup reçu.

Une malchance en attire une autre. Le 10 janvier 1948, Bill Juzda accable Toe Blake d'une mise en échec. La lame du patin droit de Blake se coince dans une fissure de la glace; son corps est projeté en avant; la jambe se tord, la cheville craque, casse. Ce n'est qu'une fracture. Toe Blake, grand seigneur au-dessus des catastrophes, prédit son retour pour les séries éliminatoires. Les partisans aiment son tempérament confiant. Cependant, avec toutes ces malchances qui les torpillent, les Canadiens atteindront-ils les semi-finales? Si seulement le Rocket... Qui sait? Il existe une force du désespoir... La chance des malchanceux... Peut-être verra-t-on la coupe Stanley briller au bout du tunnel... Si seulement le Rocket... Oh, il ne dort pas. Voyez-le gigoter! Le meilleur joueur de hockey de tous les temps est égaré comme le petit Poucet dans la forêt; il ne trouve plus le sentier vers le filet.

Toe Blake ne reviendra pas. Maurice, songeur, s'enroule dans sa carapace d'athlète coriace. Il est bouleversé. Une belle histoire est finie. Toe Blake ne jouera plus au hockey. Des accidents arrivent quand on joue à ce jeu... Adolescent, le Rocket écoutait, à la radio, les prouesses de Toe Blake. Joueur amateur, Maurice s'inspirait de Toe Blake. Ensuite, il a été admis chez les Canadiens, dans la même équipe que lui. Puis il a été son partenaire sur la ligne Punch. La carrière de ce grand joueur a été brisée. Le Rocket n'a aucune envie de pardonner à Juzda. Il va regretter son abordage de Toe Blake. Le Rocket est enragé comme si c'était lui qui était blessé. Toe Blake ne peut plus patiner? Le Rocket lui donnera ses jambes. Toe Blake ne peut plus tirer sur les gardiens? Le Rocket lui prêtera ses bras. La carrière de Toe Blake est terminée; le Rocket va poursuivre sa tâche. En retour, peut-être l'esprit de Toe Blake lui redonnera-t-il le pouvoir perdu?

Le 18 janvier, à Boston, Maurice cravache Milt Schmidt. Le coup n'a pas échappé à l'arbitre Bill Chadwick qui lui indique la direction du cachot. Le Rocket n'est pas convaincu qu'il mérite cette pénalité. Le coup était rude, oui, mais le hockey n'est pas un jeu pour personnes délicates. Le coup appliqué n'était pas contre les règles. Pourtant il se dirige vers le cachot avec la soumission du petit bonhomme qui n'a pas envie d'aller à l'école. S'il n'était pas Maurice Richard, le Canadien français, le marqueur de cinquante buts en cinquante matchs, il n'aurait pas été puni. À peine assis au banc des pénalités, il décide qu'il ne devrait pas être là. Il saute sur la glace, pour venir discuter avec l'arbitre. Il détient de bons arguments, pense-t-il. Selon l'usage, un joueur ne doit pas discuter avec l'arbitre. Sachant avec quels argument le Rocket plaide ses causes, Murph Chamberlain essaie de le retenir: ce n'est pas le temps de commettre une coûteuse bêtise. Le Rocket se débat comme si Chamberlain était un adversaire. Il se dégage et, comme s'il montait vers le filet, il se dirige vers l'arbitre. Chadwick voit charger vers lui un taureau furieux. Il recule. Tout en signalant qu'il impose au Rocket une punition de mauvaise conduite pour le reste du match. De plus, il réclame le renfort d'un policier qui escorte au vestiaire le meilleur marqueur de buts de l'histoire. Clarence Campbell lui impose en sus une amende de 75 $.

Les partisans commentent les événements. Clarence Campbell a de l'éducation. Il a étudié le droit en Angleterre. Trop d'éducation n'est pas toujours une bonne chose. Au lieu de punir à tout moment le Rocket, l'arbitre devrait ouvrir les yeux; il s'apercevrait qu'il est sans répit pourchassé, assailli, asticoté, provoqué. Certains suggèrent que Campbell et Irvin sont taillés dans la même étoffe. Pour eux, les Canadiens français sont des porteurs d'eau en temps de paix et de la chair à canon en temps de guerre. Ni Campbell ni Irvin ne parlent français. Dick Irvin a ses préjugés: des joueurs qui s'appellent Rousseau, Pépin, Dubé restent assis sur le banc des joueurs tandis qu'il envoie dans l'action des jambons qui parlent anglais. Et les Canadiens perdent... L'un des partisans grogne plus fort que tous les autres: il va mettre le feu au Forum si Dick Irvin demeure instructeur! Les Canadiens ne blâment pas leur instructeur. Dick Irvin les a menés à de belles victoires dans le passé. Il conduira encore l'équipe vers de nouvelles conquêtes. Ils ont confiance en lui. Comment le lui dire? Ils se présentent sur la glace, coiffés d'un grand chapeau rouge de pompier. S'il y a incendie au Forum, les pompiers sont prêts!

La ligne Punch n'est pas reconnaissable. Toe Blake est absent. Le Rocket ne produit plus. Auparavant l'instructeur commandait un but et la ligne Punch livrait, comme une lettre à la poste, la rondelle dans le filet des adversaires. Depuis l'ouverture de la saison, ce commando se fait maintenant retourner à la frontière. La ligne Punch ne répond plus aux urgences.

Pendant que les partisans des Canadiens s'inquiètent des embarras de leur équipe, Mackenzie King assiste, éberlué, à l'enlisement de son projet de drapeau national dans la logomachie, les divisions culturelles, régionales et ethniques, les préjugés historiques. Maurice Duplessis, le premier ministre de la province de Québec, a continué de prêcher l'autonomie provinciale. Quelle force politique pourrait générer un symbole tel qu'un drapeau provincial! Mackenzie King a échoué. Duplessis réussira. Sans rien laisser prévoir d'inhabituel, il prend la parole à l'Assemblée législative, comme tous les jours, en début d'après-midi. Sur le ton ordinaire d'un discours peu important, il rapporte qu'il a fait approuver, par un Conseil des ministres unanime, l'adoption d'un drapeau pour la province de Québec. Et il annonce que, en ce moment même où il parle, un employé sur le toit de l'édifice déploie, dans la brise qui monte du fleuve Saint-Laurent, le drapeau fleurdelisé. «Duplessis lance et compte!» Comme après un but du Rocket, adversaires et partisans sont médusés. Adélard Godbout, le chef de l'Opposition, ne peut se retenir d'exulter: «Désormais, nous nous sentirons plus chez nous.»

À la fin de février, Bill Durnan est, une fois de plus, hué par les partisans. Une autre défaite, 5 à 2 contre les Red Wings. Il ne se sent plus capable d'endurer ce blâme. Il n'est pas venu au monde pour recevoir le mépris de la foule. Il joue même si son genou est insupportablement douloureux. Il n'a jamais cillé devant une rondelle qui pouvait lui exploser à la figure. Dans le vestiaire, parmi ses coéquipiers mal à l'aise, il éclate en sanglots. Il veut vraiment abandonner le hockey.

Dick Irvin essaie de le consoler. Ce n'est pas le moment de quitter le bateau. Dick Irvin aperçoit des signes d'espoir. Quand les choses iront mieux, on oubliera bien vite ces petites tensions. Les Canadiens peuvent encore gagner la coupe Stanley si chacun accepte de faire sa part. Bill Durnan ne doit pas partir. On n'a pas de remplaçant. Dick Irvin a besoin de son gardien. Malgré la fatigue, le découragement, comment pourrait-il déserter? Au match suivant, il se prépare à recevoir le dur éclair de caoutchouc... Et le Rocket a recommencé à produire des buts.

Cependant la malchance ne quitte pas les Canadiens. Vers la fin d'un match contre les Red Wings, les Canadiens sont assurés de gagner. Mise au jeu dans la zone des Canadiens. La rondelle dévie vers le défenseur Roger Léger. Il s'empresse vers la ligne rouge. Le défenseur, comme un joueur d'attaque, va passer la ligne rouge, atteindre la ligne bleue qui ne lui semble pas très bien défendue, la traverser, il va s'approcher du gardien de but, tirer... «Terrible» Ted Lindsay s'amène, lourd comme un tank, et tout en jetant sur Léger la masse de son corps, il lui sert un coup de coude au visage. Le défenseur se met à sautiller. Sa danse fait s'esclaffer des spectateurs. Léger tousse, crache. Il se frappe le ventre, se tortille. Les joueurs s'approchent. Que se passe-t-il? La rondelle est devant ses patins. Il étouffe, il se claque la tête. Il se tord. Tournant le dos à la rondelle, il se précipite vers le banc de son équipe en faisant des signes désespérés. Incompréhensibles. Finalement, quelqu'un devine. Dans son contact avec Lindsay, Léger a avalé sa prothèse dentaire. Un volontaire se hâte de lui retirer de la gorge l'objet encombrant. L'arbitre n'a pas interrompu le jeu. Les Red Wings aperçoivent une occasion que seul Dieu pouvait leur envoyer. Ils s'emparent de la rondelle où Léger l'a laissée, et attaquent un Bill Durnan seul, tout à fait vulnérable. Égalité.

Le genou du Rocket est guéri. Son pouvoir magique lui a été rendu. Il ne s'inquiète plus. Il joue. Son tir est dévastateur. Les partisans jubilent. Tout va mieux dans la province de Québec. Le Rocket défonce les meilleurs gardiens de buts. Les défenseurs ont l'air godiches quand ils s'amènent vers lui, pesants, les épaules massives, avec leurs gestes de bûcherons. Le Rocket passe comme s'il n'était que du vent. Les Canadiens vont participer aux semi-finales. Il faut gagner. Le Rocket marque des buts. La coupe Stanley n'est plus inaccessible.

Au début mars, les Rangers sont en panne. Pendant sept matchs consécutifs, il ne peuvent s'approprier une seule victoire. Leur débandade favorise les Canadiens. La porte des éliminatoires s'entrouvre. Le jeu du Rocket est un feu d'artifice. Malheureusement, en dépit de leurs efforts, leur esprit combatif, les Flying Frenchmen ne sont plus que des tortues. Le Rocket garde espoir. La défaite les dévore comme un méchant dragon; le Rocket va, attaque, tête baissée, sans peur, téméraire, avec une certitude inébranlable qu'il peut gagner son combat.

À la fin de la saison, les Canadiens seront éliminés comme de vrais perdants. Cependant il reste un match. Un dernier; contre les Rangers. Il n'aura aucune conséquence. Qu'ils gagnent ou qu'ils perdent, les Canadiens seront absents des éliminatoires. Le Rocket se décarcasse comme s'il allait mettre sa main sur la coupe Stanley. En dépit des difficultés, il est le Rocket. Le Rocket est un feu qui brûle jusqu'à la dernière brindille de son énergie. Il joue pour Toe Blake qui ne peut plus jouer. Il joue pour redonner de la fierté aux partisans. Il joue parce qu'un Canadien français traverse les calamités et poursuit son chemin, blessé, mais la tête haute, fort et sans crainte. Le Rocket se prodigue parce qu'il y a de la glace sous ses patins, parce qu'il y a une rondelle à conquérir et, parce qu'il y a, à l'autre bout de la patinoire, le filet des adversaires. Ce match n'a d'importance que pour lui. Parce que c'est un match. Il marque un but à la première période. À la dernière minute de la deuxième période, l'instructeur de New York retire son gardien. Le Rocket tire dans le filet ouvert. À la troisième période, le Rocket marque un autre but. C'est un tour du chapeau!

Ce match est inutile. Les Canadiens ont été éliminés. Cependant les partisans célèbrent! Les incrédules ont vu que les Canadiens sont les plus forts. Grâce à ce tour du chapeau de Maurice Richard, les Canadiens sont les vrais vainqueurs. Le Rocket n'abandonne pas les siens. Merci, Maurice! Ils sont contents. Un tour du chapeau est un réel exploit, mais les partisans lui réclament un autre but. Pour le plaisir. Pour l'art. Pour se venger du mauvais ange de la malchance. À cause de leurs cris, le Rocket se sent fort; il ravage la défensive. C'est un quatrième but! Un triomphe! Un triomphe inutile. Si avides d'être aimés, les Canadiens français ont une incroyable capacité d'aimer.

Contrairement à la célèbre fable, les tortues n'atteignent pas la ligne d'arrivée avant les lièvres. Le temps redevient triste sur la province de Québec. Les séries éliminatoires se déroulent ailleurs, au loin. Le Rocket, après une première moitié de saison stérile a, durant sa seconde moitié, récolté 28 buts et 25 mentions d'aide.

Tout ne va pas très bien dans la province de Québec. Un peu partout, l'atmosphère s'imprègne d'un malaise. Un inconfort. On sent qu'on ne peut pas gagner la partie. Les usines ralentissent. On renvoie des ouvriers. Certaines, selon la rumeur, pourraient fermer. Les unions ouvrières s'inquiètent: où est disparue la belle force économique des années passées? Plusieurs craignent un ressac du chômage. Les gens se sont endettés en prenant des hypothèques. Et il y a ces nouvelles maladies. Des mineurs seraient morts parce qu'ils ont respiré de la mauvaise poussière. La silicose. On parle de villages entiers où la vie serait empoisonnée à cause de la poussière d'amiante. Les unions ouvrières s'émeuvent. Les patrons nient le danger. Bien sûr, dans leurs bureaux, ils n'ont pas à respirer la poussière. Pourquoi les patrons s'inquiéteraient-ils? Ce sont les ouvriers qui sont malades. Il n'est pas difficile de remplacer un ouvrier. Il n'est pas difficile de remplacer un Canadien français. Les patrons demeurent en bonne santé. Ils ramassent les bénéfices, tandis que les porteurs d'eau, la viande à canon, s'esquintent. Ainsi l'on parle, en attendant le retour du hockey...

Histoire d'un pauvre orphelin

1948. En juillet, la province de Québec s'anime pour la fête d'une campagne électorale. Maurice Duplessis promet de sauver notre province de la noyade fédérale. L'autonomie est notre seule planche de salut. Qu'est-ce que l'autonomie? Il explique aux gens que s'ils ne l'ont pas, il leur manque quelque chose d'important. Alors ils votent pour l'autonomie. Et Duplessis s'empare de 82 des 92 sièges fauteuils à l'Assemblée législative.

Avec ses jours ensoleillés et le parfum de l'autonomie, l'été efface les souvenirs glacés de l'hiver. On oublie les difficultés qu'a traversées le Rocket. Plus les jours nous éloignent des défaites subies par les Canadiens, moins elles ont d'importance. Et le Rocket apparaît comme il est: le meilleur joueur de hockey de tous les temps. Pour nous, les enfants, le Rocket, avec son bâton, ressemble au Gengis Khān de nos bandes dessinées, dans les vastes plaines de la Mongolie. Le Rocket conquiert les patinoires dans de terrorisantes cavalcades, son bâton brandi comme un sabre. Il tire au but avec la précision d'un archer. Ruse, endurance, témérité...

À cause de la modestie dans laquelle s'enveloppe sa volonté démesurée, à cause de la timidité dans laquelle se cache une bravoure déraisonnable, les Canadiens français s'identifient à Maurice Richard. Lorsqu'il arrive sur la patinoire, c'est un nouveau chapitre de leur vie qui débute. Ils suivent chacun de ses gestes avec une dévotion religieuse. Nous avons peu de héros à admirer. Notre société n'a pas produit d'hommes de science ni de grands artistes. Quelques grands entrepreneurs? Ils sont passés du côté des conquérants, juge-t-on. Quant aux hommes politiques, ils sont impuissants. La misère a créé un peuple égalitaire. La misère et l'ignorance sont un sol où le talent n'a pas fleuri.

Cette année, cependant, les foules accourent au théâtre pour voir une pièce de Gratien Gélinas, *Tit-Coq*. On a de la sympathie pour ce pauvre orphelin qui a tout raté. *Tit-Coq* s'est enrôlé parce la guerre était le seul travail qu'on lui offrait, comme à des milliers de Canadiens français. Il s'est enrôlé parce qu'il était désespéré. Dans l'armée, en Angleterre où il a été expédié, comme beaucoup de Canadiens français, il était mal à l'aise sous les ordres des Anglais. La discipline lui était insupportable comme aux Canadiens français quand ils doivent obéir. Chanceux de n'avoir pas perdu la vie, il revient au pays pour découvrir que, en son absence, sa fiancée a épousé quelqu'un d'autre.

Les journaux célèbrent la naissance d'une dramaturgie nationale. L'université déclare que Gélinas a compris l'âme des Canadiens français. Le peuple est touché. Ce petit bâtard impétueux fait rire et pleurer. L'inconfort de *Tit-Coq* ne nous est pas étranger. Les Canadiens français sont une seule et nombreuse famille. Tous sont cousins. On se connaît trop pour s'admirer. Cependant Maurice Richard réveille des remous sous la conscience des Canadiens français. «Rien ne change au pays de Québec», assure *Maria Chapdelaine*, une œuvre littéraire de 1914 que tous ceux qui ont fréquenté l'école connaissent. Cette citation n'est plus vraie. La province de Québec est entrée dans une nouvelle saison.

Après le soulèvement des Patriotes contre le gouvernement en 1837, Lord Durham est venu de Londres étudier la situation des Canadiens français sous la domination britannique. Le fonctionnaire ne voit qu'une solution: intensifier l'immigration anglophone et protestante pour faire, de ce groupe français et catholique, une minorité contrôlable. Pour résister à la noyade recommandée, le clergé catholique a déclenché une campagne de natalité: la revanche des berceaux. Depuis, au Canada français, on craint que l'immigration soit un moyen de rapetisser l'importance de notre peuple.

L'immigration est un constant sujet de discussion. Entre 1946 et 1950, le Canada a reçu un total de 430 489 immigrants. Parmi eux, on ne relève que 5 573 immigrants d'origine française. Le gouvernement fédéral veut «contrecarrer la progression de l'élément français», proteste l'historien nationaliste.

Les idées nouvelles viennent doucement «sur les pattes d'une colombe», a dit Gœthe, le poète allemand. Dans une minuscule librairie située sur la rue Sainte-Catherine, près de la rue Saint-Laurent qui divise la communauté anglophone et la communauté francophone, sont empilés jusqu'au plafond les livres interdits par l'Église catholique ou par la police de Duplessis. C'est un lieu de perdition où viennent pécher avec délices les lecteurs qui veulent déguster les fruits interdits de la littérature. En ce soir du 9 août, quelques dizaines d'artistes et d'intellectuels sont réunis pour le lancement d'une plaquette miméographiée sur stencil: *Refus global*. Ce manifeste signé par 17 artistes, peintres, danseurs, poètes, s'attaque au conservatisme de leur société, restée française et catholique par résistance aux vainqueurs, par instinct de survie, par nostalgie. Aujourd'hui, les auteurs du manifeste professent que «les frontières de nos rêves ne sont plus les mêmes».

Comme le Rocket, ils veulent renverser les défenseurs qui leur obstruent le passage vers leur liberté: «La honte du servage sans espoir fait place à la fierté!» Le manifeste lance un blasphème contre notre église catholique folklorique et caricaturale qui contrôle les consciences, l'éducation, l'histoire, la politique: «Au diable le goupillon et la tuque!» Les jeunes artistes promettent d'obéir à leur rêve: «Nous poursuivrons dans la joie notre sauvage besoin de libération.»

Attaqués par ce modeste document, les milieux conservateurs réagissent comme des bourreaux. Les signataires qui ont des emplois sont congédiés. Ceux qui n'en ont pas n'en trouveront pas. Ils sont dénoncés dans la presse. Ridiculisés.

Maurice Richard ne lit pas le *Refus global*. À peine lit-il le contrat qui va le lier aux Canadiens pour une autre année.

Maurice Richard porte le chandail des Maple Leafs

1948. Maurice Richard entreprend le camp d'entraînement. Il exerce son tir. Avec obsession, il recommence et recommence. Les yeux fermés, il peut atteindre le point précis qu'il a choisi dans le filet. Pourtant il s'entraîne comme la recrue qui veut se classer dans l'équipe. Il est le patineur le plus rapide de la Ligue nationale, mais il passe de long moments à faire le tour de la patinoire, poussant ses jambes toujours plus fort, essayant d'accélérer, exigeant de chacun de ses muscles un effort maximum. Il expérimente des manières de freiner. Il fait des détours brusques, sans ralentir, comme s'il poursuivait une ligne droite. Avec la ligne Punch, il répète le répertoire des passes, il en invente d'autres pour que surgisse la magie. La saison est allongée; on disputera 70 matchs plutôt que 60.

Les Red Wings s'amènent avec une nouvelle formation constituée de Sid Abel, Ted Lindsay, un rude ailier gauche, et Gordie Howe: la Production Line. Sept ans plus jeune que le Rocket, Gordie Howe est, comme lui, un fier combattant. Il déblaie tout ce qui encombre le chemin qu'il a choisi. Comme Richard, il impose le respect. Si l'on craint ses coups, pense-t-il, il gagne autour de lui plus d'espace, plus de liberté de manœuvre. Comme le Rocket, il est doté d'un tempérament explosif. Comme le Rocket, Gordie Howe a eu une enfance pauvre; tous deux se sont débattus pour survivre. Tous deux ont aussi vécu des journées entières sans retirer leurs patins. Tous deux ont disputé des matchs criards, sur la surface glacée de la rue. Tous deux ont travaillé à développer leurs muscles. Maurice pédalait sur sa bicyclette; Gordie Howe, pour renforcer ses épaules, se laissait pendre au linteau de la porte. Tous deux portent le numéro 9. De la part de Gordie Howe, est-ce une marque d'admiration? Est-ce une subtile provocation?

Les Canadiens présentent une défensive imprenable avec Doug Harvey qui s'est joint à l'équipe l'an dernier, le costaud Butch Bouchard et l'ardent Ken Reardon. Bill Durnan, guéri du mal à son genou, semble aussi guéri de son désarroi. Au camp d'entraînement, il défend son filet comme à l'époque où il était le meilleur gardien de la Ligue nationale.

Les Canadiens, l'an dernier, ont subi l'affront de n'avoir pas été admis aux éliminatoires. Cette saison, ils vont lutter à la vie et à la mort. On reçoit les coups. On les rend comme des prêts à taux cumulatif! Les rancœurs s'accumulent. Une atmosphère de rivalité déflagrante s'installe quand Montréal rencontre Toronto. Il suffit de quelques frottements d'épaules pour qu'éclatent les forces sauvages. Le Rocket cravache. Match après match, il repousse les doutes qui le rongent dès que le match est terminé et durent jusqu'à ce que commence le suivant. Seule l'action chasse l'anxiété.

Les Canadiens accueillent les Black Hawks. Les partisans sont surexcités: le Rocket marquera-t-il, ce soir, son 200ᵉ but? Ils veulent ce but. C'est au Forum que le 200ᵉ but du Rocket doit être inscrit. Ce soir! Ils attendent ce cadeau, ils le réclament. La fête est déjà commencée. Quand le Rocket s'approche de la ligne bleue des adversaires, les cris le poussent comme la bourrasque pousse la voile. Le Rocket zigzague entre les défenseurs. Les partisans sont debout. Ils ne veulent pas rater l'exploit. Les yeux de 14 000 personnes sont rivés sur la rondelle. Le magicien va la faire disparaître. Le Rocket s'approche du filet. Les 14 000 personnes dans le Forum, tout le monde dans la province de Québec, ont leurs pieds dans les patins du Rocket, ont les épaules dans ses épaulettes, tiennent son bâton, sont le meilleur joueur de hockey au monde. Nous sommes ce petit Canadien français qui n'a peur de personne. Il tire. Hocus Pocus!... Non. On se rassied. Il tire encore. Cette fois, il marque! On se lève. Non. On se rassied. Le Rocket va marquer son 200ᵉ but. Il est animé d'une inspiration épique. Il mitraille le gardien de but. Il a déjà donné à ses partisans un bouquet de trois buts. Ceux qui ne sont pas au Forum, des gens de tous âges, des vieillards et des enfants, même des femmes, sont recueillis autour d'une radio où il y a autant de friture que dans une poêle... Kenny Mosdell lui passe la rondelle et le Rocket dupe le gardien des Hawks. Un énorme hurlement de tribu victorieuse éclate: son 200ᵉ but. Des amateurs qui connaissent le hockey comme le rabbin connaît la Bible font un commentaire: pour atteindre son 200ᵉ but, Nelson «Old Poison» Stewart a disputé 340 matchs; le Rocket n'en a disputé que 308. On se félicite. Nous avons marqué notre 200ᵉ but! La semaine s'annonce bonne.

Ce lundi 17 janvier 1949, on ouvre le journal, on écoute la radio. Les instituteurs et institutrices laïques catholiques sont en grève. Des instituteurs en grève! C'est immoral. Les prêtres se mettront-ils aussi en grève? On pensait que les instituteurs avaient trop d'instruction pour descendre au niveau des ouvriers. Ils osent tourner en rond avec des pancartes au lieu d'enseigner aux enfants à être de bons Canadiens français catholiques. La population est choquée. L'archevêque, rappelant les devoirs de l'éducateur, supplie Duplessis de rétablir la discipline dans les écoles. Les grévistes, assurent les parents, mettent en danger l'avenir des enfants. L'astucieux Duplessis attend que chacun ait eu le temps d'exprimer son insatisfaction. Peut maintenant apparaître le sauveur qui déclarera cette grève illégale.

De l'école primaire à l'université, l'Église catholique exerce un monopole sur l'éducation. Les instituteurs laïques sont des employés subalternes. Les postes de responsabilité appartiennent, par droit divin, à des personnes en uniforme religieux. Cette grève des instituteurs laïques a fait trembler la terre. Quelques fissures apparaissent dans les murs du château-fort de l'Église. Il y a de la révolte sous la glace de la province de Québec.

À la mi-session, la compétition est serrée. Seulement onze points séparent la première équipe de la dernière. Chaque engagement est une tentative désespérée d'avancer. Il est interdit de reculer. On doit gagner. Les joueurs s'échinent. Chaque mise au jeu est un abordage. Chaque seconde est brûlée par la volonté de gagner. D'instinct ces jeunes mâles se battent pour établir leur suprématie. Les haines professionnelles, parfois personnelles, s'enveniment. Contusions. Douleurs. Le moindre recul est fatal. Le moindre avantage est précieux. Les Maple Leafs, qui ont gagné la coupe en 1947 et 1948, sont enlisés. Quelle humiliation pour des champions! Les Maple Leafs sont en cinquième position. Seront-ils capables de se hisser jusqu'à la semi-finale? Conn Smythe a appris l'art de la guerre. Il doit ravigorer ses troupes. Il doit accroître sa force de frappe. Quel joueur pourrait renforcer son offensive?

Conn Smythe part à la chasse au Rocket. Ses chances de réussir sont assez bonnes. Le Rocket n'est pas très heureux du salaire que lui accorde Frank Selke. S'il échoue, il aura perturbé l'harmonie des Canadiens. En fait, il remue les cendres tièdes pour que le feu renaisse. Et la presse, la radio s'intéressent à ses Leafs. Quel maquignon inspiré!

Il y a deux ans, Conn Smythe a offert un cadeau à Lucille si elle convainquait le Rocket de passer dans son équipe. Cette fois, il délègue son instructeur, Hap Day, pour transiger. L'argent, lui a précisé Smythe, n'est pas un obstacle à la transaction. Hap Day sait que le Rocket n'est pas facile à gérer. Il sait que le Rocket est blessé par la parcimonie de l'administration des Canadiens. Il sait aussi que, encore une fois, sa machine à marquer des buts est en panne. Au jugement de Hap Day, le Rocket a besoin d'air nouveau: il doit quitter Montréal. Toronto est la meilleure destination possible. On l'y déteste à causes des dommages qu'il a infligés aux Leafs, mais ce sentiment se transformera en adoration dès que le Rocket, sur la ligne d'attaque des Leafs, démolira les Canadiens!

Le Rocket quittera-t-il Montréal pour Toronto? On se doute que Maurice ne file pas le parfait amour avec Frank Selke. Ces patrons-là, comme les patrons dans les usines, ne sont pas habitués à payer un Canadien français à sa juste valeur. Le Rocket va endurer. Il veut jouer pour les siens. Il ne trahira pas notre race. Dans les cuisines des familles, dans les salons de barbier, les salles de quilles, on se préoccupe. Certains pensent que les administrateurs vont l'échanger; ils ont de bonnes raisons financières.

Frank Selke analyse l'offre de Conn Smythe. Jamais dans l'histoire du hockey on n'a offert une telle fortune pour un joueur de hockey. L'offre semble sérieuse. L'est-elle? Serait-ce une ruse de Conn Smythe pour infecter l'esprit de corps des Canadiens? Ne cherche-t-il pas à obtenir de la publicité gratuite pour son équipe? Frank Selke se méfie. La proposition financière est intéressante. Il pourra sans doute obtenir un peu plus; personne n'a abattu le record de ses cinquante buts en cinquante matchs. Ses partisans accepteront- ils l'exil du Rocket? Entre le Rocket et les Canadiens français, il y a les mêmes liens qu'entre un érable et le sol. Veut-on déplacer l'arbre? Il faudrait déménager le sol aussi. Si le Rocket quitte les Canadiens pour aller chez les Maple Leafs, les partisans vont démolir le Forum. Selke et Irvin seront pendus sur les décombres.

Le *Globe and Mail* publie en page frontispice une photographie truquée. Le Rocket a endossé le chandail des Maple Leafs. Selon la légende sous la photographie, l'uniforme lui va bien.

Que pense le Rocket? Il se sent fatigué. Les partisans exigent de lui la perfection. Ils espèrent un fait d'arme dès qu'il effleure la rondelle. Aussitôt que la lame de son patin touche la glace, les partisans l'accueillent comme si le frère André s'amenait. Le miracle ne se produit pas? Les partisans le lui reprochent. Et leur déception est bruyante. Il n'est pas facile d'avoir pour maîtres les partisans des Canadiens. D'autre part, cette dictature est exaltante. La terrible exigence des partisans est son carburant. Le plus grand joueur de hockey de tous les temps, un Canadien français, acceptera-t-il d'aller jouer dans une ville anglaise? Pourrait-il revenir jouer, comme un traître, contre les Canadiens, son équipe?...

Maurice parle de la situation avec Lucille. Tous deux sont d'accord. Ce qu'il faut au Rocket, c'est de jouer au hockey. Après Montréal, Toronto est la meilleure ville pour jouer au hockey. Donnez du bon hockey aux Torontois et la foule applaudit comme au Forum. Bien sûr, les partisans des Leafs le huent, mais il leur impose le respect. Parfois, aussi, la foule l'acclame... Que pense vraiment le Rocket?

Le 3 février, les Maple Leafs se sont assurés d'un avantage contre les Canadiens qui se sont laissé dépasser par une équipe plus faible qu'eux. La ligne Punch tente de combler la différence. Le Rocket s'évertue comme s'il était seul. Pourtant il ne l'est pas. Les défenseurs sont solides à la ligne bleue, mobiles. Ses coéquipiers sont ubiquistes. La rondelle va de l'un à l'autre; quand elle leur échappe, ils se ruent, exténués. Avec les élans et les reculs, les attaques et les fuites, avec le va-et-vient impétueux et les collisions, les spectateurs sont, comme les joueurs, hors d'haleine. Les Maple Leafs ne laissent pas filer leur avantage. Partout dans la province de Québec où il y a un appareil de radio, il y a aussi un cercle de silence dans lequel flottent des visages inquiets: comment cela va-t-il se terminer? Quelques années plus tôt, on se recueillait ainsi pour écouter les nouvelles de la guerre.

Le hockey est une tapisserie qui se fait et se défait à mesure. On n'aperçoit que les mouvements de la navette. La tapisserie s'achève par un dernier nœud noué dans le filet de l'adversaire. Les Canadiens s'appliquent. Personne ne déteste plus que le Rocket la supériorité momentanée des Leafs. Il se multiplie, il peine comme un bœuf de travail à qui auraient poussé des ailes. «Wild» Bill Ezenicki, comme d'habitude, se colle à lui. Les partisans des Canadiens le lui reprochent: «Sangsue!» Parfois: «Bloodsucker!» Ezenicki restreint ses mouvements, il contrecarre ses échappées. Combien de temps le Rocket retiendra-t-il sa colère? Les deux joueurs se tamponnent. Une collision volontaire. Une collision hargneuse. Les deux bâtons sifflent. À deux mains, Ezenicki et Richard «s'estramaçonnent». Les bâtons se brisent. Désarmés, il luttent à mains libres. Maurice connaît les prises des lutteurs: il «encarcanne» le cou d'Ezenicki dans son bras. Une prise d'étranglement. Ezenicki ne peut plus respirer. Ses bras cessent de gesticuler. Son corps s'amollit. Étouffé. Il tombe à genoux. Richard ne lâche pas prise. On intervient pour les séparer. Richard ne cède pas. Ezenicki va crever! Brisez l'étreinte! L'arbitre les envoie au cachot. Le Rocket suit Ezenicki. Ils sont à une portée de bras l'un de l'autre. Au bout de chaque bras, il y a un poing... Combat de boxe. Les coups portent. Chacun les absorbe comme un sac. Un sac, cependant, ne saigne pas. Les coups pleuvent comme des briques. Ezenicki et le Rocket s'affrontent pour le championnat national de boxe. La foule a oublié qu'elle est venue à un match de hockey. Elle encourage les boxeurs. Elle célèbre les coups qui dévastent. Hue le boxeur torontois. Acclame le boxeur canadien-français, l'orgueil de la race, la fierté de la nation. Corps à corps forcené. Finalement Ezenicki s'aplatit sur la glace. Triomphe du Rocket! Toronto sait de quel bois on se chauffe à Montréal.

Ezenicki, avec peine, se relève. Il est étourdi. Ses jambes flageolent. Butch Bouchard s'amène, se courbe, charge le corps mou sur son épaule et, devant les Maple Leafs éberlués, il le dépose pardessus la clôture. Les partisans jubilent. Dans leur vie quotidienne, ils sont souvent perdants. Quel plaisir ils ont de prendre leur revanche autour de la patinoire! Leur triomphe, malheureusement, n'est pas total. Les Maple Leafs remportent la victoire 4 à 1. Le Rocket a épargné aux Canadiens l'opprobre d'un blanchissage en déjouant Turk Broda.

Le 9 février, les Canadiens et les Maple Leafs se retrouvent à Toronto. Plusieurs, éclopés, ne sont pas en mesure d'affronter les hostilités. Dick Irvin demande au Rocket de jouer en dépit d'une blessure aux côtes. Ses troupes sont décimées. Les Maple Leafs se rendent compte de la situation. Ils vont en tirer tout le profit possible. Moins nombreux, les Canadiens vont se fatiguer plus vite. Leur défensive est affaiblie; leur moral ne peut qu'aussi être affaibli. Ils doivent douter de leur pouvoir de gagner. Confiants, implacables, les Leafs roulent sur les Canadiens comme ce gros rouleau à tasser le gravier sur les routes que Duplessis construit dans les campagnes. Les Maple Leafs se donnent un avantage de 2 à 0. Leur attaque ne se relâche pas. Impitoyables, ils veulent démanteler les Canadiens, disloquer leurs tactiques, crever leur espoir de participer aux séries éliminatoires.

Malgré la douleur que lui cause sa blessure dès qu'un muscle se contracte, le Rocket n'abandonne pas le bateau quand les ennemis l'abordent. Capitaine Courage, il se défend avec bravoure et insuffle de la vigueur à la ligne Punch. L'enjeu semble impossible; c'est le moment où le Rocket se révèle à son meilleur. Ses coéquipiers lui cèdent la rondelle. Les Maple Leafs l'encerclent. Deux fois, le Rocket trompe leur vigilance. Deux fois, recevant des passes de Murph Chamberlain et de Kenny Mosdell, il s'enfuit. Alerte générale! On lui barre le passage. Deux fois, il s'approche du gardien de but qui, deux fois, voit un éclair siffler près de lui. Le Rocket a évité un blanchissage. Il a donné à son équipe un match nul. Pour Maurice, ne pas gagner est une défaite.

Intermède bref sur le thème du changement

1949. On invente toutes sortes de choses nouvelles. On invente même de nouvelles maladies. Il y a dans l'air des usines des poussières mortelles. Les travailleurs s'empoisonnent. Les prêtres avaient donc raison de dénoncer les villes. Ils prêchaient qu'elles sont la damnation des Canadiens français. Sur les fermes, l'air du bon Dieu ne rend pas malade. Dans les manufactures, les Canadiens français s'empoisonnent avec de la poussière mortelle et des idées communistes. Dans une petite ville dont personne n'a jamais entendu parler, Asbestos, il y a, au milieu, une mine comme un cratère de volcan. La ville respire la poussière empoisonnée qui monte de là. Les gens meurent jeunes. Les médecins appellent leur maladie l'amiantose. La compagnie qui exploite ces mines n'est intéressée que par les profits. Duplessis ne fait rien. Il ne veut pas que les industries fuient vers l'Ontario. Il tolère ce gaspillage de vies humaines. La traditionnelle servilité n'existe plus. Chair à canon? Non. Esclaves des compagnies? Non. Les ouvriers sont des hommes. Les hommes sont de l'espèce qui se tient debout. On ne veut plus céder sa vie à une compagnie pour une poignée de dollars.

Les ouvriers, leurs chefs syndicaux sont fervents du hockey. Ils bavardent, ils discutent de telle mise en échec, de telle passe réussie ou ratée, de telle montée, de tel ou tel tir. Ils sont d'accord sur un point: le Rocket ne se laisse intimider par personne: ni plus gros que lui ni plus fort que lui. Il ne perd pas de temps à réfléchir avant de se défendre. Il rend coup pour coup et un peu plus. Il se tient debout et ne s'en excuse pas. Il sait ce qu'il veut. Ce qu'il veut, il l'arrache. Il veut un but: il le marque. «Le temps des Canadiens français dociles est fini. Regardez Maurice Richard!»

À Asbestos, les ouvriers de l'amiante réclament une augmentation de salaire, une prime pour leur travail de nuit et des vacances annuelles de quatorze jours. Vu la détresse des familles dont le père est malade ou décédé des suites de l'amiantose, ils demandent à la compagnie d'établir un fonds d'aide sociale. Naturellement la compagnie juge ces demandes excessives. Le 13 février, les ouvriers d'Asbestos déclarent la grève.

Moi, j'ai douze ans. Mes parents m'ont placé pensionnaire dans un petit séminaire. Notre professeur d'histoire nous raconte comment la vie était belle au Canada, avant l'arrivée des Anglais, en 1759. Soudain il ferme son livre et sa voix devient différente. «Savez-vous ce qui se passe à Asbestos? Cette grève est une révolution», assure-t-il. Est-ce comme la Révolution française? Tout ce que j'en sais: l'on coupait des têtes que l'on plantait au bout de piques pour les parades. Une révolution? Notre professeur explique: cette grève est inspirée par des agitateurs communistes, à la solde de Moscou, qui viennent saboter la religion des Canadiens français. Heureusement, Duplessis ne laisse pas les communistes agir comme s'ils étaient à Moscou. Il ordonne aux ouvriers de retourner immédiatement au travail. Nous serrons nos petits poings; nous sommes prêts à battre les communistes. Au lieu de rentrer docilement à la mine, les grévistes défilent avec des tambours, des voitures qui klaxonnent et des panneaux couverts de slogans. Duplessis délègue une centaine de policiers pour protéger les biens de la compagnie menacés par les saboteurs communistes et les grévistes qu'ils ont pervertis. Nous essayons de comprendre. L'histoire de Jules César en Gaule nous semble moins compliquée.

Ne se hâtant pas trop vite sur la route vers Asbestos, les policiers s'attardent. Ils connaissent les débits de boisson le long de la route. Ils boivent; ce n'est pas tous les jours qu'on va tabasser des communistes! Il faut fêter l'événement. La route est cahoteuse. Le trajet est longuet. Ils ont soif, ils s'arrêtent, ils boivent encore. Ils débarquent enfin à Asbestos, éméchés et déterminés à mettre de l'ordre et à faire ramper devant leurs bottes cette bourgade d'insoumis.

Le lendemain, les conseillers municipaux, par un vote unanime, déplorent la mauvaise conduite des agents de l'ordre public. Des témoins les ont vus commettre des gestes violents et même indécents.

Duplessis blâme les chefs syndicaux. Ces gens-là nuisent à l'industrie de la ville. La grève s'étire. La misère des familles est désespérée avec leurs nombreux enfants. On vivotait de paie en paie. On accumulait des dettes. Maintenant il n'y a plus de paie. Leur sort attendrit les cœurs. Dans les églises, on recueille des aumônes pour ces familles malheureuses.

De son côté, la compagnie n'est pas trop ennuyée par la grève. Grâce à l'embauche de briseurs de grève, la production s'est poursuivie. Pour au moins la ralentir, des grévistes font sauter à la dynamite une voie ferrée. La compagnie réagit. Pour respecter ses contrats de production, elle augmente le nombre des briseurs de grève. Chaque matin, ils entrent à la mine sous la protection de la police entre des haies de grévistes affamés, en colère. La plupart habitent des logements loués de la Johns-Manville; la compagnie ordonne aux grévistes d'évacuer les lieux.

Notre professeur d'histoire nous dit que ces événements déplorables ressemblent à un grand roman français, *Germinal*, qui se passe dans les mines et qui a été écrit au siècle dernier. C'est un roman qu'on n'a pas le droit de lire parce qu'il est interdit par notre sainte mère, l'Église.

Malgré la révolution, les prêtres de notre petit séminaire ne se privent pas d'écouter les matchs des Canadiens, dans leur salle commune, autour de l'appareil de radio, en fumant et en feuilletant

Le Devoir ou *L'Action catholique*. Le lendemain, lorsque nous défilons pour la messe de 6 heures 30, certains, les plus jeunes prêtres, nous chuchotent le résultat du match. On se passe l'information de l'un à l'autre:

> – On a gagné contre Boston. Maurice Richard a compté le but victorieux.

> – On va gagner la coupe Stanley!

> – Silence dans les rangs!

Éliminatoires
sur fond de grève

1949. La saison de hockey a été difficile. Toutes les équipes ont été affectées. Le plus grand marqueur est Syd Abel des Red Wings: 28 buts. Ce total est bien loin du record de 50 buts du Rocket. Les Canadiens sont au troisième rang. L'an dernier, ils n'ont pas participé aux séries éliminatoires. En semi-finale, ils font face aux Red Wings.

L'entreprenante Production Line est formée de Gordie Howe, Ted Lindsay et Sid Abel. Le gardien de but est Emile «The Cat» Francis, avec son gant qui ressemble à un gant de premier but au baseball. Il a le bras long! La Production Line s'est juré de déclasser la ligne Punch.

N'est-elle pas déjà affaiblie? Toe Blake, son pivot, n'est plus là. Cette année; elle n'a rien réussi de très spectaculaire. Sans lui, la composition chimique de la ligne n'est plus aussi explosive. La Production Line profite de ses hésitations. De part et d'autre, on veut intimider. Dans cette jungle où l'arbitre a l'air d'un missionnaire égaré, seules les bêtes féroces survivent.

Dès le premier match, Elmer Lach reçoit un coup de bâton dans la figure. Il éponge le sang. Sa mâchoire ne bouge plus. Verdict du médecin: elle est fracturée. «Black Jack» Stuart voulait-il disloquer la ligne Punch? Dick Irvin propose aux journalistes un raisonnement indiscutable: «Lach n'avait pas la rondelle entre ses dents, pourtant Stuart l'a frappé sur la gueule.» À la fin d'un match serré, le score est nul. Les deux équipes doivent traverser trois périodes supplémentaires. Finalement Bill Durnan ne bouge pas assez vite pour saisir un lancer de Max McNab. C'est la victoire des Red Wings qui continuent leurs ravages.

Ébranlés, les Canadiens ne se rendent pas. Dans un autre match, Gordie Howe assène au Rocket un coup qui l'étend comme un boxeur au tapis. Le Rocket n'est pas complètement inconscient; il entend Sid Abel lui demander: «As-tu aimé ça, Frenchie?» Cette question le ravigore. Il se relève. Sans une parole, il répond à Sid Abel. Le coup est percutant. Sid Abel a le nez cassé.

– Donnes-y Maurice!

Elmer Lach calcule avoir suffisamment enduré de coups dans sa vie; il annonce sa retraite prochaine. Murph Chamberlain, qu'une mise en échec a récemment laissé inconscient, avoue: «Je commence à trouver la glace bien dure.» La liste des blessés s'allonge: Butch Bouchard, Normand Dussault, Kenny Reardon, le Rocket. Les Wings déferlent comme une horde conquérante. Même blessé, le Rocket s'efforce de gagner à chaque seconde, à chaque coup de patin, à chaque mise en échec, à chaque passe. Stimulés par sa conviction, les Canadiens ne baissent pas pavillon. N'ont-ils pas les meilleurs défenseurs de la Ligue nationale: Butch Bouchard, Ken Reardon et Doug Harvey? Leur filet n'est-il pas défendu par l'ambidextre Bill Durham? Les Canadiens résistent. Cependant après sept matchs, la Production Line a imposé sa loi.

Une profonde tristesse s'étend sur la province de Québec. Nous avons perdu. Cela n'annonce rien de très bon...

Les Canadiens éliminés, la course à la coupe Stanley n'est plus intéressante. L'affrontement entre les ouvriers et la compagnie Johns-Manville s'envenime. La poussière d'Asbestos retombe sur toute la province. C'est ce qu'affirment deux jeunes journalistes venus, en voiture de sport et en sandales d'intellectuel, enquêter sur la situation des mineurs. Leur témoignage engendre une autre vague de sympathie pour les grévistes. L'un des journalistes, celui qui a l'air un peu prétentieux, s'appelle Pierre Elliot Trudeau.

Le président de la Johns-Mansville publie un avertissement dans les journaux: si la grève d'Asbestos ne se termine pas, plusieurs autres usines fermeront; 100 000 employés seront sans travail; près d'un demi-million d'hommes, de femmes et d'enfants seront affectés.

Cette menace est du chantage patronal: «Un peu de misère de plus ou un peu de misère de moins...»

La misère se répand, resserre son étreinte. Des photographies de gens d'Asbestos, dans les journaux, font penser à certaines photographies du temps de la guerre, il y a quelques années...

Dans notre séminaire, les discussions sont passionnées. Est-ce que les ouvriers ont le droit de rester en grève quand leurs enfants crèvent de faim? À qui appartient la mine: aux patrons qui récoltent les bénéfices ou aux ouvriers qui font le travail? Pourquoi la compagnie est-elle plus forte que le premier ministre élu par le peuple et l'archevêque nommé par le pape? Nos esprits d'adolescents s'épuisent à vouloir comprendre un monde plus complexe qu'un match de hockey et où les solutions ne sont jamais aussi rapides qu'un but de Maurice Richard.

De partout, des camions de nourriture et de vêtements se dirigent vers Asbestos. Les grévistes font les cent pas devant leur usine. Des mercenaires les ont remplacés à leurs machines. Encore une fois, le 5 mai 1949, les grévistes bloquent les voies d'accès. Lorsque s'amènent les briseurs de grève, on échange des injures, on se cambre. Il n'y a plus de patience. Plus de tolérance. Les tempéraments sont exacerbés. On s'affronte. Des coups qui veulent blesser. Bientôt on tuera. On lutte pour manger. La bagarre est violente. Des blessés saignent. Des corps sont allongés au sol. Des voitures sont en feu. Duplessis ordonne aux policiers de faire la paix. Ils débarquent, revolvers et mitraillettes pointés. Des grenades pendent à leur ceinture. Une lance de pompier fauche les grévistes. Les bombes lacrymogènes pleuvent. Les femmes s'introduisent dans la mêlée, récitant les *Ave* du chapelet. Il y a là une douzaines d'inconnus, plutôt gras, en costumes propres. Ils parlent un peu fort. Les grévistes n'aiment pas ces étrangers. Ils les tabassent comme méritent d'être tabassés des briseurs de grève. Ce sont des policiers. Duplessis exige de l'ordre. L'acte d'émeute est proclamé.

Le lendemain, 300 policiers zélés, fringants, arrêtent 125 mineurs qui sont rassemblés, poussés à coups de crosse de carabine, à coups de matraque, à coups de poing. Cette police a la violence de la police des peuples pauvres. Terrorisée, la population d'Asbestos s'apaise, mais les grévistes continuent le combat.

C'est deux mois plus tard, pendant nos vacances d'été, le 1er juillet, que la grève se termine. Les grévistes ont perdu. Le Rocket n'a pas gagné la coupe Stanley. Il y aura d'autres grèves. Il y aura une autre saison de hockey...

Une erreur historique

Janvier 1999. Donc, trois fois de suite, les Maple Leafs ont conquis la coupe Stanley. J'ai devant mes yeux les dates, les statistiques, les photographies. Je ne devrais pas douter de cette supériorité démontrée. Pourtant j'ai peine à me rendre à ce verdict de l'Histoire: trois fois de suite, Toronto a emporté la coupe Stanley et Montréal ne l'a pas emportée...

À la fin des années quarante, j'avais dix ans et je croyais, comme mes amis, que les Canadiens ne pouvaient jamais perdre contre Toronto. Quand on parlait du dernier match contre cette équipe, il nous semblait toujours que les Canadiens l'avaient gagné. Je croyais, comme mes amis, que lorsque le Rocket entrait sur la patinoire, les Maple Leafs s'aplatissaient. Quand on parlait de hockey en allant à l'école, le Rocket marquait toujours le but gagnant. Les Maple Leafs n'avaient jamais appris à marquer des buts. Voilà comment la vie s'imprimait dans nos têtes d'enfants. Maurice Richard, notre héros, triomphait de tous nos adversaires et surtout des Maple Leafs.

On marchait dans la rue du village couverte de neige, on avançait vers le monde, vers la vie, confiants. On avait appris de notre héros comment renverser les obstacles. Comme le Rocket, nous allions marquer des buts.

Devenu adulte, à travers le travail, l'écriture, les voyages et les désordres de la vie, je suis souvent retourné au pays de l'enfance pour retrouver certaines certitudes qu'il est bon d'avoir quand la vie se fait élusive. Avec sa belle assurance tranquille, ma mémoire me racontait que les Canadiens, groupés autour de Maurice Richard, étaient une forteresse imprenable. Les Maple Leafs ne pouvaient même pas s'en approcher.

J'ai écrit une histoire: *Le chandail de hockey*. On y trouve une phrase qui fait écho au souvenir de cette belle certitude: «Les Maple Leafs étaient toujours battus à plates coutures par les valeureux Canadiens.» Ce n'était ni une savoureuse ironie, comme on l'a dit, ni une taquinerie sportive. C'était une absolue conviction. Je me souvenais de faits irréfutables. Quand j'ai écrit avec un si grand plaisir ces mots que je relis aujourd'hui, j'étais un homme entraîné à la prudence qu'exigent les grandes déclarations. En écrivant ces mots, je n'ai à aucun moment éprouvé la pointe d'un doute. Je n'ai même pas pensé à vérifier les faits. Une certitude est une certitude.

J'ai cru cela pendant cinquante ans. Des centaines de fois, lisant *Le chandail* devant des enfants de tous âges et de toutes générations, j'ai répété cette affirmation. Jamais personne n'a rectifié mon erreur historique.

Aujourd'hui, après ces trois coupes Stanley consécutives conquises par les Maple Leafs, à une époque où je croyais nos Canadiens invincibles, je me rends à l'évidence, même si elle est pénible. Croyez-vous qu'il est facile de m'amender? Je me sens comme celui qui, à l'aube de sa vieillesse, renie une religion qu'il a pratiquée fervemment pour adopter une religion païenne.

Tel était le pouvoir du Rocket: il a subjugué notre enfance. Nous avons inventé ce Rocket, notre héros sans peur, sans reproche. Ainsi font tous les peuples de la terre quand ils se sentent petits, devant un monde trop grand. Quand les Indiens ont inventé Douga, la déesse à plusieurs bras, ils avaient besoin d'elle. Les dieux sont le vent qui souffle dans les voiles qui se sont déployées.

La vérité n'est-elle pas la mémoire que l'on a des faits? Les faits ne sont-ils pas plutôt la mémoire que l'on en a? Le philosophe Aristote a osé affirmer que la légende est plus vraie que l'histoire.

Le nouveau dieu
et la Rolls-Royce

1949. Pendant l'été, Maurice ne cesse de jouer au hockey. Le soleil qui tape sur Montréal se fait plus doux au bord du lac L'Achigan. Maurice sourit quand on prend une photo de famille devant le modeste chalet où ils passent quelques semaines. Il sourit parce qu'on doit sourire sur une photo avec les deux enfants et la femme qu'on aime. Ses yeux voient ailleurs. Le Rocket ne peut s'arracher à la patinoire de son imagination. Il rejoue les matchs de la saison. Il se rappelle chacun de ses mouvements. Ceux des adversaires. Il rejoue comme il a joué, comme il aurait dû jouer. Il n'est pas parvenu à escalader ce sommet des cinquante buts. Il ne s'en est même pas approché.

En dépit de son échec, l'affection des partisans à son égard n'a cessé de grandir. Son magnétisme fascine. Ses regards sont deux balles noires tirées silencieusement sur les adversaires. Ses cheveux sont des fils d'acier disciplinés. Son visage est un météorite anguleux. Sous son uniforme des Canadiens, son souffle est comme le feu dans le ventre d'une locomotive. Même immobile, assis sur le banc des joueurs, il attire plus d'attention que beaucoup de joueurs qui se défoncent sur la patinoire.

À la fin des années quarante, pour les Canadiens français déchirés entre la soumission au passé et la tentation de l'avenir, le Rocket est un rêve qui se réalise alors que tant d'autres sont étouffés. Quelques années auparavant, par exemple, un jeune pianiste ravissait les amateurs de musique. À peine âgé de neuf ans, André Mathieu présentait ses compositions à la salle Gaveau, le haut lieu des concerts de Paris. «À son âge, Mozart n'avait rien créé de comparable à ce que nous a exécuté, avec un brio étourdissant, ce miraculeux garçonnet», s'est écrié un critique. En 1943, le Mozart canadien se produisait au Carnegie Hall de New York.

Aujourd'hui, André Mathieu a presque vingt ans. On ne l'entend que dans de tristes pianothons ou dans des bars. Comme André Mathieu, par la musique, Maurice était obsédé par le hockey. Il lui a cédé toute la force de son corps. Il lui a obéi. Les partisans admirent Maurice parce qu'il est dominé par son génie. Pour obéir à ce dernier, il a la force que n'avait peut-être pas le Mozart canadien.

Lorsque les partisans voient dans les journaux le visage tuméfié de Maurice Richard avec du sang qui coule dans son visage comme celui du Christ crucifié, ils s'identifient à lui. Voilà quelqu'un qui est meurtri comme l'a été leur petit peuple, mais Maurice ne se contente pas d'être bafoué; il se défend. En cette période d'après-guerre, les chefs politiques et religieux, désorientés par un monde en changement, sont tentés de chercher refuge dans le passé. Incapables de conduire le peuple vers demain, ils sont tentés de ramener la tribu vers hier. Le Rocket a une certitude: on ne peut marquer un but qu'au présent.

On cause de cela, tout en buvant quelques verres de ces cinq millions et demi de gallons de bière annuellement consommée dans la province de Québec. Les brasseurs sont reconnaissants. Trois ans après que Duplessis a cédé les mines de l'Ungava à la compagnie Hollinger, la brasserie Molson publie des placards dans les journaux pour rappeler les avantages de cette transaction: construction d'un chemin de fer, de routes, création d'emplois nouveaux, augmentation du commerce...

Elmer Lach, a annoncé qu'il prenait sa retraite. Durant l'été, il a changé d'idée. Il revient au jeu. C'est une bonne nouvelle. Maurice aime avoir à côté de lui ce complice si efficace. Les Black Hawks inaugurent, au Forum, la nouvelle saison. La portière s'ouvre. Le Rocket bondit sur la patinoire; c'est un tigre affamé, toutes griffes sorties. Les partisans frémissent. Maurice est timide, discret. Même sensible. Sa belle-mère l'a vu pleurer à la naissance de ses enfants. Dès que ses patins touchent la glace, il est comme le feu et la poudre! Ce soir, à l'offensive, les Canadiens sont irrésistibles. Leur défensive est sans faille. Bill Durnan est invincible. Le Rocket marque deux buts. La saison s'annonce bonne.

De match en match, le Rocket produit des buts. Va-t-il enfin battre son propre record? Plus les partisans sont enthousiasmés, plus ils se sentent le droit d'exiger encore plus. Le poète raté devenu journaliste des sports a trop d'inspiration et pas assez de mots pour chanter, comme il convient, le Rocket qui est de la «dynamite», la «foudre», une «étoile», le «dieu d'une religion». Le Rocket fait rêver les enfants, il étonne les foules, il donne des ailes au poète raté devenu journaliste des sports. Mais on ne parle pas que de hockey. Les policiers de Montréal viennent de faire une arrestation spectaculaire. Un jeune artiste barbu, probablement un communiste, Roussil, a exposé une sculpture en bois aux formes un peu abstraites: *La Famille*. Les membres de *La Famille* semblent porter la tenue de nos ancêtres, Adam et Ève. Urgence! Danger pour le peuple! Comme les films, les livres, les calendriers, les chansons, les syndicalistes et les communistes, *La Famille* va contribuer à la dévaluation des vertus traditionnelles des Canadiens français. Police! Protégez-nous! Un commando de six policiers s'emparent de la statue qui se rend sans offrir de résistance.

Le 2 novembre, à Chicago, un spectateur agrippe Ken Reardon par son chandail, alors qu'il effleure la clôture. Reardon se retournant, le matraque d'un coup de bâton. Un autre spectateur saute sur la glace pour venger son ami. Rapides comme des pompiers vers l'incendie, Léo Gravelle et Billy Reay accourent. Les menaces tournent en coups. Les coups, en bagarre. La bagarre, en frénésie. Des gradins, les spectateurs refoulent sur la patinoire. Les arbitres, impuissants contre ce raz-de-marée, font appel à la police. Le Rocket a combattu comme un preux. Cette fois, chanceux, il n'a pas reçu de pénalité...

Envoyer le Rocket au cachot: toutes les équipes se dévouent à cette tâche. Chez les Red Wings, «Terrible» Ted Lindsay jouit de sa responsabilité d'être l'ombre ennemie du Rocket. Il l'asticote sans relâche. Il pousse le Rocket au désespoir. Il veut le voir dégoupiller la grenade de sa colère. Ted Lindsay connaît les risques de l'explosion. Quel plaisir de regarder le Rocket glisser en rechignant vers le banc de sa pénalité! En novembre, harcelé par Ted Lindsay, le Rocket éclate. Son bâton tourne en moulinets tranche-cou. Ses poings assomment. L'arbitre sévit: une pénalité majeure de cinq minutes.

À l'horloge, les aiguilles n'avancent pas. Les Red Wings plantent deux buts. Impuissant, Maurice tempête contre lui-même. Deux buts. Ted Lindsay a abusé de son caractère. Il ne regrette rien: attaquée, une bête se défend... Deux buts des adversaires... Jamais cinq minutes n'ont été aussi lentes à s'écouler. Les Canadiens s'esquintent. S'il n'était pas au cachot, ses coéquipiers n'auraient pas à travailler si fort. Il devrait les aider au lieu de poireauter sur ce banc. S'il avait été sur la glace, les Red Wings n'auraient pas marqué ces deux buts. Il en est responsable. Si les Canadiens perdent, ce sera sa faute. Les minutes ne passent pas. Va-t-il pouvoir se retenir d'enjamber la clôture? Il ne peut laisser les Canadiens perdre. Le temps est arrêté. Tête basse, révolté, il tourne en rond, en lui-même.

Après cinq interminables minutes, le tigre feule. La foule frémit. Maurice sort de sa cage. Affamé! Il chaparde la rondelle. Fureur. Absorbant sans broncher mises en échec, coups d'épaule, coups de coude, coups de bâton au corps et sur les jambes, il se pousse vers le gardien de but qu'il hypnotise d'un regard. La rondelle n'est arrêtée que par le filet. Voilà! Le tort que sa pénalité a causé à son équipe est à moitié réparé.

Quelques secondes plus tard, Elmer Lach lui fait une passe. Maurice, du revers, dirige la rondelle dans un interstice que le gardien n'obstruait pas. Un deuxième but! Le Rocket a effacé le dommage causé à son équipe. Dick Irvin juge que, après un tel effort, il a droit à un peu de repos. Pour Maurice, avoir corrigé son erreur n'est pas suffisant. Il faut gagner: «Je viens juste de me reposer pendant cinq minutes.» Personne ne va le sortir de la patinoire avant que les Red Wings n'aient courbé l'échine.

Nouvelle mise au jeu. Elmer Lach fait dévier la rondelle vers l'ailier droit. Le Rocket la retient sur son bâton. Déjà ses pieds sont engagés dans une course vers le filet. «Terrible» Ted Lindsay l'attend, campé sur son trajet. Le Rocket s'en vient; il ne cherche pas à éviter Lindsay; le percutant de front, il l'écarte. D'une seule main, il manipule son bâton et la rondelle. Son autre main repousse les adversaires qui s'approchent. Ainsi, poursuivant sa course vers le filet, il décoche un bolide. Et «Maurice Richard lance et compte!» C'est le troisième but du Rocket! Une victoire pour les Canadiens.

Au mois de novembre encore. Au Forum. Canadiens contre Maple Leafs. Le match est presque terminé: il reste 49 secondes. Les Canadiens ont l'avantage. La victoire est certaine. Dans un coin, le Rocket bataille pour s'approprier la rondelle. Il n'aurait pas plus d'ardeur s'il essayait d'éviter à son équipe une défaite. Finalement la rondelle est à lui. Jimmy Thompson veut éviter la défaite: il a besoin de cette rondelle. Coups de bâton. Coups de patin. Coups de coude. Saccades. Rebuffades. Le Rocket se défend comme si on voulait lui arracher le cœur. Gus Mortson ne va pas laisser le Rocket se balader dans sa zone comme dans un champ de fraise. Il le charge. Dans le dos. Le Rocket s'écrase contre la clôture. Bien calé sur ses patins, Mortson le tient aplati, comme un papillon épinglé. Butch Bouchard se dépêche à son secours. Une droite à Mortson. Qui retourne la politesse. Un à un, les joueurs s'amènent. On échange des mornifles. Chacun se mêle à la danse. Et cela devient une bagarre générale. Dans la même seconde, le hockey propose un mouvement inspiré comme le coup de pinceau d'un grand peintre et un mouvement sauvage comme une mordée de bête carnassière?

Le Rocket a absorbé le choc de Mortson. Il retient ses impulsions. Il ne doit pas recevoir une pénalité. Il se maîtrise. Il jette un coup d'œil à l'horloge. Quelques secondes encore. Courtes. Longues. Et, enfin, la sirène! C'est la fin du match. Où est Mortson? Le Rocket veut fignoler le règlement de leur affaire. Cela ne doit pas souffrir de retard. Quand tout s'apaise, Maurice jubile. Il s'est soulagé de quelques coups de poing à Mortson. Sans pénalité.

Conn Smythe doit distraire les journaux et la radio des déconvenues des Maple Leafs. S'ils ne gagnent plus, déclare-t-il, c'est qu'ils sont trop gras. Dès le première période, ils tirent la langue. Turk Broda est trop gras. Il ne suffit pas de boucher la cage par sa masse corporelle; encore faut-il être capable de bouger. Conn Smythe ordonne à ses joueurs de se mettre à la diète.

Le Rocket s'applique et il évite les pénalités. Contre les Rangers, il endure les sévices de Tony Leswick. La pression monte dans sa chaudière à combustion. Il la contient... Il se souvient de son affaire avec Mortson. La sirène annonce la fin du match. Il n'y a plus d'arbitre, plus de pénalités. Le Rocket se lâche comme une tornade sur

Leswick. La foule quittait l'amphithéâtre. On se hâtait pour éviter l'encombrement. L'action n'est pas terminée! Le Rocket donne une exhibition de boxe! Le flot des partisans revient dans les gradins. À genoux devant le Rocket, Leswick demande grâce. Les Rangers s'amènent, les encerclent. Avec poings et bâtons, les Canadiens se fraient un passage parmi les Rangers et libèrent le Canadien français qui ne craint personne. Quand tout est fini, les joueurs retournent au vestiaire et les partisans reprennent leur course vers les autobus.

Partout dans la province de Québec, même dans les régions où Duplessis n'a pas encore installé l'électricité et où les radios fonctionnent à piles ou avec l'électricité des roues à vent, les gens se dressent en même temps que les partisans du Forum, quand éclate une bataille. Personne ne se plaint de la violence du jeu. C'est du hockey. Les prêtres de notre séminaire qui, le dimanche, prêchent l'amour du prochain, se régalent lorsque le Rocket écrase son poing dans le visage d'un autre chrétien. Cette violence n'est pas honteuse; elle est noble. Cette violence est le hockey. Et le hockey est le plus beau sport au monde. On vient de traverser une guerre. Peut-être la petite violence du hockey semble-t-elle frêle? D'autre part, encore un peu campagnards dans les manières urbaines, les Canadiens français respectent un homme qui se défend. Pour ces passionnés du hockey, les coups échangés font partie de la trame du hockey autant que les tirs au but. Après les coups de poing du Rocket et ses buts, le samedi soir, le prêche du curé, le dimanche, paraît interminablement endormant. Sur la patinoire, le Rocket se débat, il se bat et il atteint le but. Il fait ce que nous rêvons de faire. La vie change dans la province de Québec.

Dès la mi-novembre, il est crédité de 11 buts. Quelques jours avant Noël, après 27 matchs, il en a accumulé 22, le tiers des buts marqués par son équipe. Il est insatiable. Il veut dépasser enfin son record de 50 buts en 50 matchs. Les connaisseurs assurent que les équipes sont plus fortes qu'au temps de son record historique. Oui, il est maintenant plus difficile de marquer des buts. Les systèmes de défense sont supérieurs. Mais les Canadiens se sont aussi améliorés. Et lui-même est devenu un meilleur joueur de hockey. Avec un acharnement obsessif, une détermination irréversible, il reprend les mêmes gestes, les mêmes efforts, exigeant de ses muscles qu'ils les accomplissent toujours plus vite, plus précisément. Il se tourmente, il trime comme s'il ne marquait pas.

Et les adversaires ne le lâchent pas. Le 14 décembre, à Toronto, à 37 secondes de la fin de la première période, «The Beast» Bill Juzda télescope Maurice qui s'envole et son patin sabre le panneau de verre Herculite qui protège les spectateurs. Le verre incassable explose en miettes. le Rocket retombe à genoux et cinq amateurs se rapportent à l'infirmerie pour coupures au visage, à la main, au genou.

Pour inaugurer l'an 1950, la seconde moitié du siècle, le premier ministre Louis Saint-Laurent organise une conférence fédérale-provinciale. Il voudrait obtenir des provinces qu'elles s'entendent sur le principe d'amender la Constitution canadienne, ici, au Canada, plutôt que de devoir faire approuver les amendements par Londres. Ce serait un pas vers l'an 2000.

J'ai treize ans. Au séminaire, on écoute nos professeurs. Cette question de la Constitution est bien confuse. Cependant on devine que le gouvernement fédéral cherche une astuce pour réduire les droits des Canadiens français. Duplessis nous défendra. Comme d'habitude, les provinces se chamaillent. L'une réclame un droit de veto, l'autre, une définition nouvelle de la majorité absolue... Soudain, sur la patinoire de la politique, Duplessis s'empare de la rondelle: il réclame ni plus ni moins que l'autonomie financière de la province de Québec: «Sans le pouvoir de lever ses propres impôts, la province de Québec est comme une Rolls-Royce sans moteur et sans essence.» Duplessis «lance et compte»!

Duplessis admire le Rocket et envie un peu sa popularité. Il va le voir jouer le plus souvent possible. Il l'a invité quelques fois. Il lui a écrit des notes personnelles pour le féliciter de certains succès. Ce n'est pas par hasard qu'il a utilisé la métaphore de l'automobile. Ce sujet touche les voteurs. Il y a dans la province de Québec, deux fois moins de voitures que dans le reste du Canada. Le désir est grand d'en posséder une, avec moteur et essence. Duplessis lance des mots qui pénètrent dans les consciences comme un boulet du Rocket dans le filet.

Les prêtres du séminaire nous permettent désormais de lire *Le Devoir*, le journal qui défend notre peuple. Je m'instruis. Pax Plante, un ex-assistant-directeur de la police de Montréal, dénonce la débauche dans la ville: quatre cents et quelques maisons de jeu, de pari et de prostitution y prospèrent. Qu'est-ce que c'est ça? Je devine que ce ne sont pas là des distractions très catholiques. Pax Plante accuse la police d'être aussi corrompue que les tenanciers de ces succursales de l'enfer. Cela, dans une province canadienne-française catholique... La corruption rampe dans les rues de la ville, proclame Pax Plante. Comment réagit Duplessis? Il répond: «Qu'on ne cherche pas la perfection. Elle est venue sur la terre il y a 2000 ans et on ne l'a pas revue depuis...» Duplessis a besoin de revenus pour sa caisse électorale.

Le peuple respecte encore l'honnêteté. C'est pourquoi il se lève debout quand le Rocket, sans tricherie, en toute franchise, comme un honnête travailleur, sans distribuer de pot-de-vin aux arbitres, sans manigances, sans magouilles, renverse les obstacles pour placer la rondelle dans le filet. Chaque geste, chaque coup de patin est l'impulsion d'une brute honnêteté. Donnes-y Maurice!

34

Sortir du sable mouvant

1950. Le 28 janvier, le Rocket enfile son 235e but. Il cueille la rondelle. C'est le nombre de buts marqués par son ancien compagnon, Toe Blake, un héros de son adolescence. Il n'a pas de patience pour la nostalgie. Il doit dépasser son héros. Ce qui compte, c'est de tirer la rondelle là où le bras ou la jambière du gardien ne peuvent l'arrêter. Le Rocket ne prête pas beaucoup d'attention aux comparaisons que font les journalistes. Il lit leurs articles mais les mots ne comptent guère. Et les chiffres ne sont rien s'il ne met pas la rondelle dans le filet. Le Rocket va dépasser Toe Blake. Son compagnon de la ligne Punch ne doit être déprécié. Maurice est fier, modestement fier de ce qu'il a accompli, mais seul importe le prochain but... Au fond, le Rocket devrait être rendu plus loin. S'il n'avait pas subi ces blessures... Pourquoi tant d'excuses? Le Rocket se remet au jeu avec la voracité d'un jeune joueur qui va marquer son premier but. Pour honorer son héros, il faut le dépasser.

Cette période est fertile. Il additionne les buts avec une vivacité époustouflante. Brusquement, cela s'arrête. Pourquoi? D'une part, les adversaires ont rouvert la saison de chasse au Rocket. D'autre part, Maurice ne serait-il pas tout simplement fatigué? Comme le constatait un auteur grec ancien que j'étudie au séminaire, l'arc toujours bandé perd de sa puissance de tir. L'arc du Rocket est toujours tendu. Il n'est pas une machine à bombarder le gardien de but; il n'est pas non plus un dieu. Il n'est qu'un jeune Canadien français du quartier de Bordeaux. Maurice ne confie à personne les doutes qui embrouillent ses idées et peut-être son action.

Récemment, la rondelle lui obéissait. Maintenant, elle se rebelle. Il travaille d'arrache-pied. D'arrache-bras. D'arrache-cœur. Il commence et recommence. À force d'essayer, il finira par réussir... Lorsqu'il part pour la zone des adversaires, le filet s'éloigne. La patinoire est en pente. D'où viennent ces imaginations? La patinoire est horizontale, la cage du gardien est bien ancrée. Malgré sa persistance obstinée, il ne réussit, en vingt matchs, à marquer que cinq buts.

La nuit, en attendant le retour de la lumière, il revoit le match de la veille: comment ses adversaires l'ont accosté, comment ils l'ont empêché de faire une passe. Il observe ses coéquipiers. Il s'examine. L'esquive? Elle est bien réussie, mais le tir ne se détache pas assez vite. Il répète autrement son geste de leurrer et contourner le défenseur. Il aurait envie de tout bousculer. Il ne bouscule rien. Lucille est si bonne. Les enfants sont si bons. Il est chanceux d'avoir cette maison. Il veut être bon pour eux comme Onésime, son père, a été bon. Seulement, il est nerveux. Il sent sa peau trop étroite sur son corps. Tout l'irrite. S'il s'aperçoit qu'il a été rude avec les enfants. À la prochaine occasion, il sera trop doux.

Longtemps avant le match, il se présente au vestiaire. Comment pourrait-il patiner plus vite? Il tire au but. Il recommence. Il tire du revers. Il vise le haut du filet. Il reprend dix fois. Il peut, sans regarder, atteindre le point désiré. Il répète encore. Avec opiniâtreté. Comment tirer plus vite, plus fort? Il patine. Il tire au but. Il patine encore. Il tire.

Le Rocket «lance» et ne «compte» pas. En vingt matchs, cinq buts. Après quelques mauvais matchs, Maurice se morfond comme si tout était fini. Pourtant il joue avec l'ardeur de celui qui gagne. Il tournicote. Sans doute fait-il quelques bonnes passes, mais il ne mène pas la rondelle où elle devrait aller. Il s'enlise. Quand les partisans sont debout, la bouche ouverte pour crier et les mains prêtes à applaudir, le Rocket déteste revenir au centre bredouille et les voir, les entendre se rasseoir avec ces grognements, ces toussotements de déception. Il hait, après un tir au but raté, voir le regard de ses coéquipiers. Il faut continuer. Se défoncer. Le temps des buts nombreux reviendra. Il ne faut pas attendre. Il faut l'attirer. Les journalistes parlent de léthargie. Maurice, mécontent, ne blâme que lui-même. À force de répéter les gestes qui produisaient des buts, les bons résultats reviendront. Entre les succès du Rocket et ses échecs, il y a un mur à défoncer; un mur qui sera démoli si le Rocket s'y cogne avec toute la détermination de ses muscles et de son âme.

Tout à coup, à la mi-février, le Rocket revient d'exil; il marque sept buts en sept matchs. Les retrouvailles provoquent des fêtes délirantes. À la fin de la saison, qui se termine par un blanchissage (4 à 0) des Black Hawks, il offre à ses partisans un but par match. Fait cocasse: le Rocket marque un but sur une passe de Bill Durnan. La foule amusée n'a jamais vu un gardien de but se faire attribuer une mention d'aide. Durnan sourit. Au fond, il voudrait être ailleurs. Dick Irvin l'a supplié de rester devant la mitraille. Il a hâte que tout cela soit fini. Tant de projectiles l'ont frappé. Il est ébranlé. Il en a trop vu venir vers son visage découvert. Il en a trop reçu. Au lieu de les attendre, il voudrait fuir. Son courage s'est érodé. Il a peur. Ses muscles se sont si souvent tendus pour un mouvement aussi précis que le geste d'un chirurgien. Ils réagissent plus lentement. Bill Durnan est fatigué.

À la conclusion de la saison 49-50, le Rocket a, sur sa fiche, 43 buts et 22 mentions d'aide. Personne n'a poussé plus de rondelles que lui dans le filet des adversaires. Il a aussi mérité 112 minutes de pénalités.

Les Red Wings terminent la saison en première place. Les Maple Leafs se préparent à conquérir la coupe Stanley pour une quatrième fois consécutive. Ils s'amènent le 28 mars à Detroit. Ils sont attendus par la Production Line, Ted Lindsay, Sid Abel et Gordie Howe, appuyés par Red Kelly et Leo Raise qui protègent le gardien de but Harry Lumley, parfois remplacé par le Terry Sawchuck. La semi-finale s'ouvre dans une extrême rudesse. Alors que Toronto mène 3 à 0, Ted Kennedy conduit la rondelle hors de sa zone en longeant la clôture. Gordie Howe vient vers lui à la vitesse de la lumière pour l'aplatir. Kennedy ne ralentit pas. Howe arrive. Au dernier instant, Ted Kennedy freine. Gordie Howe passe devant lui et s'écrabouille dans la clôture. On le transporte à l'infirmerie. Puis à l'hôpital. Il a le crâne fracturé, le nez cassé. Les Red Wings, indignés, jurent sur leur âme de faire la vie dure aux Maple Leafs.

Chaque match qui suit ressemble un peu au débarquement en Normandie. Les blessures s'accumulent. Les joueurs passent plus de temps au pénitencier que sur la glace. C'est un duel de gardiens de but: Turk Broda réussit trois blanchissages; Harry Lumley en obtient deux. Durant sept matchs où personne n'est sans faute, où rien n'est pardonné, les joueurs luttent comme des damnés qui veulent entrer au paradis. À la fin, Toronto baisse pavillon.

Pendant ce temps, les Canadiens affrontent les Rangers. Bill Durnan, devant le filet, est perméable. Le Rocket est réduit à l'impuissance par une implacable surveillance de Pentti Lund qui ne le lâche pas. On attendait, dans la province de Québec, une belle guerre contre Toronto. Les Canadiens ont perdu la première bataille.

Mécontents, les partisans réclament le départ de Bill Durnan. Ils n'ont aucune pitié pour l'athlète fatigué qui leur a donné tant de victoires. Ils le huent avec la même énergie qu'ils l'acclamaient. Le Rocket est mal à l'aise : voir pleurer un homme vaincu lui est insupportable.

Dick Irvin remplace Durnan par le jeune Gerry McNeil. Les Rangers veulent exploiter son inexpérience. Gerry McNeil garde le fort. En période supplémentaire, un but d'Elmer Lach assure la victoire. C'est un but que le Rocket aurait aimé marquer.

Devant ce succès de Gerry McNeil, Dick Irvin ne ramène pas Durnan devant le filet. Au match suivant, le jeune gardien se montre inexpugnable. Dans les dernières minutes de la troisième période, le score de 0 à 0 persiste. Soudainement, animés par quelque potion magique, les Rangers lancent une volée de boulets sur le jeune gardien qui s'écroule. Résultat final : 3 à 0. Au vestiaire, désappointé par sa propre façon de jouer, songeur, le Rocket lève son regard du plancher. Le nouveau gardien et l'ancien pleurent. Toronto éliminé, Montréal éliminé : la guerre espérée n'aura pas lieu.

Le Rocket aurait aimé gagner la coupe Stanley pour célébrer la naissance de son second enfant, le 1er mai 1950. Un fils. Sa belle-mère remarque que son gendre a les jambes qui flageolent et des larmes aux yeux en prenant son fils dans ses bras. Pourtant cet homme se bat seul contre dix quand il est sur la patinoire... Tous les enfants de la province de Québec connaissent aussitôt le prénom du fils de Maurice Richard.

L'été des fenêtres brisées

1950. L'été, les vacances commencent avec le défilé de la Saint-Jean-Baptiste, le 24 juin, pour célébrer la fête des Canadiens français. Les journaux sont remplis de photographies du petit saint Jean Baptiste, blond, frisé comme une fillette, joufflu, sa petite épaule nue sous la peau de mouton qui lui sert de chemise et de pantalon. Ce garçon n'aura jamais de barbe. C'est saint Jean Baptiste enfant. Il représente les Canadiens français, semble-t-il. Pas un de nous ne ressemble à ce monstre moitié fillette, moitié mouton. Notre mère, notre grand-mère, les mères de nos amis s'extasient devant sa photo. Celui-là, s'il arrivait avec ses boucles dans notre séminaire, il recevrait une raclée! Au pieds du bambin, un agneau: c'est le symbole des aspirations de notre peuple.

J'ai 13 ans. Je déteste que cette fausse fillette blonde me représente. Pourquoi notre peuple, au lieu d'un aigle, adule-t-il un agneau? Notre professeur d'histoire explique: cet agneau est un très ancien symbole chrétien. À Florence, en Italie, dit-il, dans une fresque datant d'avant 1355, l'on aperçoit, aux pieds du Pape, des agneaux chrétiens que le Pape, l'Empereur, le cardinal et les prêtres protègent contre les loups hérétiques.

Quand le Rocket ne joue pas au hockey, les gens se plaignent qu'il n'y a pas grand-chose d'intéressant à lire dans le journal. Cependant une centaine de personnes qui ne lisent probablement jamais les pages des sports ouvrent avec curiosité une modeste revue, *Cité libre*, publiée par de jeunes inconnus. L'un d'eux, cependant, s'est fait remarquer durant la grève d'Asbestos: Pierre Elliot Trudeau. Les quelques lecteurs de *Cité libre* lisent avec effroi ou avec délice une dénonciation du catholicisme imposé de force dans la province de Québec par une Église toute-puissante.

Le curé de notre paroisse, un vrai soldat de Dieu, hurle, dans sa chaire pour convaincre les fermiers et les bûcherons de fuir la malsaine *Cité libre*. En septembre, de retour à mon séminaire, je vais dénicher cette intrigante revue qu'il faut lire à la cachette comme les revues où les grands regardent des femmes déshabillées.

Cet été devrait s'appeler l'été des fenêtres brisées. L'origine de tout ce dégât: un voyage que l'agent d'assurances a fait à Montréal, la ville du Forum et des Canadiens. Comme tout le monde, il est probablement allé dans une de ces maisons où on peut louer des filles, mais il ne s'en vante pas. Ensuite, un cousin l'a amené à l'oratoire Saint-Joseph; il a monté l'escalier à genoux en récitant des prières. Puis le cousin lui a montré le plus haut édifice de la ville, le Sun Life, et, finalement le Forum. Le cousin connaît si bien Montréal qu'il sait même où habite Maurice Richard: «une maison comme les autres». Le Rocket devrait vivre dans un château...

L'agent d'assurances ne croit pas que son cousin va vraiment lui montrer la résidence du meilleur joueur de hockey au monde. Il connaît son cousin. C'est un Jos Connaissant. Il va lui montrer n'importe quelle maison...

– Ici, c'est la rue du Rocket.

Une rue comme les autres. La voiture ralentit. L'agent d'assurances craint que la police ne les prenne pour des voleurs. La voiture roule à peine. S'arrête.

– C'est ici, la maison de Maurice.

L'agent d'assurances regarde, mais il est si excité qu'il ne voit rien. Son cœur cogne. Il va se souvenir de cet instant jusqu'à l'heure de s'allonger sur son lit de mort.

– C'est lui, dit le cousin. C'est Maurice.

À quelques mètres de la maison, un homme s'occupe avec un bâton de hockey.

– Ça peut pas être Maurice, dit l'agent d'assurances, incrédule.

Il ne peut croire qu'il voit de ses yeux, déguisé en homme ordinaire, le Rocket. Il voudrait lui crier quelque chose, mais il ne sait pas quoi dire.

– Maurice s'exerce à lancer, dit le cousin: il envoie des rondelles contre le solage de sa maison. C'est comme ça qu'il renforce son lancer. C'est son secret. Au Forum, le gardien de buts est jamais aussi solide qu'un solage!

L'auto repart et glisse doucement devant la maison du Rocket.

– I' faut pas déranger Maurice; i' se prépare à gagner la prochaine coupe Stanley.

– Donnes-y Maurice, t'es capable! ne peut s'empêcher de crier l'agent d'assurances.

Revenu au village, il raconte sa vision à toutes les personnes vivantes. Plusieurs fois. Ainsi, le secret du Rocket est dévoilé...

– Je l'ai vu, comme je vous vois, drette-là. Voir Maurice d'aussi près, c'est comme voir l'apparition de la sainte Vierge à Fatima! C'est même mieux; la sainte Vierge a jamais gagné une partie contre Toronto! J'ai même vu Maurice exercer son lancer sur son solage. Il se pratique tous les jours. C'est son secret. Sa maison recule d'un pied par année...

Cette histoire est reprise, répétée, reprise encore, répétée. Bientôt la rumeur court que la maison de Maurice est entrée en collision avec celle du voisin.

Nous, les enfants, on a compris ce qu'il faut faire pour devenir de vrais Maurice Richard. On exerce nos tirs contre la maison. Quand notre mère perd patience et nous interdit ce bombardement, on va exercer nos tirs sur la maison des voisins jusqu'à ce que leur mère perde patience.

À part des fenêtres fracassées, quelques statues du Sacré-Cœur renversées sur leur tablette dans les salons, et quelques bébés terrorisés, nos rondelles n'ont pas causé autant de dommages que nos parents le prétendent.

Plus persistant que la douleur

1950. À la fin de septembre, c'est au tour de Duplessis d'accueillir à Québec le premier ministre du Canada ainsi que les premiers ministres des provinces. Au lieu de «rapiécer» une vieille Constitution, Duplessis propose qu'on en élabore une toute neuve. L'idée semble intéressante, mais la saison de hockey débute.

Les Canadiens ont perdu le bouillant Ken Reardon, qui souffre d'une blessure au dos. D'autre part, ils ont rajeuni avec la venue de nouveaux joueurs. Assurément, Bernard Geoffrion, qui se nourrit de dynamite, est un futur Rocket. Il y a quelques années, Maurice s'entraînait sur sa bicyclette en faisant de longues randonnées. Il s'est arrêté à un restaurant. Un adolescent, le fils du patron, lui a dit: «Monsieur le Rocket, vous êtes mon héros. Je vais devenir comme vous.» C'était Geoffrion. Après beaucoup de négociations, Jean Béliveau s'est joint aux Canadiens. Il joue au hockey comme si c'était un jeu de princes. Doug Harvey a pris de l'expérience l'an dernier; c'est un défenseur qui, au moment opportun, ne se gêne pas d'attaquer. Dickie Moore est un dur; la jeune recrue, au camp d'entraînement, n'a pas craint de défier le Rocket pour impressionner les recruteurs. Maurice a aimé cette attitude. Et Bert Olmstead; il est tranquille, mais quelle force efficace! Voilà des jeunes qui ont envie de placer la rondelle dans le filet.

Au match d'ouverture contre Boston, Maurice Richard marque les deux buts de son équipe. En dix matchs, Maurice Richard marque neuf buts. Se dirige-t-il vers un autre record? Les journalistes lancent un débat: quel est le meilleur joueur de la Ligue nationale? Certains évaluent que Gordie Howe surpasse le Rocket. Depuis qu'il est venu chez les Wings, en 1946, à 18 ans, il a gagné du poids et il a aiguisé son astuce. Il patine avec une mâle élégance. Ambidextre, ses tirs sont imprévisibles. Ses mises en échec sont dévastatrices. Il ne se prive pas de tricher un peu pour retenir un adversaire ou lui faire perdre patience. Quand son équipe est affectée par une pénalité, Gordie Howe est doué d'une imagination inépuisable pour tuer du temps: il bouge, tourne, malaxe la rondelle... Maurice Richard sera-t-il rejoint par ce joueur qui est de sept ans son cadet? Pour lui, Gordie Howe n'est qu'un adversaire devant le gardien des Red Wings.

Confronté à un obstacle, le Rocket le renverse, le contourne ou lui échappe. C'est pourquoi les Canadiens français lui vouent un culte. Il ressemble à un saint catholique: il se consume dans un feu qui éclaire la vie des croyants, il s'immole dans le feu du hockey. Depuis que le Rocket règne sur les patinoires, on se tient solide dans l'histoire comme lui sur la glace. Duplessis apostrophe le gouvernement fédéral: «Québec a été la première province peuplée par les pionniers du Canada. Si vous croyez que nous avons été un obstacle au progrès, nous sommes prêts à nous retirer. La province de Québec est capable de vivre et de se suffire à elle-même.» Duplessis «lance et compte»!

Notre professeur d'histoire explique les paroles de Duplessis: nous pourrions parler français, pratiquer notre religion sans nous soumettre aux Canadiens anglais qui n'aiment ni notre langue ni notre religion. Nous avons treize ans. Dans nos uniformes bleus et gris, nos corps dégingandés se dressent. Nous serons dignes de nos valeureux ancêtres!

Le 6 janvier 1951, avec son 271e but, le Rocket surclasse les grands champions du passé, Howie Morenz et Aurèle Joliat. En peu de mots, il célèbre sa réussite: «Il y a toujours quelqu'un en avant de vous.» Une cime en cache une autre. Avec un exceptionnel orgueil mais avec une modestie sincère, le Rocket repart à la conquête du prochain sommet. Nelson Stewart a totalisé 324 buts durant sa carrière. Cinquante-trois buts seulement le séparent de ce record de tous les temps... Et Gordie Howe? Il refuse de parler de ce sujet. Les journalistes doivent remplir leur page... La sienne est la patinoire...

Au début de la saison, les Rangers subissaient défaite après défaite. Tout à coup, ces perdants sont devenus invincibles. Aucune équipe ne leur résiste. La rumeur insinue que l'instructeur leur fait boire une potion magique qui les fait grimacer. Depuis qu'ils l'absorbent, ils ont imposé à leurs adversaires une série d'une douzaine de victoires.

Sont-ils vraiment invincibles? Le 10 janvier, le Rocket leur flanque un tour du chapeau et un blanchissage 3 à 0. La nervosité du jeune Gerry McNeil s'est transformée en vivacité. Une nuit dans le train vers Chicago, la fatigue du voyage ne ralentissent pas l'élan du Rocket. Le lendemain, contre les Black Hawks, il réussit deux buts pour une victoire des Canadiens 4 à 1. Bert Olmstead a remplacé Toe Blake à l'aile gauche de la ligne Punch. Le Rocket, confiant, s'invente à chaque fraction de seconde. Il modifie le jeu: aussi bien celui de son équipe que celui des adversaires. Ce baroudeur, ce grand prédateur de la rondelle est le gibier que chacun se fait un devoir de chasser.

Le 13 janvier, après le match, il rentre au vestiaire, les yeux noircis, le nez entaillé, traînant la jambe. Il a reçu un coup de genou à la cuisse. Claquement de muscles. La jambe refuse de se plier. Dès que son corps s'y appuie, une douleur le transperce. Il ne voudrait pas rater le prochain match. Il force peu à peu sa jambe à supporter son poids. Il s'entraîne à marcher sans tenir compte du mal. Et il se présente au vestiaire, faisant semblant de ne pas boitiller. Il veut se rendre sur la patinoire; quand ses patins glisseront sur la glace, le mal s'évanouira.

Mise au jeu. Il commence comme s'il n'avait pas mal. Il a plus d'ardeur encore que d'habitude. La douleur lacère sa jambe. Pour l'étouffer, il va s'étourdir dans le jeu; l'action endormira le mal. Les muscles blessés se révoltent. Ses efforts ont empiré les déchirures. Après un examen précautionneux, le médecin le condamne à un repos de quatre matchs. La blessure ne guérit pas aussi vite qu'il le souhaite. Un peu plus d'une semaine plus tard, il se présente à l'exercice des Canadiens. Soumise à diverses épreuves, sa jambe n'obéit pas comme elle le devrait. Avec le protecteur approprié, il sera capable de brigander chez les Bruins. À la suite de quelques jours de repos forcé, il est comme l'eau retenue quand s'ouvre le barrage. À la fin de la première période, il a placé trois rondelles dans le filet de l'adversaire. Un tour du chapeau en moins de cinq minutes! Les Canadiens remportent la victoire 4 à 1. Le Rocket a été plus fort que sa douleur. Rentrant au vestiaire, il boite comme un blessé de guerre.

Lorsqu'il est sur la patinoire, il n'existe pas d'autre monde que le hockey. Il n'y a ni passé ni avenir. Il n'y a que cet instant où il court vers le filet. Son cœur s'agite, sa respiration halète. Cette fraction d'instant est sa vie entière. Solide comme un roc, il est, sur ses patins, léger comme un papillon.

37

L'Homère de la province de Québec prononce quelques mots

1951. Quand le Rocket au vestiaire s'habille pour le match, cela ressemble déjà à une cérémonie religieuse. Au séminaire, je suis un servant de messe et je regarde le prêtre revêtir, pour la messe, l'amict, l'aube, l'étole, le *cingulum*. Je vois notre gardien de salle devenir un homme de Dieu. Il ne vit plus sur la terre mais au ciel. Il est transformé par la certitude qu'il va bientôt accomplir un miracle. Quelque chose d'identique se passe quand Maurice Richard revêt ses jambières, ses épaulettes, ses coudières, ses patins, son chandail. Il devient le Rocket. Ensuite, assis sur le banc, appuyé contre le mur, il entre en méditation. Il ne vit plus sur la terre mais sur la planète hockey.

En ce 17 février, près de 17 000 personnes sont réunies, frissonnant de ferveur, pour honorer Maurice Rocket Richard comme ils honorent, par de pieuses processions, les saints du ciel qui ont répandu leurs faveurs sur le peuple. Les notables ont conclu une trève politique. Sont présents le premier ministre fédéral Louis Saint-Laurent, le premier ministre provincial Maurice Duplessis, et le maire de Montréal, Camillien Houde. Eux qui ne s'entendent sur rien s'accordent pour rendre hommage à un «p'tit gars de chez nous» qui est devenu le meilleur joueur de hockey des temps modernes.

– Donnes-y, Maurice!

L'air du Forum est embaumé par le parfum des dames et l'eau de Cologne des messieurs. Lorsque Maurice apparaît, les cris font trembler le toit. Jamais personne n'a reçu une ovation semblable au Canada. Les partisans applaudissent, scandent son nom. Il donnera un bref discours. L'administration lui a préparé une déclaration. Il n'aime pas parler. Il n'aime pas parler en public. Devant cette foule, il voudrait plutôt jouer au hockey. Il n'est pas un politicien. Les partisans réclament un discours. Pas des buts. Il va parler. C'est difficile. Il va s'appliquer. Sa feuille est dans sa poche arrière. Pour la tirer de là, il doit laisser tomber ses gants sur la glace. La foule éclate d'un gros rire et applaudit à tout briser. D'habitude, c'est pour cogner qu'il laisse tomber ses gants! Maurice s'avance au centre. L'ovation s'apaise, le silence revient. Les murs vibrent encore.

Il commence à lire. Avec application. Il est mal à l'aise devant de l'écriture. Il prononce avec hésitation. Les mots étaient trop lents pour lui. Il a de la difficulté avec ce qui ne bouge pas. La seule écriture qui le rend à l'aise, c'est la ligne qu'il trace dans la glace quand il va vers le filet des adversaires. C'est pour célébrer cette écriture-là, courageuse, enflammée, inspirée, que la foule s'est réunie ce soir.

Par cette écriture, Maurice Richard est l'Homère de la province de Québec. Les poèmes que ses patins improvisent sur la glace expriment les passions, les misères, les rêves et la force des Canadiens français. Comme à l'époque antique de l'aède aveugle, il donne au peuple des leçons de bravoure, de courage. Ses aventures, le Rocket les invente avec les muscles de son corps, le feu de son âme. Ses poèmes sur la patinoire sont la seule littérature que ce petit peuple reconnaît comme sienne. Elle raconte son histoire vraie : celle de l'instant présent. Inscrits dans la glace, ils resteront aussi durables que s'ils étaient gravés dans le marbre.

Les mots sur le papier qu'il déchiffre ne lui semblent pas vrais. Ce qu'il voudrait dire à la foule ne se dit pas avec des mots mais avec des buts. Sa pensée authentique s'exprime avec des coups de patin, des coups de coude, des coups d'épaule, des coups de bâton, de l'agilité, de la rapidité, de la virtuosité, des tirs au but. Les mots sur le papier sont faibles. Le Rocket les lit. Il replie sa feuille et la remet dans sa poche arrière. L'immeuble du Forum va-t-il résister à l'ovation? Le Rocket est mal à l'aise. Il ne mérite pas cette admiration bruyante. Il n'a pas marqué de but.

Les notables observent Maurice Richard. Qu'a-t-il donc pour être ainsi applaudi après un discours? Maurice aimerait retourner au banc des joueurs. Il est gêné d'être seul au centre de la patinoire et de tourner en cercle, devant la foule, sans avoir une rondelle à pourchasser. On crie son nom, derrière lui :

– Hey Rocket!

Il se tourne. C'est Gordie Howe. Le Rocket n'estime pas cet adversaire sournois. Même à Montréal, certains affirment qu'il est un joueur supérieur au Rocket. C'est un dangereux auteur de buts. Le Rocket ne le craint pas, mais il se tient loin de lui. Le Rocket a les poings nus; il n'a pas ramassé ses gants sur la glace. Gordie Howe

s'approche. La foule retient son souffle. Gordie Howe retire un gant...
Il tend la main. Le silence s'appesantit. Le Rocket va-t-il la serrer? Ils
se regardent. Ils glissent un peu sur leurs patins. Le Rocket hésite,
puis accepte la main tendue. La foule reprend son hymne interminable. Le Rocket est le meilleur! Gordie Howe lui a serré la main!

La soirée a été grandiose. Pourtant le Rocket n'est pas heureux
lorsque, dans sa voiture avec Lucille, il retourne chez lui. Il est
bourru. Il ne veut pas parler de la cérémonie. Toutes les personnes
importantes ont déclamé leur discours en son honneur. Camillien
Houde a annoncé qu'il est un «exemple pour la jeunesse». Les partisans lui ont fait le cadeau d'une voiture. Il a été incapable de leur
donner un seul but et les Canadiens ont perdu 2 à 1.

Éloge du travail

1951. Le samedi 3 mars, au Forum. Les partisans sont déjà habillés
pour le dimanche. Beaucoup se sont reposés durant la journée. Ils
n'ont pas sué au travail. Ils ont pris un bain, ils se sont savonnés. Les
femmes portent leurs plus beaux chapeaux. Cette foule connaît l'effort. Ces gens se démènent pour survivre. Ils travaillent fort, se dépensent à l'ouvrage: ils reconnaissent Maurice comme l'un des leurs.

Terry Sawchuck, le gardien de but des Red Wings, a le visage
marqué par les rondelles, les bâtons, les coudes, les patins qui l'ont
blessé. Ce soir, il repousse les tirs avec l'air d'un boxeur qui méprise
des coups trop faibles. Le Rocket veut éventrer ce rempart devant le
filet. Exaspéré, il tire encore. La rondelle rebondit sur le bâton de
Sawchuck. Le Rocket s'allonge pour la saisir au rebond. Red Kelly le
charge. Le Rocket est projeté; son visage heurte le montant vertical
de la cage. Déjà furieux, il porte la main à son front. La chaleur vis-
queuse du sang. Il ne se laisse pas emporter. Les Canadiens ne doivent pas perdre leur avantage à cause d'une pénalité. Il se contente,
par des signes, d'indiquer à l'arbitre sa coupure et le sang. Red Kelly
mérite une pénalité, c'est évident. L'arbitre ne peut retenir un sourire. Red Kelly ne sera pas puni. L'arbitre ferme les yeux. C'est injuste.

Le Rocket serre les poings, mais il se contrôle. Il ne doit pas nuire à son équipe. «C'est ben la plus maudite affaire que j'ai jamais vue», dit-il. L'arbitre ne tolère pas de commentaire sur sa décision. Pénalité de dix minutes!

Assommé tout autant par cette sentence que par sa collision avec le fer de la cage, le Rocket se dirige vers le cachot, déjà occupé par Leo Reise, des Wings, qui l'accueille avec un compliment de sa manière. Le Rocket réplique de quelques coups de poings. Échange de politesses. Le Rocket, sauvage comme un animal piégé, menace de dévorer Reise et le juge de ligne qui s'interpose entre les pugilistes. L'arbitre Hugh McClean rétablit la paix: le Rocket est exclu pour le reste du match.

Un tonnerre de désapprobation roule dans le Forum. Des rafales d'objets s'abattent: des couvre-chaussures, des fruits, des programmes, des journaux, des sous, des mouchoirs. Pourquoi le Rocket est-il puni alors que Red Kelly ne l'est pas? Les Canadiens perdent le match. Les partisans sont furieux. Un jour quelqu'un paiera pour les injustices faites au p'tit gars de chez nous.

Aussitôt après cette frustrante défaite, les Canadiens montent dans le train pour New York. Maurice ne peut digérer son repas. Il est incapable même de s'assoupir. Il a causé la défaite de son équipe. Le ronron des roues l'agace.

Le lendemain, on le prévient que Hugh McClean est dans le lobby de l'hôtel Piccadilly. Le Rocket se précipite vers l'arbitre comme il traverse la ligne bleue ennemie, il le saisit par le col de son manteau et entreprend, dans son meilleur anglais, de lui communiquer toutes les nuances de son sentiment. Quelques journalistes se délectent.

Le président de la Ligue nationale, Clarence Campbell, se donne une semaine pour enquêter sur ces événements et rédiger son jugement. Durant ce temps, le Rocket participe à trois matchs; il produit quatre buts et obtient cinq mentions d'aide. En conclusion de son analyse, Clarence Campbell approuve la sentence de l'arbitre au Rocket. Par sa conduite au Piccadilly, le Rocket lui a manqué de respect. De plus son langage n'était pas convenable en la présence de plusieurs dames. Le tout lui coûte une amende de 500 $.

Dans la province de Québec, voici ce que nous pensons: jamais Maurice Richard n'obtiendra justice de Clarence Campbell. Les prêtres nous enseignent qu'un bon catholique doit aimer son prochain; si nous haïssons Clarence Campbell, nous ne sommes pas tenus de nous en confesser.

Le 21 mars, l'éclairage est beaucoup plus intense que d'habitude au Maple Leafs Garden de Toronto. On a posté des caméras de télévision tout autour de l'enceinte. Est-il possible de transmettre un match de hockey à l'écran de la télévision? Pourra-t-on surveiller l'écran pendant toute la durée d'un match? Pourra-t-on suivre les joueurs? Pourra-t-on suivre la rondelle?

Durant les vacances de Noël, j'ai regardé la télévision dans la vitrine du marchand local. Je n'ai pas été très impressionné. Il n'y avait rien d'autre à voir que de la neige qui tombait. De la grenaille qui n'arrivait pas à s'organiser en images. C'est un appareil qui coûte cher. Seuls ceux qui ont des contrats avec le gouvernement de Duplessis peuvent s'en acheter.

Les Red Wings n'ont subi que 13 défaites. Les Canadiens sont loin derrière eux. Les deux équipes s'affrontent en semi-finale. Le mardi 28 mars, la troisième période du premier match se ferme sur un résultat nul: 2 à 2. Le jeu a été éprouvant. Gerry McNeil a été assailli de 64 lancers. Les deux équipes sont exténuées. Après une période supplémentaire, le score demeure 2 à 2. Les joueurs, qui aimeraient mieux ramper que de patiner, s'engagent dans une seconde période supplémentaire. Aucune des équipes ne s'impose. Ni le Rocket ni Gordie Howe ne trouvent le fond du filet. Ils se démanchent. L'un semble le reflet de l'autre; l'un semble attiser la vigueur de l'autre. Chacun s'efforce d'effacer l'action de l'autre. Ils s'entêtent à ne pas ressentir l'épuisement. L'un ne serait pas le joueur qu'il est sans l'autre qui annule ses mouvements. Le score demeure 2 à 2. Il faut une troisième période de prolongation.

Les muscles sont endoloris; les poumons fatigués n'aspirent plus assez d'air; les jambes engourdies supportent difficilement le fardeau des corps; les bras sont lourds, les pieds pèsent, les patins s'engluent. Même les spectateurs sont essoufflés. Dans l'épuisement physique d'où l'on extirpe le prochain effort, une certaine ivresse s'installe. On se sent un peu étourdi. Chaque mouvement devient mollasse. Fin de la troisième période supplémentaire. Le score est éternel: 2 à 2.

Dick Irvin veut cette rondelle derrière Terry Sawchuck. Au vestiaire, il présente à ses joueurs un bilan: Butch Bouchard a marqué le premier but, Bert Olmstead a marqué le second, sur une passe du Rocket... Le Rocket n'a pas encore marqué de but...

D'habitude, dans les demeures de la province de Québec, on se couche tôt, car on doit se lever tôt. Cette nuit est spéciale. Le père, les enfants sont en grappe devant la radio. La voix de Montréal est passablement claire malgré les bribes d'anglais ou de musique qui passent. On est épuisé de désirer que les Canadiens gagnent. Les enfants bâillent. On ne sait plus comment se tenir. On tombe de sommeil. Les mères, un peu à l'écart, ne comprennent pas pourquoi il est si important de suivre des hommes qui courent derrière une rondelle. Elles font du reprisage, mais il y a si longtemps qu'elles ont commencé; elles ont les yeux qui brûlent. Qu'y a-t-il donc dans le hockey? Les hommes, d'habitude, s'endorment à la fin du souper.

Les vieux se rappellent le plus long match de l'histoire, terminé dans la nuit du 24 au 25 mars 1936, au Forum, entre les Maroons de Montréal et les Red Wings. Six périodes supplémentaires! Ce n'est qu'à la fin de la sixième période, à 16 minutes 30 secondes, qu'une recrue a poussé la rondelle dans le filet de Lorne Chabot des Maroons. Ce but, plusieurs ne l'ont pas vu, car ils ronflaient dans leur siège. Il était 2 heures 25 minutes du matin.

— Taisez-vous avec cette histoire, vous allez porter malheur aux Canadiens.

— Lorne Chabot était si furieux qu'il chiquait des clous...

Dans le vestiaire des Canadiens, l'air est épais comme de la mélasse. Le cuir et le feutre des équipements trempés de sueur dégagent une odeur d'animaux surmenés.

— Rocket, dit-il, c'est à ton tour! ordonne Dick Irvin.

La quatrième période supplémentaire commence dépassé minuit. Maurice a laissé derrière lui la fatigue comme un vêtement au vestiaire. La glace sous ses patins le porte comme l'air sous les ailes de l'oiseau de proie. La rondelle claque sur la palette des bâtons. Le Rocket l'intercepte. Le filet est là-bas, au bout, loin. Projeté comme une rondelle par le tir d'un bâton invisible, le Rocket franchit la ligne bleue, glisse entre les défenseurs; on les croirait partis téléphoner à leur mère. Il parvient à une dizaine de pieds de Terry Sawchuck qui le défie du regard: tu ne compteras pas! Le Rocket a du respect pour Sawchuck. Tirer dans son filet exige des précautions spéciales. Sawchuck est un bon gardien; les buts réussis contre lui sont de beaux buts.

Les Red Wings accourent. Le Rocket prend son temps. Il plante son regard noir dans le regard noir de Sawchuck. On entend résonner la collision formidablement silencieuse de ces deux regards. Deux passions viscérales, deux déterminations inébranlables. Pour le Rocket comme pour Sawchuck, l'éternité est cet instant. Tous deux sont venus sur la terre pour ce moment. L'un est né pour lancer la rondelle; l'autre, pour l'arrêter.

La concentration du Rocket est absolue. Son regard, fixé dans celui de Sawchuck, se déplace lentement vers un coin de la cage qui n'est pas fermé par le corps de Sawchuck. Lancée par la détente du bras et du poignet, la rondelle suit la ligne du regard. La rondelle disparaît. Le regard du Rocket retrouve les yeux ahuris de Sawchuck: «L'as-tu vue, celle-là!» La rondelle redevient visible au fond du filet. Victoire des Canadiens 3 à 2!

Deux jours plus tard, Maurice Richard, Elmer Lach et Bert Olmstead retrouvent à Detroit Sid Abel, Ted Lindsay et Gordie Howe pour le second match de la semi-finale. Les Red Wings, à Montréal, auraient dû gagner; la chance a favorisé le Rocket, s'excusent-ils. Ils vont rétablir les faits. Sawchuck se promet d'ériger un rideau de fer devant son filet. De leur côté, les Canadiens, par leur victoire, ont dominé les Red Wings. Ce deuxième match sera encore plus âprement disputé. Les Canadiens doivent calmer leur nervosité, sinon ils vont descendre du train déjà fatigués. Ne pas trop fumer. Dormir. Aucun d'eux ne devra avoir un seul instant de faiblesse. À chaque seconde, il faudra être supérieurs aux Wings. Éviter les erreurs. Chacun connaît ses points faibles. Ne pas céder aux mauvaises habitudes. On doit convaincre les adversaires qu'ils ne peuvent pas traverser la ligne bleue des Canadiens. On doit convaincre les adversaires que les Canadiens traverseront leur ligne bleue aussi souvent qu'ils le décideront. La victoire ira encore aux Canadiens. Cela doit paraître quand les Canadiens descendront du train.

Dans la province de Québec, les familles sont à nouveau groupées devant l'appareil de radio. De temps à autre, une main lui assène une tape pour qu'il retrouve sa voix. Le match commence. C'est la même chose qu'il y a deux jours. Après trois périodes endiablées, le score est 0 à 0. Après une période supplémentaire, il demeure 0 à 0. Les joueurs, abrutis, par la tourmente se lancent dans une seconde période supplémentaire. La marque de 0 à 0 est immuable. Les deux équipes sont égales. La Production Line est égale à la ligne Punch. Gordie Howe est égal à Maurice Richard. Sawchuck est égal à McNeil. Il sera bientôt minuit. Personne ne dort. La terre ne tourne plus. Le temps est figé. On attend le dénouement. Les mères sont impatientes: les enfants, encore une fois, vont somnoler à l'école, demain. Seul le hockey peut garder les hommes éveillés. Bientôt l'une des équipes va flancher. Ce ne sera pas les Canadiens. Cette victoire est à nous. Le Rocket va leur mettre la rondelle dans le filet comme une lettre à la poste. Si Maurice prend trop de temps, Gordie Howe pourrait nous faire mal. Le bon Dieu va donner un coup de main à un Canadien français catholique! On va gagner. On réveille ceux qui se sont endormis. La troisième période supplémentaire commence.

Deux minutes et quelques secondes plus tard, Billy Reay, des Canadiens, reçoit une longue passe d'un défenseur. S'approchant vers Sawchuck, il avise une fissure; la rondelle pourrait passer par là. Cela demande de la précision. Esquissant un balancement pour le tir, il avise le Rocket qui s'amène. Reay dirige sa rondelle vers le Rocket. Elle est à lui! Les 13 000 spectateurs à l'Olympia, deux millions de gens dans la province de Québec se dressent. Le Rocket contourne Red Kelly qui essaie de l'accrocher. Sawchuck, du milieu de sa cage, bouge vers sa gauche. Son corps rembourré obstrue complètement la partie la plus proche du filet. De cet angle, le filet est inaccessible. Pas pour le Rocket. Un revers. La rondelle glisse au ras de la glace. Terry Sawchuck qui voit tout ne la voit pas. Nous avons gagné! Les lumières s'éteignent aux fenêtres. Ce fut une longue journée qu'il a valu la peine de vivre.

Les deux matchs suivants sont présentés devant les partisans du Forum. Hélas! Les deux matchs échappent aux Canadiens. Pourquoi le bon Dieu nous a-t-il abandonnés?

Dès le début du cinquième match, les Red Wings prennent l'avantage. «Terrible» Ted Lindsay asticote le Rocket, moque ses origines canadiennes-françaises. Il aimerait bien faire détoner sa colère. Le Rocket au cachot, les Canadiens seraient affaiblis pour quelques minutes. Un de ses dards touche un nerf sensible. Réaction: un direct de droite. Lindsay tombe comme un taureau à l'abattoir. Satisfait d'avoir imposé le silence à cette grande gueule, le Rocket attend sa sentence. Il n'aime pas se battre. Cela rend ses enfants malheureux. Il ne veut que jouer au hockey. Mais si on l'attaque, il se défend. La sentence ne vient pas. Il est étonné. Puisqu'on ne l'a pas chassé de la patinoire, il ne lui reste qu'à jouer! En même temps qu'il a estourbi Ted Lindsay, aurait-il aussi sonné l'équipe entière des Red Wings? Le Rocket marque deux buts! Les Canadiens remportent une victoire 5 à 2.

Sixième match. Ni les joueurs ni les partisans ne se souviennent d'une guérilla aussi exténuante. Les deux équipes sont-elles de puissance semblable? Dans les vestiaires, les joueurs ont déjà commencé à jouer. Ils sont nerveux, fatigués. Plusieurs n'arrivent plus à fermer l'œil. Le Rocket a passé de longues nuits, les yeux ouverts, à attendre le moment de se lever. Les matchs ont été acharnés, interminables. Les muscles sont endoloris, les corps couverts d'ecchymoses. S'ils pouvaient encore rêver, les joueurs évoqueraient le bonheur de tout simplement dormir.

Appelés sur la glace du Forum, ils apparaissent souples, légers. La rondelle leur est plus précieuse que tout l'or du Klondike. Ils vont défendre leur filet comme si c'était leur maison familiale. Ce match est un rapide ballet, mais on sent que les joueurs peuvent, à tout instant, quitter la danse pour la boxe. Au début de la troisième période, le compte est de 0 à 0. Le jeu est tendu. Quelque chose va se briser. À la sixième minute, Billy Reay marque un premier but pour les Canadiens en faisant dévier un tir de Bernard Geoffrion. Moins d'une minute plus tard, Sid Abel riposte: 1 à 1. Le Rocket contre-attaque: 2 à 1. Et Kenny Mosdell consolide l'avance des Canadiens: 3 à 1. Les partisans commencent à célébrer la victoire attendue. À peine quarante-cinq secondes avant la fin du match, Gordie Howe reçoit une passe de Ted Lindsay et Gerry McNeal est moins rapide que son boulet: 3 à 2. Les partisans cessent de chanter. Les Canadiens tiennent encore la victoire. Ils ne reste que 44 secondes de jeu. Une facétie du hasard ne doit pas la leur dérober. Soigneusement, Dick Irvin met en place une défense impénétrable. D'autre part, il prépare un raid contre l'ennemi. Les Canadiens sont prêts.

Ces 44 secondes sont des heures qui ne se terminent pas. Les Canadiens craignent une malchance. Les partisans soudain doutent de leur équipe. Les deux équipes se méfient d'elles-mêmes. Quand la sirène annonce la fin, on a eu si peur de perdre qu'on est lent à reconnaître la victoire des Canadiens.

Malheureux de n'avoir pas empêché le but insultant de Gordie Howe à la dernière minute, le Rocket se déshabille en silence comme s'il avait subi une défaite irréparable: s'approcher si près d'une défaite, c'est comme la subir.

Ensuite Montréal se plonge dans la frénésie de sa rivalité avec Toronto. Dès le début de la série finale: déception. Les Maple Leafs remportent le premier affrontement 3 à 2.

Au match suivant, à Toronto, les Canadiens se distancient des Leafs par un score de 2 à 0. Puis Sid Smith déjoue Gerry McNeal, 2 à 1. À la troisième période, pendant que le Rocket est en pénalité, Ted Kennedy efface l'avantage des Canadiens, 2 à 2. Le Rocket porte la responsabilité de ce but. Il a donc l'obligation morale de l'annuler durant la période supplémentaire. Les Maple Leafs sont encore plus coriaces que les Red Wings. Le Rocket est impatient de corriger sa faute. À 2 minutes 56 secondes, le Rocket, comme un serpent, a rampé jusqu'à la ligne bleue où il saisit une passe de Doug Harvey. Le silence de la foule devient religieux. Il franchit la ligne bleue. Les défenseurs rament derrière lui. Précautionneux, il avance vers le gardien de but. Turk Broda, sans hâte excessive, vient à sa rencontre. Le Rocket garde les yeux sur la rondelle. Turk Broda essaie de deviner son prochain mouvement. Le Rocket pousse la rondelle. Broda étend son bras pour la balayer de son bâton. Ce geste l'a déséquilibré. Le Rocket a déjà repris la rondelle. Contournant Turk Broda, le «Fabuleux Grassouillet», il la laisse délicatement glisser dans le filet. Le Rocket a réparé son dommage. Canadiens: 3; Maple Leafs: 2. L'équipe entière entoure celui qui leur a donné la victoire. La foule de Toronto reste écrasée dans les sièges. Le Rocket s'approche des spectateurs abasourdis et tend à l'un d'eux le bâton avec lequel il a marqué le but fatal. Sous une incontrôlable poussée d'admiration, la foule lui offre une ovation qui ne serait pas plus frénétique si leurs Leafs avaient gagné. Ce triomphe appartient au Rocket. Ses coéquipiers se retirent.

Les deux équipes sont d'égale force. Chaque instant du jeu est une escarmouche frontalière. Au troisième match, Ted Kennedy marque le but gagnant. Les Canadiens vont-ils se relever?

Quatrième match. Au Forum, les Canadiens ne sont pas prêts à rendre les armes. Toronto prend l'avance. Le Rocket marque un but: égalité. Toronto reprend l'avance. Elmer Lach l'annule, redirigeant dans le but une passe du Rocket. L'espoir renaît au Forum et devant les appareils de radio dans la province de Québec. Une fois de plus, l'égalité des deux équipes exige une période supplémentaire. Après 5 minutes 15 secondes, alors que l'on espère un miracle du Rocket, alors qu'il s'épuise à opérer ce miracle tant attendu, Harry Watson fournit un but aux Leafs. Les Maple Leafs ont maintenant trois victoires.

Les Canadiens doivent gagner le cinquième match, sinon c'est l'élimination, l'humiliation. Dès la première mise au jeu, Ted Kennedy, poussé avec conviction contre la clôture, rebondit inconscient sur la glace. Il a, dans le cou, un nerf coincé. Et le Rocket assène le premier choc au gardien de ce soir, Al Rollins, 1 à 0. Toronto rétablit l'égalité 1 à 1. Les Canadiens reprennent l'avantage: 2 à 1. Puis ils ne laissent plus les Leafs s'approcher de Gerry McNeal. Les Canadiens hument ce certain parfum de la victoire. Malheureusement, les Canadiens sont peut-être enivrés par cette odeur. À 39 secondes de la fin, la mise au jeu se fait dans leur zone. Kennedy, revenu sur la patinoire, saisit la rondelle, la transmet à Tod Sloan. Les Canadiens le laissent passer et la rondelle, dans le filet de Gerry McNeal, détruit leur victoire 2 à 2. C'est le premier but de Sloan.

Après le repos, les Canadiens reviennent, pour la période supplémentaire, ébranlés par leur coûteuse erreur de la période précédente. Ils patinent de manière désordonnée. Ils semblent déjà soumis à la malchance. Ils n'ont pas l'air de se révolter contre leur sort. Leur résistance est peu cohérente. Howie Meeker tire la rondelle dans la zone des Canadiens et se précipite à sa poursuite. Il arrive le premier derrière le filet, cueille la rondelle, la fouette vers Watson, près de la ligne bleue, qui aussitôt la pousse vers Bill Barilko. Pour la recevoir, il doit plonger; il étire les bras et saute comme dans une rivière. De la palette de son bâton, il la rafle et il tire au but avant de s'aplatir sur la glace. Après seulement 2 minutes 53 secondes de jeu, il marque le but vainqueur. Aux Maple Leafs, la coupe Stanley!

Après la défaite, dans le vestiaire des Canadiens, il y a des larmes tant chez les recrues que chez les vétérans. Pendant ses onze matchs des séries éliminatoires, le Rocket a fourni 9 buts et reçu quatre mentions d'aide. Durant la saison, il a marqué 42 buts (un de moins que Gordie Howe) et reçu 24 mentions d'aide. Il est silencieux. Il a fait de son mieux. Dans l'équipe, tous n'ont pas fait leur possible. Son silence ressemble à un orage. Cette faiblesse en troisième période est injustifiable. Quand on veut gagner on ne peut pas avoir de faiblesse. Cette défaite lui fait plus mal que toutes les blessures. Il évite de regarder certains coéquipiers qui devinent ce qu'il pense de leur mollesse.

Et il y a Gerry. Il a été excellent presque tout le temps, Gerry McNeal; mais le Rocket peut-il lui reprocher d'avoir été distrait quand Barilko a tiré sur lui? Sa femme est à l'hôpital pour accoucher. Gerry veut un garçon qui jouera au hockey. Sa femme ne serait pas surprise si le bébé était une fille. L'enfant est-il déjà né? Il songeait à tout ça en attendant la rondelle. C'est une fille, apprend-il.

Montréal a été mise K.-O. par Toronto; on ne se sent pas fier. On recommence à parler de politique. Le gouvernement fédéral vient d'annoncer un investissement de 7 millions de dollars dans l'éducation universitaire. Duplessis s'insurge: Ottawa veut prendre le contrôle de l'enseignement. Alors il aura le pouvoir de faire disparaître notre culture française. Nous nous sentons bénis d'être protégés par un tel chef. L'été, le soleil, les oiseaux, les fleurs, les robes colorées, les promenades en bicyclette, les parties de baseball atténuent toutes les craintes.

J'ai quatorze ans. Comme mes amis, nos parents, je suis fier que Duplessis se tienne debout devant Ottawa. Ainsi que le dit notre professeur d'histoire, Duplessis est un phare sur notre petite île française et catholique battue par les assauts constants des flots anglophones et protestants. Quatorze ans: dans mon village, c'est l'âge où un garçon commence à travailler. À quatorze ans, si l'on travaille, l'on devient un homme. On a le droit de fumer. On a le droit de boire de la bière. On a le droit de sacrer.

Mon père a des amis dans le parti de Duplessis. C'est pourquoi j'ai un emploi dans la voirie. À 6 heures 30 le matin, je grimpe dans la benne d'un camion avec mes bottes de travail neuves, ma salopette neuve pour me joindre à mon groupe de travailleurs. Ma pelle est tout étincelante; pas une seule égratignure encore. Ils sont plus âgés que moi. Ils sont costauds. Petit étudiant aux mains blanches, je suis fier d'être avec des hommes. Je me sens libre.

Nous arrivons devant une montagne de gravier. Notre tâche est de la pelleter dans le camion. Mes compagnons se mettent à l'œuvre, soumis comme des bêtes habituées à leur sort. Je m'efforce de soulever une pelletée chaque fois qu'ils en soulèvent une. Très tôt, le gravier devient si lourd que je ne peux plus soulever ma pelle. Mes mains brûlent sur le manche de ma pelle.

Cependant il faut travailler. Le chef nous a avertis: ceux qui ne feront pas leur part aujourd'hui ne seront pas là demain. Nous suons. Le gravier fait à peine une petite bosse dans la benne. Nous aimerions un peu de repos:

– Boss, dit l'un des vieux, vous rappelez-vous le soir quand le Rocket a pogné la rondelle...?

– Si je m'en rappelle? s'exclame le chef. Je le vois encore comme si j'avais été là.

Et le chef entreprend le récit d'une des magnifiques échappées du Rocket. Les pelles se posent. Je comprends. Si notre fatigue réclame une pose, il suffit de déclencher le mécanisme de la boîte aux souvenirs:

– Boss, vous souvenez-vous quand le Rocket...?

La princesse verra-t-elle le 300ᵉ but du Rocket?

1951. Le hockey est un sport qui se pratique armé. Le joueur s'entraîne pour les horreurs de la guerre mais, comme un danseur de ballet, il ne cesse de raffiner enjambées, écarts, dégagés, chassés-croisés, voltes. Boudiné dans ses jambières, les pieds armés de lames aiguisées, bâton à la main, il se meut avec une robuste élégance. Ses jambes sont excessivement puissantes. Elles doivent deviner vers où propulser son corps avant que son cerveau n'ait décidé quelle sera la prochaine séquence de sa chorégraphie. Le joueur se jette dans la mêlée comme une grenade dans les tranchées. Comme un karatéka, il sait immobiliser un adversaire. Il connaît l'art de l'escrime. Il est un champion coureur. Dans son équipement rembourré, il doit démontrer l'imbécillité puissante d'un tank. En même temps, il maîtrise l'art de l'équilibriste sur un fil de fer. Il a l'intelligence d'un joueur d'échec, la précision d'un lanceur de javelot. Il lui faut avoir la foi qui déplace les montagnes. Il est doué de la patience d'un dompteur de bêtes sauvages car la rondelle est un animal rébarbatif. Il professe envers la rondelle une piété aussi fanatique que celle de certains croyants, au Moyen Âge: ils dépeçaient vivant un saint ermite pour avoir le privilège de posséder une relique qui attirerait ses faveurs du ciel. Enfin, le joueur de hockey doit désirer la conquête de la coupe Stanley aussi ardemment que les chevaliers anciens qui donnaient leur vie pour le saint Graal. Cette guerre sur la patinoire est un jeu dangereux.

Quand le héros rentre à la maison, il n'est qu'un père revenant du travail, fourbu, blessé parfois, peu bavard et préoccupé du lendemain. Il prend le temps de jouer un peu avec ses enfants, de les aider s'il le peut dans leurs travaux d'écoliers. Peut-être leur lira-t-il une histoire?

Maurice Richard entreprend sa dixième saison chez les Canadiens. Il aime ces jeunes autour de lui. Plusieurs ont grandi en l'imitant. Les jeunes lui vouent un respect attendrissant. Comme lui, ils sont persuadés que le hockey est le grand jeu d'une vie. Plusieurs sont Canadiens français. Il lui fait bon d'entendre la langue française dans le vestiaire. Bernard Geoffrion, un tempérament bouillant, un marqueur de buts spectaculaire est aussi un bout-en-train. Maurice retrouve, sur la ligne Punch, son vieux compagnon Elmer Lach; le jeune Dickie Moore est à la place de Toe Blake, coriace, astucieux. Tous, ils sont affamés de gagner. Quant à lui, ses membres devraient être alourdis par la fatigue, endoloris par les meurtrissures, mais il est aussi jeune que les recrues. Plus qu'eux, encore, il a cette ferveur qui les inspire tous.

Le 11 octobre, la saison commence bien. Dès le premier match, le Rocket cueille un but. Bon signe. Trois jours plus tard, deux buts, coup sur coup, à un intervalle de moins de 50 secondes. Son 300e but ne tardera pas. Le lendemain, il inflige aux Rangers un but victorieux. Nous marchons glorieusement vers l'avenir.

À la fin d'octobre, des employés repeignent les sièges au Forum. On bâtit une estrade d'honneur. On déroule un long tapis rouge où il est interdit aux partisans de marcher. La fanfare du Royal 22ᵉ Régiment fait reluire ses instruments. On accueillera en grande pompe la princesse Elizabeth d'Angleterre et le prince Philip.

Au séminaire, notre professeur d'histoire nous enseigne que la princesse Elizabeth, fille de George VI d'Angleterre, est une descendante de George 1ᵉʳ, le roi des Anglais qui ont vaincu Montcalm sur les plaines d'Abraham, en 1759, qui se sont ensuite emparé du Canada, qui ont brûlé des églises catholiques le long du fleuve Saint-Laurent et qui, avant cela, se seraient même emparés de la France, notre mère patrie, si Jeanne d'Arc ne les avait pas chassés. En plus, la princesse Élizabeth est une descendante de Henri VIII, le fondateur du protestantisme qui a persécuté les catholiques.

Pourquoi alors mon père s'appelle-t-il Georges comme les rois d'Angleterre? Pourquoi ma mère et ma grand-mère, comme plusieurs femmes du village, collectionnent-elles les photographies, qu'elles découpent dans les journaux, de la princesse Elizabeth, de sa sœur, de la reine et de George VI? Moi, le patriote, j'ai même préparé, avec de la farine et de l'eau, la colle pour apposer leurs photographies dans l'album.

À l'entrée de la princesse et de son prince, la fanfare du Royal 22ᵉ Régiment entreprend le *God Save the King*. Les Canadiens français n'aiment pas cet hymne mais les partisans sont polis. Ensuite la fanfare attaque la première note d'*Ô Canada*. Les poitrines se gonflent pour chanter à la princesse des mots français.

La présence des altesses requiert que l'on se comporte avec une certaine distinction. Les administrateurs des Rangers et des Canadiens ont ordonné à leurs joueurs de jouer du hockey distingué. «Quand c'est distingué, c'est p'us du hockey!» La rudesse ne sera tolérée ni par les arbitres ni par l'administration. En d'autres mots, ce soir, il est interdit de commettre un meurtre.

Les joueurs sont perturbés par les belles manières des adversaires. Le jeu est indécis. On manque de conviction. La période est trouée de moments morts. Les patrons ont dit «distingué». Le hockey n'est pas un jeu pour les princesses. Les joueurs se sentent comme se sentiraient les strip-teaseuses de la rue Saint-Laurent si les altesses visitaient leur boîte de nuit.

Le Rocket est embarrassé par tant de civilité. Il préférerait moins d'étiquette et plus de hockey. Il ne réussit même pas à tirer. Un voyou sans manières le malmène. Le Rocket lui distribue quelques taloches raffinées qui, cependant, ne sont pas approuvées par le code protocolaire. Camillien Houde, le maire de Montréal, un adorateur du Rocket, craint que l'image pastorale de sa ville ne soit froissée par une de ses frasques. Il conseille à Dick Irvin d'expédier le Rocket au pâturage. La volonté d'un maire a du poids quand sa ville compte plus de quatre cents bordels.

Le bouillant Rocket n'est invité sur la glace qu'à la troisième période. Écartez-vous de son chemin! Furieux d'avoir été mis à l'écart, il est résolu à passer la rondelle à travers le corps du gardien. À la treizième minute, il marque son 298e but! À quarante secondes de la fin du match, il note une brèche. Un autre but: son 299e! La foule lui fait une ovation comme n'en ont pas reçu les altesses. Le Rocket offrira-t-il son 300e but à la princesse et au prince?

– Donnes-y Maurice! T'es capable!

Les partisans se trémoussent. Ah! Démontrer à la princesse et au prince qu'on a survécu à la défaite des plaines d'Abraham! La voix des partisans le pousse comme le roulement d'une vague. L'horloge indique qu'il reste cinq secondes de jeu. Peut-être a-t-il assez de temps pour marquer son 300e but? Il tire. Il a raté. La foule chante comme s'il avait réussi. La princesse et le prince sortent. Leurs altesses ont-elles saisi les nuances de ce jeu de la tribu canadienne?

Le 300e but de Maurice est inévitable. La rondelle est déjà en orbite. Elle va frapper. On ne sait où. On ne sait quand. Au prochain match? Aucun gardien ne veut être la victime de ce boulet. En alerte, les équipes menacées préparent leur protection. Elles vont ficeler le Rocket.

Le 1er novembre, les Leafs sont au Forum. Ce n'est pas une visite de courtoisie. Plusieurs adversaires ont quelques coups de poing à rembourser au Rocket. Les altercations se multiplient. Le Rocket se défend et le voici puni. Alors un de ses parasites, Bill «The Beast» Juzda, persifle son origine canadienne-française. Le Rocket bondit hors du cachot sur Juzda. Le Forum danse de plaisir. Mais le Rocket n'a pas donné à ses partisans ce 300e but espéré.

Au match suivant, Terry Sawchuck voit le Rocket s'amener. Il s'accroupit, avance le torse et étend les bras. Ainsi, il crée un entonnoir où sa rondelle va s'empêtrer. Pour déployer encore plus le volume de son corps, le gardien s'incline vers le côté gauche; il étend sa jambe droite tandis que sa main protège la partie supérieure de la cage ainsi scellée. Le Rocket arrive. Sawchuck, le regard vissé sur la rondelle, attend le boulet. Plutôt que de tirer, il fait un virage qui soulève une poussière de glace et tourne le dos au filet. Quel truc prépare-t-il? Il freine. Danger! Sawchuck est prêt. Les genoux pliés par l'effort, le corps tordu parce qu'il ne cesse de scruter Sawchuck, le

Rocket allonge les bras pour pousser le plus loin possible la palette du bâton où se colle encore la rondelle. Tous les muscles de son corps se crispent et cette magnifique fronde se détend. La rondelle pénètre dans la cage avec la précision d'un scalpel dans la chair. Son 300e but!

Au cas où Jack Adam et ses fanfarons de Red Wings, Abel, Lindsay, Howe, se croiraient encore supérieurs, il les fustige d'un 301e but. Personne ne soutiendra que le 300e était un effet de la chance.

Des pas dans la nuit

1951. Nos professeurs nous racontent *L'Odyssée* d'Homère, les conquêtes d'Alexandre, l'époque de Charlemagne. Rien ne nous intéresse autant qu'un match des Canadiens.

Au dernier étage du séminaire sont disposés une centaine de lits. Au centre de notre dortoir, il y a une porte. C'est une porte interdite. Derrière, un escalier étroit conduit à la tour. À neuf heures, le surveillant récite une dernière prière, éteint les lumières et se retire. On sait précisément combien il lui faut de temps pour s'endormir dans sa cellule. Lorsque la situation est jugée sûre, des corps bougent dans les petits lits. Il y a des glissements de corps sur le plancher de ciment gris. L'obscurité n'est violée que par un lampion qui brûle aux pieds d'une sainte Vierge. Les membres de l'équipe de hockey sortent de leur lit. Les charnières de la porte craquent comme des jointures de vieillard. La lumière du surveillant va-t-elle s'allumer? Quelques chuchotements. Puis des craquements dans les marches de l'escalier. Des frottements contre les murs. Finalement les charnières de la porte se plaignent encore. La main du dernier des mutins vient de la refermer sur le grand secret dans la nuit.

Ceux qui ne sont pas membres de l'équipe de hockey du séminaire restent allongés dans leurs lits. On n'a pas le droit de monter dans la tour interdite, mais on sait quel rite s'y déroule à l'insu des prêtres. On n'en dit pas un mot. C'est un secret sacré. Un appareil de radio est caché dans un endroit introuvable. Une antenne est plantée sur le toit à un endroit invisible. Il suffit de saisir le fil de l'antenne, de l'amener à l'intérieur par la fenêtre, et ensuite, de brancher la radio pour entendre la description du match de hockey. Dans nos lits, on est un peu tristes. Parce qu'on ne fait pas partie de l'équipe, on est condamnés à rester sous les couvertures. Les membres de l'équipe sont les maîtres de la tour.

Un match important se dispute contre Toronto, mais il nous est interdit; on n'est pas membres de l'équipe. On ne peut pas s'endormir parce qu'on est tristes. Pourquoi n'a-t-on pas été choisis? Il est difficile de s'endormir quand on a été rejetés de l'équipe.

On essaie de se consoler en pensant qu'on a de bonnes notes en dictée française, en algèbre, en géographie, mais ce n'est pas une vraie consolation. On voudrait faire partie de l'équipe.

Demain, on va s'exercer à lancer la rondelle, à patiner à reculons, à freiner. Malgré tous les exercices, on ne sera jamais des Maurice Richard. On n'est pas bons. On tire la couverture pour essuyer nos yeux.

À la fin, on s'endort.

Puis, quelqu'un nous secoue. On ouvre un œil sur la nuit opaque.

– Maurice Richard: 2 buts!

On se sent mieux. On dormira jusqu'au matin.

Le Christ ressuscité au milieu de la patinoire

1951. Le Rocket est un dictateur absolu de son corps. Son organisme est soumis à la tension qu'impose sa constante obsession de marquer des buts, de vaincre. Maurice n'a pas de répit lorsqu'il prend part à un match, il n'a pas de repos lorsqu'il est hors de la patinoire. Il ne dort pas bien, il ne digère pas bien sa nourriture. Les fermiers qui travaillaient une terre rocailleuse, les pêcheurs qui halaient le filet sous un ciel de tempête n'avaient pas de temps pour les petits soucis. Ils allaient au travail quand c'était le temps d'y aller. Fils d'ouvrier, Maurice ne connaît que cette discipline. Malgré cette déchirure qui lui brûle le ventre, il va à la chasse à la rondelle. Les partisans le jugent plus extraordinaire que jamais. Pourtant la douleur lui scie le corps.

Dick Irvin lui suggère un congé. Se reposer? Les séries éliminatoires s'approchent. Il faut consolider le classement des Canadiens. Il faut abattre le record de 324 buts de Nelson Stewart. Et Gordie Howe marque des buts! Le Rocket ne va pas se laisser dépasser. Même chez les Canadiens, on le défie: Geoffrion essaie d'avoir plus d'ambition que lui. Un repos? Le Rocket n'en a pas besoin. Il a mal, mais le hockey est un jeu qui fait mal. Après deux mois de torture, il accepte enfin de se confier à un médecin. Le Rocket ne souffre pas de troubles d'indigestion mais d'une élongation de ligaments à l'aine. Un congé? C'est samedi. Les Black Hawks descendent au Forum. Il ne veut pas être absent. Comme Dieu, ce soir, le Rocket est partout. Il leur accommode un tour du chapeau!

Le Rocket ne se repose pas. Le 31 janvier 1952, les Canadiens et les Rangers se collettent fervemment. Dick Irvin a remarqué que le Rocket ne patine pas comme d'habitude. De temps à autre, une grimace lui chiffonne le visage. Tout à coup, il s'élance dans une de ses échappées qui donnent la chair de poule. Sa grimace n'échappe pas à l'instructeur. Il se dirige vers le filet des adversaires avec des zigzags, des courbes, des retours et des feintes qui les déconcertent, des freinages inattendus et, aussitôt il reprend sa course comme s'il ne s'était pas arrêté. Irvin note qu'un de ses patins est plus lent, plus lourd que l'autre. Le Rocket tire, c'est le but! Son 317e. Le 24e de la saison. Le Rocket devance Gordie Howe!

Les quelques mots qui tombent de sa bouche, son moindre geste suscitent, dans la presse, autant d'analyse et de commentaires qu'un passage de la Bible. Ce mal dans le bas-ventre du Rocket a pris l'importance d'une épidémie nationale. On est incrédule; le Rocket ne peut pas avoir «mal au ventre comme une créature». Quel est le véritable problème du Rocket? se demandent les journalistes.

À l'exercice suivant, sa jambe fait la grève. Le Rocket est malade, toute la province de Québec est souffrante. Rocket embarrassé, ennuyé, décrit, aux journalistes, en peu de mots, cette douleur qui le condamne au repos. Il connaît toutes les façons de loger la rondelle dans le filet des adversaires. Cependant il n'a pas étudié l'anatomie du corps humain. Le Rocket, qui ne comprend pas sa douleur, doit la décrire, l'expliquer. Ses entrevues sont préparées. Il lit ses réponses. Il n'aime pas parler. Il est timide en public. Il a moins d'assurance devant un mot sur le papier que devant un défenseur des Maple Leafs.

La radio, au séminaire, nous est interdite. Cependant, si nous avons l'astuce d'aller nous confesser à l'heure des nouvelles chez notre directeur spirituel, nous pouvons écouter la radio durant nos aveux. Grâce à ce manège, plusieurs d'entre nous ont entendu le Rocket. Et nous sommes embarrassés. L'entendre parler nous rend mal à l'aise comme lorsque s'amène au parloir, le dimanche, l'une de nos grosses tantes en robe à fleurs qui dépasse de son manteau. On est gênés. Quelqu'un risque une imitation. On rit. Soudainement on se moque de Maurice Richard. On ne se sent plus grandis par le Rocket. Cet homme aux patins et aux regards de feu, qui nous a appris à voir plus grand, à vouloir aller plus loin, à être plus forts que notre force, nous en avons maintenant un peu honte. Pouvons-nous encore admirer un héros qui ne fait rien d'autre que de pousser un morceau de caoutchouc sur la glace? Ce sont des idées qu'il faut lancer! Seuls nous intéressent les grands hommes qui ont leur statue en Europe et leur photographie dans le dictionnaire. Aucun d'entre eux n'a joué au hockey. À partir de là, on n'essaie plus d'être Maurice Richard. Je délaisse la patinoire pour les réunions de notre cercle patriotique. Ainsi se termine ma carrière de joueur de hockey.

Au repos, le Rocket rate une vingtaine de matchs. Les jours lui paraissent aussi longs que s'il ne pouvait plus respirer. Les partisans s'impatientent: il n'est pas supposé guérir si lentement. Le 15 mars, il revient contre les Bruins. Les partisans le connaissent. Forcé de se reposer, il va rattraper le temps perdu. On s'invite chez un cousin qui s'est procuré une télévision. Le Rocket ne déçoit pas. Son but donne la victoire aux Canadiens.

Quatre jours plus tard, à Toronto, entouré de mastodontes, Elmer Lach lui fait une passe. Le Rocket, s'arc-boutant, pliant les genoux, avec une torsion de la taille, allonge son bras pour la cueillir. Malgré les coups répétés de Jim Morrisson, il ne la perd pas. Tête baissée, il encorne les adversaires. Il fonce à travers les bâtons. Enveloppé d'adversaires, il contrôle encore la rondelle. Entre les bâtons entrecroisés, les jambes emmêlées, il lui indique la ligne à suivre. Docilement, la rondelle lui obéit. C'est le but!

Les partisans rêvent de la coupe Stanley, mais ils s'intéressent à cette nouvelle qu'une autre grève vient d'éclater à Louiseville, une petite ville entre Montréal et Trois-Rivières. Les ouvriers du textile sont révoltés. Les ouvriers n'endurent plus leur sort comme des bêtes battues. La province de Québec change. Pourquoi les Canadiens français sont-ils condamnés à subir un sort décidé par les autres? Pourquoi les décisions sont-elles toujours prises par d'autres? Nos politiciens? Ils laissent les trusts conduire le pays. Même Duplessis. Aux trusts, il dit: «Yes, Sir!» En politique, c'est un Maurice Richard qu'il nous faudrait!

Notre professeur d'histoire explique: «La société est comme un corps; vous êtes en santé si votre cerveau, votre estomac, votre cœur, vos bras font ce qu'ils ont à faire... Votre corps est comme une équipe de hockey. Qu'est ce qui arriverait aux Canadiens si Maurice Richard décidait de ne pas jouer? Qu'est-ce qui arriverait si votre cerveau, ou bien vos pieds ou votre estomac refusaient de faire leur travail?... Notre société est malade... Comme le peuple en France qui a fait la Révolution, les Canadiens français se réveillent...» Les adultes sont chanceux d'avoir le droit de faire la grève. Cela ressemble à des vacances. Mais pourquoi les grévistes ont-ils l'air si misérables?

Les séries éliminatoires commencent. Les Canadiens écrasent les Bruins 5 à 1 lors du premier match. Le Rocket leur a imposé deux buts. Les Canadiens remportent une seconde victoire 4 à 2. Cependant, le vent tourne, comme disent les partisans, pour expliquer l'inexplicable: les Canadiens perdent les trois matchs subséquents. Au sixième match, les Bruins poursuivent leur marche triomphante. Gerry McNeil ne peut leur résister. Les Canadiens se débattent. La défensive des Bruins est infranchissable. À la onzième minute de la troisième période, le Rocket, comme un grand vautour surgit d'on ne sait où, enlève la rondelle à Milt Schmidt et l'emporte entre ses serres. Médusés, les adversaires hésitent. Le Rocket va droit devant lui. À vingt pieds de Jim Henry, il fait feu. La rondelle est dans le filet, 2 à 2.

La période supplémentaire est interminable. Les Bruins veulent, ce soir, achever les Canadiens. Les Canadiens doivent, ce soir, survivre. Les secondes s'allongent. L'air est torride. Les joueurs s'épuisent. Au moment où ils auraient envie de tout abandonner, leur énergie renaît. Personne ne crée le but qui mettrait fin à cela. Il faut entreprendre une seconde période supplémentaire. Les deux équipes sont de force égale. Une troisième sera-t-elle nécessaire? À 7 minutes 49 secondes, une recrue, Paul Mesnik, saisit le rebond d'un lancer de Doug Harvey et assigne la rondelle au filet.

Chaque équipe a trois victoires. Les Canadiens ont maintenant un avenir. Le septième match décidera de l'issue des semi-finales. Le 8 avril, il n'y a rien de plus important au monde que ce qui se passe au Forum. Le jeu est âpre. À la deuxième période, le Rocket tente, une fois de plus, de déchirer la défensive des Bruins. Léo Labine, qui patine comme s'il n'avait pas de lame sous ses bottines, s'installe devant lui. Larges épaules, gros bras, Léo Labine le télescope. Maurice perd l'équilibre et glisse sur les genoux. Bill Quackenbush le voit venir et lui applique un coup de genou à la tête. Le Rocket s'affale sur le dos, jambes écartées, les bras en croix. Les partisans pensent au Christ crucifié. Dans la catholique province de Québec, en ce temps de l'année, on pense beaucoup au Vendredi saint, le jour où le Christ est mort sur la croix. Le silence, au Forum, est consternant. Les gens voudraient se mettre à genoux. Pâques, le jour de Sa résurrection, n'est pas loin non plus... Soudain le Rocket bouge. La foule éclate. Le Christ ressuscite! Péniblement, le visage rougi de sang, soutenu par le médecin, sous les acclamations, il se dirige vers le dispensaire. Il n'a pas de souvenir de ce qui est arrivé. On lui fait les points de suture nécessaires. Il veut retourner au banc des joueurs.

Quel est le score? demande-t-il. 1 à 1. Quelques secondes plus tard, il a oublié. Quel est le score? Toe Blake l'observe. Le Rocket a du brouillard dans les yeux mais, derrière, il y a la flamme. Le Rocket a été ébranlé, mais il piaffe d'impatience. Il est encore étourdi. Toe Blake feint de l'ignorer. Il connaît son joueur. Le moment opportun s'approche. La foule aussi connaît son Maurice. Les Bruins sont condamnés à mort pour le crime commis par Léo Labine.

La troisième période est avancée. Si les Canadiens ne gagnent pas ce match, dans quatre minutes, ils seront éliminés. Quel est le score? demande Maurice. «C'est l'égalité.» Il doit marquer un but. Toe Blake le voit se dresser. Le Rocket veut aller chercher le marquer le but qu'il faut.

– Donnes-y, Rocket!

Les adversaires ont envahi la zone des Canadiens. L'instant est dangereux. Derrière le but, Butch Bouchard se querelle avec Woody Dumart et s'approprie la rondelle. Étonné d'apercevoir un Rocket qu'il ne pensait plus revoir sur la glace, il lui fait une passe. Le Rocket file jusqu'à la ligne bleue des adversaires où l'attendent les solides Bill Quaquenbush et Bob Amstrong. À travers leur brouillard, les yeux du Rocket éjectent du feu. Quaquenbush, s'il patine à reculons, ne cède pas de terrain. Le Rocket ne peut tirer. De plus, il a dérivé. De l'angle où il se trouve maintenant, il est incapable d'arquebuser un tir fatal et, en plus, le tank Quaquenbush est devant lui. Au lieu de chercher refuge derrière le filet pour préparer la séquence suivante, il bifurque, à l'étonnement du défenseur, vers l'avant de la cage. Jim Henry va recevoir cette rondelle au visage plutôt que de la laisser passer. Il attend le choc. Son visage est couvert de cicatrices. Il se penche pour mieux voir venir la rondelle. Le Rocket ne se hâte pas.

Les adversaires arrivent. Il ferraille, les repoussant d'une main et, de l'autre, manœuvre la rondelle. Jim Henry attend. La rondelle va rebondir sur lui. Va-t-il tirer? Pas maintenant. La horde sauvage est sur lui. Jim Henry a bougé. Une fissure apparaît. Le Rocket abat la palette de son bâton sur la rondelle qui fend l'air comme un sabre. Victoire! Les Canadiens emportent la semi-finale. Ils gagneront la coupe Stanley! «Halte là! Halte là! Halte là! Les Canadiens sont là!»

Dans le Forum, les partisans hurlent, dansent, chantent, pleurent. Ils applaudissent. Ils lancent des objets sur la patinoire. Quel est le score? s'informe le Rocket. Visage sanglant, l'air ivre, il rentre au vestiaire et s'écrase sur le banc. Onésime, son père, l'humble ouvrier, l'attendait. C'est un homme de peu de mots. Il pose la main sur l'épaule de son célèbre fils. Le Rocket étouffe. En lui monte la marée de l'énorme émotion causée par les cris de la foule, la tension d'avoir voulu marquer, la colère d'avoir été assailli, les souffrances endurées, les doutes constants. Son visage ensanglanté, enflé, se froisse; son corps est secoué d'un spasme. Il éclate en sanglots. Le meilleur joueur de hockey des temps modernes est un enfant terrifié qui pleure dans les bras de son père. Les sanglots de cet enfant ressemblent à des hurlements de bête blessée. Les recrues ne savent où regarder.

Ce but a été le plus beau de l'histoire du monde. À la chapelle du séminaire, le matin suivant, nous remercions Dieu. Hier, le prêtre Lui a demandé d'aider les Canadiens: «Rappelez-vous, mon Dieu, que Maurice Richard est un Canadien français catholique. On aurait de la misère à comprendre votre justice, mon Dieu, si un Canadien français catholique ne pouvait pas gagner contre des Anglais protestants.» De toute la ferveur de nos jeunes cœurs, nous remercions Dieu d'avoir joué avec les Canadiens contre les Bruins.

Enivrés par notre apothéose, avons-nous négligé de prier Dieu pour les finales? Les Red Wings s'avèrent trop forts. Ils gagnent la coupe Stanley.

La patrie est sauvée!

1952. Comme Maurice Richard, j'apprends l'anglais. Mais au séminaire, on nous enseigne cette langue avec précaution. Si nous apprenons trop d'anglais nous parlerons à des jeunes Anglaises; nous pourrions en devenir amoureux, les épouser et devenir pères de bébés anglais et protestants. Nous étudions beaucoup plus de grec que d'anglais. Et je traduis un texte d'Épictète, un philosophe né en l'an 50. C'était un stoïcien. Son maître, pour endurcir sa résistance, lui tordait les jambes dans un appareil à torturer. Un jour, trop tordue, la jambe a cassé. Il n'a même pas laissé échapper un murmure. Son texte a été écrit il y a presque deux mille ans: «Mon ami, tu veux conquérir la gloire aux Jeux olympiques. D'abord, étudie les conditions et les conséquences et ensuite, mets-toi à la tâche. Tu devras te soumettre à une discipline: manger selon la règle, éviter les gâteaux et les viandes sucrées; tu devras faire de l'exercice à l'heure appropriée, que tu aimes cela ou non, par temps froid ou par temps chaud; tu devras t'abstenir de boissons froides et du vin à volonté: en un mot, tu devras te confier à ton entraîneur comme à ton docteur. Puis, dans la compétition elle-même, tu as une bonne chance de disloquer ton poignet ou de tordre ta cheville, d'avaler beaucoup de poussière, d'être gravement épuisé de fatigue et après tout cela, d'être vaincu.»

Récemment, dans les villages et les villes éloignés, les gens se regroupaient le dimanche à l'église. Au moment où le prêtre élevait l'hostie, les gens sentaient que Dieu les habitait. Maintenant le Rocket, qu'ils voient à la télévision, leur donne cette sensation de notre force. Mon grand-père, après une journée noire dans sa forge, endosse une chemise blanche et noue sa cravate, comme pour aller à la messe; mais il s'assoit devant la télévision pour regarder le Rocket. Ce joueur est léger comme un oiseau et il est obstiné comme la mer contre les falaises de la Gaspésie.

Nelson «Old Poison» Stewart, un ancien des Maroons de Montréal et des Bruins de Boston, a pris sa retraite du hockey en 1937, l'année de ma naissance. Depuis, personne n'a marqué un plus grand nombre de buts dans la Ligue nationale, 324. Il est évident que le Rocket va dépasser son record avec ses 322 buts.

Le 29 octobre, les Canadiens jouent contre Toronto. À neuf heures du soir, après une dernière prière, les lumières s'éteignent dans notre dortoir. Même si je préfère maintenant la politique au hockey, je ne puis m'endormir sans penser qu'à Toronto, une ville qui me semble dans un pays étranger, notre Maurice Richard va probablement briser un record historique. Et on n'a pas le droit de regarder ça à la télévision! Même la radio nous est interdite. Je m'insurge contre ce système d'éducation venu de la France, à la fondation de Québec, en 1608, et qui n'a pas changé depuis, malgré la venue des temps modernes et de la bombe atomique. Les prêtre nous gardent en quarantaine, à l'abri des microbes de la vie moderne. Je m'endors sans nouvelles du Rocket.

À la onzième minute de jeu, le Rocket reçoit une passe de son fidèle Elmer Lach. En un tournemain, trompant l'attention d'Harry Lumley, il apprête son 323ᵉ but. L'équipe torontoise est mortifiée, mais la foule ne peut se retenir d'applaudir, avec réserve, ce tour de prestidigitation. Encore quelques coups de patin et le Rocket se tiendra debout, avec Nels Stewart, sur la cime du record des 324 buts.

Du plus profond de leur âme de Torontois, les amateurs désirent une victoire de leur équipe. Ils ne voudraient pas non plus rater cet instant privilégié où le Rocket va, pour ce record historique, foudroyer le gardien de but – même si c'est celui de leur équipe. Ce soir, son énergie est phosphorescente. Les amateurs suivent la rondelle comme ils scruteraient un truc de passe-passe. Ils ne veulent pas perdre un instant de ce match comme on ne veut pas perdre un mot d'une histoire enlevante. Quand son bâton saisit la rondelle, la foule crie. Crainte? Plaisir? L'encourage-t-elle? Le conspue-t-elle? Il varappe vers le filet. «Maurice Rocket Richard lance et compte!»

Après le match, les journalistes veulent remplir vitement leur colonne. Il est tard. Les presses vont rouler. Plutôt que d'être ainsi questionné par les journalistes, Maurice préférerait se faire coincer par une meute de défenseurs. Après un match, il revient d'ailleurs, d'un voyage sur la planète hockey. Son corps et son esprit ont besoin de se réadapter à la Terre. Il déteste parler après un match. Comme il déteste parler avant un match. En anglais comme en français, il se méfie des paroles. Il n'est pas un acteur. Aux questions, il répond sobrement: à la manière d'un plombier qui sait qu'il a fait un bon raccordement.

Le lendemain matin, à la chapelle du séminaire, je trempe les doigts dans l'eau du bénitier. Un compagnon me chuchote: «Maurice Richard: 324!» Plus tard, à la récréation du matin, le surveillant confirme la nouvelle. Le but historique du Rocket a eu lieu à la dix-septième minute. Maurice Richard a rejoint le Nelson Stewart. Les Canadiens ont porté leur coéquipier en triomphe sur leurs épaules. Les Torontois l'ont applaudi comme s'il était le roi d'Angleterre.

– Maintenant on va aller chercher notre 325ᵉ!

Sur le ton avec lequel on livre un secret, le surveillant assure que Maurice aurait pu tirer comme dans une porte ouverte dans le filet des Maple Leafs et revenir à Montréal avec son 325ᵉ but. Il a préféré se retenir, passer la rondelle à Bert Olmstead et le laisser réussir un but. Le Rocket veut partager son triomphe avec les siens, chez lui, à Montréal. C'est devant les Canadiens français qu'il veut devenir le plus grand joueur de hockey de tous les temps. Et il nous explique aussi qu'un champion n'est pas un champion, à moins que Dieu l'ait voulu. Si Maurice Richard est devenu le champion de tous les temps, c'est parce que, dans sa sagesse éternelle, le bon Dieu a voulu qu'un Canadien français catholique devienne champion. Tout à notre fierté, nous avons oublié les méchantes petites moqueries que nous avons faites aux dépens de ses faibles connaissances en anatomie et en vocabulaire.

Cap sur notre 325e but. Quand battrons-nous le record? Aujourd'hui, bien sûr. Maurice joue au Forum. Sans résultat. Pas un seul but. La malchance. Il joue à l'étranger. Sans marquer. Déception. Pourquoi n'a-t-il rien fait? Un autre match suit et Maurice ne se rend même pas devant le but. Pourquoi? Ça ne doit pas être difficile d'accoucher d'un seul but quand on en a déjà 324! Ses coéquipiers lui fournissent tout le soutien nécessaire. Il se décarcasse. La résistance est opiniâtre. Aucune équipe ne veut, dans son histoire, la cicatrice de ce record. Qu'est-ce qui le retient? Il est le meilleur. Pourquoi lance-t-il sur les jambières du gardien? Trois matchs ont passé. Rien. On espère ce but comme la pluie dans un été trop sec. Dix jours s'alignent, sans but, interminables. Maurice, comme ces petites barques de Gaspésie, a la voile en ralingue.

Le 8 novembre, il y a exactement dix ans, la recrue Maurice Richard introduisait une première rondelle dans un filet de la Ligue nationale. Depuis il a disputé 524 matchs. Un espoir nerveux flotte dans l'air. Le personnel du Forum se prépare. Que se passera-t-il dans les gradins quand le Rocket donnera aux partisans le but tant attendu? Et comment réagiront les partisans si le Rocket échoue? Resteront-ils tranquilles si les adversaires blessent leur champion? Si une bagarre éclate...

Ce match ne ressemblera pas aux autres. L'agressivité des Canadiens va être nourrie par les partisans. Les Black Hawks vont se barricader. Alors le Rocket cherchera la moindre faille. En conséquence, il ne doit pas s'approcher de leur ligne bleue. Les Black Hawks vont travailler à le mettre K.-O. Celui qui va plaquer le Rocket va devenir un héros. Les journalistes écrivent des lignes lyriques sur l'atmosphère d'avant-match. L'air est pesant. Quelque chose va éclater. Une fête? Une tempête?

Quand les Black Hawks se posent sur la glace, ils sont hués comme une armée ennemie. Avec leur manière faussement nonchalante de patiner, ils défient la foule. Leur suffisance fait injure: «Attendez que Maurice arrive!...»

Les abordages sont cruels. La rivalité est corrosive. Les joueurs se ruent l'un sur l'autre comme s'il ne devait plus rester de survivant à la fin. En même temps, on perçoit quelque chose de fragile au centre de ce combat: un château de cartes invisible qui pourrait s'écrouler. C'est le rêve d'un homme qui veut réussir ce que personne n'a réussi avant lui. Les partisans retiennent leur souffle.

Le Rocket s'infiltre dans la zone des adversaires. Il tire. Superbe! Un chef-d'œuvre d'astuce, de vitesse, de précision. Une clameur s'élève, puis s'étouffe dans le silence de ce qui n'a pas été accompli. Le Rocket tire au but cinq fois durant la première période. Cinq fois, la rondelle est repoussée par Al Rollins, le gardien. Cinq fois la fête commence et...

Les journalistes commencent leur compte rendu. Ils sont plutôt confiants. Le Rocket va briser le record. La loi de la moyenne est de son côté: il a déjà tiré cinq fois sur le gardien des Hawks; il devrait donc aussi tirer durant les deux prochaines périodes. Al Rollins n'interceptera pas toujours la rondelle: «La tension est si forte que l'air semble raréfié comme au sommet de l'Himālaya», écrit le poète raté devenu journaliste des sports.

Les Black Hawks se donnent un avantage d'un but. Pour le protéger, ils resserrent encore leur défensive. Lach, Olmstead, Richard chargent. Ils tissent des passes ingénieuses. Ils se déploient, se regroupent. Ils feintent. Le Rocket ouvre leur défensive et tire! Les partisans bondissent. Al Rollins, d'un coup de jambière, retourne la rondelle. La foule se rassied. Pesant silence de la déception. Elmer Lach attrape le rebond, «lance et compte!» C'est son 200e but! Les partisans l'acclament dignement. Ce but rétablit l'égalité. Ce but aurait dû être un but du Rocket, pensent-ils.

À peine les partisans se sont-ils rassis, Butch Bouchard expédie une longue passe au Rocket qui, avec application, se défriche un sentier dans une forêt d'adversaires. Tenace, il ne cède pas la rondelle. Le Rocket s'agrippe à elle comme si elle était le point d'appui qui l'empêche de tomber dans un gouffre sans fond. Il doit, de ce point noir de caoutchouc, prendre son essor, se projeter plus haut que la cime de Nels Stewart. Ses yeux cherchent une ouverture. Al Rollins bouche l'entrée du filet. Tirer serait inutile. Quinze mille personnes le supplient, dans un vertigineux silence, de leur donner ce but. On le tamponne pour qu'il s'écrase sur la glace. Le Rocket tire. Le projectile est lent. Son revers a été mou. Toute sa force était requise pour assurer son équilibre. Il s'effondre. La rondelle glisse doucement et s'insinue dans le filet. «Le Rocket lance et compte! Son 325e! Le poète raté devenu journaliste des sports est inspiré: Les vents du patriotisme ont soufflé sur la rondelle.»

Le Rocket se relève, cherche la rondelle. Il ne sait pas qu'elle est dans le filet. Les partisans jubilent. Une danse frénétique. Maurice comprend. Une rafale d'objets s'abattent sur la patinoire: foulards, programmes, fruits, pièces de monnaie. Au centre, il est gêné par cette bruyante adulation. Il ne mérite pas tant de manières. Ce fut un but chanceux. C'est un vrai but du Rocket, un franc but qu'il voulait leur donner.

Modeste, très fier, intimidé, le champion tourne en cercle sous les acclamations. Il salue. Maurice Richard a hissé le drapeau canadien, au mât de la planète hockey. L'histoire d'un petit peuple défait, colonisé, docile, se termine ici. Nous appartenons à une race qui produit des champions du monde! Désormais nous savons le goût de la victoire.

Les idées nouvelles arrivent «sur des pattes de colombes», a dit Gœthe, le poète allemand. Elles peuvent aussi venir sur les jambes musclées, rembourrées de feutre, d'un joueur de hockey.

Le porteur de rondelle
et le porteur de croix

1952. Les membres de notre cercle patriotique se sentent coupables d'avoir, cette année, boudé le hockey. Notre peuple n'a-t-il pas donné au monde le plus grand marqueur de buts de l'histoire humaine? Et nous replongeons dans nos livres. Je vais utiliser ma plume comme Maurice Richard manie son bâton. Ce qu'il accomplit sur la patinoire, nous l'accomplirons dans l'arène politique.

Encore plus que les livres immortels écrits par des auteurs immortels, nous aimons *Quick*. C'est un magazine écrit en anglais. Heureusement il n'y a pas beaucoup de texte. À chaque page, il y a une fille qui n'a pas peur de montrer au monde les belles bosses que le bon Dieu lui a modelées. On est émerveillés par les Américains. Ils ont construit la bombe atomique et ils produisent ces filles-là. Bien sûr, *Quick* est interdit par les prêtres. Pour se le procurer, il faut d'abord obtenir la permission de sortir du séminaire. Ensuite, on se rend sur la 1ʳᵉ Avenue. Chez le marchand de magazines, on se dirige vers le coin de *La Revue des Pères Blancs Missionnaires en Afrique*. Derrière est caché le *Quick*. Le magazine interdit nous brûle les doigts. On essaie de ne pas rougir à la caisse. Avant de revenir dans l'enceinte du séminaire, on insère le *Quick* sous son pantalon, dans la chaussette car, en passant devant le surveillant, il faut tourner nos poches à l'envers. C'est une mission kamikaze.

Peu après le 325ᵉ but du Rocket, c'est à mon tour de risquer ma vie. Le *Quick* est à sa place, derrière les revues pieuses. Je vérifie la marchandise. Les filles, ce mois-ci, me paraissent encore plus perfectionnées. Je prends aussi le temps de feuilleter gratuitement le magazine *Life*. Quoi! Une photo de Maurice Richard! Notre Rocket apparaît dans le plus grand magazine au monde: comme le Pape, Gandhi, Churchill, Elizabeth Taylor. Je veux montrer cela à mes camarades: le Rocket dans le *Life*, le magazine qui parle des personnes les plus importantes au monde!

Malheureusement mon budget ne me permet pas d'acheter *Life* et *Quick*. Je dois choisir. Après réflexion, je replace *Quick* derrière les revues de nos missionnaires. Je rapporte de mon expédition le *Life* avec la photo de Maurice. À l'entrée, je le glisse sous la jambe de mon pantalon.

Dans le monde réel, qui n'est ni dans les livres ni dans le hockey, la grève de Louiseville, péniblement, se prolonge. Le désœuvrement pourrit la vie des familles. Malgré l'aide charitable, des enfants ont faim. Pendant que des pères de famille végètent dans le désespoir et la colère impuissante, des briseurs de grèves font tourner les moulins à textiles. Ils entrent et sortent protégés par la police de Duplessis. Chaque jour, on se pousse, on s'injurie. En décembre, par un matin où le froid brûle les joues, on échange des coups. Dans le désordre de l'affrontement, un policier tire sur un gréviste. La balle traverse le cou. Duplessis décide qu'on a besoin de plus de policiers à Louiseville.

Pourquoi ces grèves? Pourquoi ces grèves violentes? Pourquoi ces grèves interminables? Elles sont le résultat néfaste de la propagande communiste. C'est ce que Duplessis explique au peuple. Nos professeurs pensent comme Duplessis. Les gens discutent. Certains affirment que les patrons traitent les Canadiens français comme des esclaves. D'autres pensent que les employés sont chanceux d'avoir un travail. Au cercle patriotique, nous essayons de comprendre. Comment se fait-il que la richesse est du côté des Anglais protestants et que la pauvreté est du côté des Canadiens français catholiques? Les prêtres nous expliquent qu'il sera plus difficile à un riche de pénétrer au royaume des cieux qu'à un chameau de passer par le chas d'une aiguille. Cela nous console un peu, mais pourquoi avons-nous hérité, en même temps que la Vérité, la pauvreté?

Durant les dernières semaines de janvier 1953, Dieu manifeste son amour aux Canadiens français en choisissant l'un des nôtres cardinal de son Église. «Que Dieu nous aime! insiste le prédicateur, Il n'est pas allé en France incroyante pour choisir un cardinal. Il n'est pas allé dans l'Angleterre protestante. Il n'est pas allé aux États-Unis matérialistes. Il n'est pas allé chez les communistes de la Russie. Il n'est pas allé chez les nazis de l'Allemagne. Dieu est venu dans la province de Québec choisir un Canadien français.»

Son Éminence entre en gare, à Montréal le 29 janvier, dans un wagon spécial. Des milliers de personnes tombent à genoux quand l'homme de Dieu apparaît, le manteau ouvert pour laisser voir sa soutane pourpre et l'imposante croix d'or sur sa poitrine. Étendant les bras, il déclame: «Montréal, Ô ma ville, tu t'es faite belle pour recevoir ton prince et ton Roi...» Plusieurs ne peuvent retenir leurs larmes.

C'est ce que je lis dans le journal. À une réunion du cercle patriotique, j'opine que si Maurice Richard avait parlé avec autant de prétention après son 325e but, il se serait fait bombarder de tomates. Après la réunion, je suis convoqué chez le directeur:

– On me rapporte que tu te moques de notre cardinal... Serais-tu un petit communiste?

Affronter seul
quatre cents Sarrasins

1953. Le Rocket est nerveux. Il ne veut pas voir Gordie Howe détruire ce qu'il a fait de mieux. «Goddam frog!» À la moindre injure, il devient un chevalier de l'Apocalypse. Durant la première période d'un match, il est condamné cinq fois au cachot.

Gordie Howe s'approche de son record de 50 buts. Va-t-il surpasser le Rocket? Les partisans aiment rappeler qu'il n'a fallu au Rocket que 50 matchs pour compter 50 buts, tandis que Gordie Howe bénéficie d'une saison allongée de 70 matchs. Donc la performance de Howe est moins valable. Les adversaires répliquent que le Rocket a établi son record quand les meilleurs joueurs étaient partis à la guerre.

Fin mars, à Detroit: c'est le dernier match de la saison régulière. Gordie Howe a accumulé 49 buts; il va tout tenter, son équipe va tout tenter, pour pulvériser le record du Rocket. Sans pouvoir la modérer, il a suivi sa persévérante avance vers son record. Dans le train, la nuit, ou à la maison, il repassait dans sa tête le film de ses matchs disputés contre les Red Wings. Comment les buts marqués par Howe auraient-ils pu être prévenus? Il lit dans les journaux les comptes rendus des matchs des autres équipes contre les Red Wings. Comment Howe a-t-il marqué? Le Rocket ne permettra pas à Gordie Howe de fracasser son record. Ce soir, il sera face à face avec ce joueur aux manières hypocrites. La détermination brille dans ses yeux exorbités. Il a une telle volonté accumulée dans son corps que Dick Irvin évite de l'envoyer sur la glace en même temps que Gordie Howe. C'est plutôt à Burt Olmstead et à Johnny McCormack qu'Irvin confie la mission de s'occuper de Howe. Ils accomplissent leur mission avec un dévouement terrifiant. Le Rocket est ému: ses coéquipiers risquent de se blesser pour sauvegarder son record. Gordie Howe ne tire pas, ne marque pas! Le Record du Rocket est sauf. La province de Québec enfin respire.

Jim Norris, qui a reconstruit les Red Wings en une équipe puissante, est décédé en décembre dernier. Sa sœur Marguerite lui succède. Jamais une femme n'a dirigé une équipe de hockey. Comment maîtrisera-t-elle des hommes comme «Terrible» Ted Lindsay, Gordie Howe, Terry Sawchuck? Comment une femme serait-elle capable de mener une équipe d'hommes? Très confiants, les Bruins se présentent devant les Red Wings et les éliminent.

De l'autre côté, Sid «Bootnose» Abel, anciennement de la Production Line, a infusé aux Black Hawks un jeune désir de vaincre. Ils sont redoutables. Sid Abel n'a pas oublié qu'il est devenu «Bootnose» quand le Rocket lui a cassé le nez. Il a soigneusement analysé le style des Canadiens: ils attaquent comme des pompiers qui courent au feu. Ce jeu spectaculaire ébranle les adversaires, mais il laisse leur défensive ouverte. La hardiesse du Rocket et de Geoffrion soulève les foules, mais leur gardien de but se sent parfois bien seul. Ce style des Flying Frenchmen, c'est leur âme. Les Black Hawks vont démanteler leur défensive. Les Canadiens cueillent les deux premières victoires; les Black Hawks engerbent les trois suivantes. Préoccupé, Dick Irvin cloue au banc quelques joueurs qu'il juge paresseux. Il remplace Gerry McNeil par Jacques Plante, un jeune gardien de but inconnu qui tousse et tricote. Finalement, les Canadiens sont les vainqueurs de la semi-finale.

Les Canadiens et les Bruins sont à la mise au jeu de la finale. La coupe Stanley n'a pas été vue à Montréal depuis 1946...

– Donnes-y Maurice!

Chaque joueur des Canadiens comprend sa mission: aller chercher la coupe. Le jeu est robuste; c'est l'euphémisme des journalistes. Les joueurs multiplient les offenses. Les arbitres multiplient les pénalités. Les Canadiens gagnent le premier match. Le second leur échappe. Ils gagnent le troisième.

Avant d'affronter seul 400 Sarrasins, Roland de Roncevaux, dont nous lisons l'épopée, au séminaire, fait le serment d'être «plus fort, plus fier et plus ardent et de ne pas céder tant il sera en vie». Notre professeur lit: «Ils lancèrent contre lui des dards et des guivres sans nombre, des épieux, des lances, des museraz empennés.» Nous pensons à Maurice Richard.

Les Bruins sont aussi coriaces que les Sarrasins. Le cinquième match se termine 0 à 0. Les joueurs, à bout de souffle, attendent la période supplémentaire. Les minutes qui viennent seront les plus importantes de la saison. Les joueurs sont éreintés. Où puiseront-ils l'énergie? Le médecin des Canadiens distribue aux joueurs des carreaux de sucre trempés dans le cognac. Il a vu, à la guerre, des religieuses françaises raviver ainsi des blessés. Dick Irvin fait un bref discours: «Ils savent que nous sommes fatigués, ils s'attendent que notre jeu sera défensif. Surprenons-les, attaquons!»

Le sucre et le cognac sont miraculeux. Après une minute et quelques secondes, Jim Henry repousse un tir d'un coup de jambière. Le défenseur Bill Quackenbush s'apprête à nettoyer le terrain. Surgissant comme une apparition, le Rocket lui retire la rondelle. Jim Henry, se gonflant dans son équipement, s'avance devant lui. Le Rocket ne peut tirer. Elmer Lach s'est approché. Le Rocket lui passe la rondelle. Elmer Lach «lance et compte».

Alléluia! Après une si longue absence, la coupe Stanley revient à Montréal! Et le record des 50 buts du Rocket est intact.

45

Pensées lourdes
d'adolescents légers

1953. Maurice Richard conquiert les patinoires comme nos ancêtres auraient dû conquérir l'Amérique. Regardant jouer le Rocket, on se sent de moins en moins conquis et de plus en plus conquérants. On se sent beaucoup moins vaincus et un peu plus vainqueurs. Le Rocket renverse le courant de l'histoire. La plume du chanoine Groulx, notre historien national, grave dans le passé les lignes de notre vie. Les patins de Maurice Richard inscrivent notre vie dans le présent. Le Rocket invente sa légende et sa légende nous inspire. Les peuples malheureux en histoire ont besoin de rêver. Ni la religion catholique, avec ses espoirs en l'autre monde, ni nos chefs politiques, ridiculement minuscules devant les forces du monde, ne provoquent, autant que le Rocket, ces frissons de la fierté de vivre. Le Rocket n'est pas éloquent quand il parle. Il ne connaît pas les œuvres immortelles des auteurs immortels. Cependant, avant lui, notre peuple n'avait personne vers qui lever les yeux avec admiration.

Notre peuple aime frénétiquement le hockey parce c'est le seul espace où il est libre. Sur la patinoire, on n'est pas écrasé par l'histoire. Sur la patinoire, rien n'est définitif. Rien n'est hérité. Rien n'est prédestiné. Rien n'est déterminé. La patinoire est un grand théâtre. Les monstres qui hantent la vie quotidienne évoluent sur la patinoire: iniquité, mépris, férocité, injustice, arrogance. Sur la patinoire, chacun de ces monstres porte le masque d'un adversaire. Maurice Richard leur passe l'épée au travers du corps. Lorsqu'il pique sur le filet des adversaires, on sent des ailes à nos chevilles comme Hermès, le dieu de l'habileté. Le Rocket ressemble aussi au Superman des bandes dessinées de notre enfance: menton volontaire, regard qui perçait les murs, jambes musclées qui le projetaient dans l'espace.

Mais notre héros n'est qu'un joueur de hockey. Notre peuple est petit dans une petite histoire. Nous n'avons pas d'Homère, d'Aristote, de Sophocle, de Rabelais, de Chaucer ni de Shakespeare. Notre petit peuple survivra-t-il? La population de l'Ontario augmente plus rapidement que celle de la province de Québec. Nous produisons plus de bébés canadiens-français et catholiques que l'Ontario ne produit de bébés anglophones et protestants. Cependant l'Ontario reçoit un peu plus de 50 % des immigrants qui se présentent aux frontières du Canada. Seulement 19 % se dirigent vers la province de Québec. Les nationalistes sonnent l'alarme: les Canadiens français seront noyés sous un flot anglais!

Sur les patinoires, nous ne sommes pas menacés d'extinction: Maurice Richard, Bernard Geoffrion, Jean Béliveau... Un de nos amis qui veut devenir journaliste des sports assure que Maurice Richard, au hockey, a accompli pour les Canadiens français ce que Jackie Robinson a fait pour les Noirs au baseball, dans ce grand pays démocratique où les Noirs n'ont pas le droit d'aller pisser au même endroit que les Blancs. Il sait tout sur les sports.

«Persister... nous maintenir...» C'est le message du roman *Maria Chapdelaine* que les prêtres nous font lire comme une prière. Persister... C'est ce que nous dit Maurice Richard... Persister et marquer des buts!

Un journaliste nommé Maurice Richard

1953. Depuis quelques mois, le Rocket révèle ses réflexions sur le hockey dans un journal hebdomadaire. Ce journal est interdit au séminaire, mais notre ami, qui veut devenir journaliste sportif, lit cependant la chronique du Rocket et la fait circuler, collée dans une page de *L'Action catholique*.

Et me voilà jaloux? Je rêve de devenir journaliste. Le Rocket, qui n'a pas étudié aussi longtemps que moi, est entré dans le journalisme comme sa rondelle dans le but des Leafs.

Au milieu de décembre, les Canadiens, à New York, se querellent contre les Rangers. La foule est émoustillée. Il y a un peu de sang. Les gants jetés sur la glace, on s'attrape par le chandail, on se secoue, on se rosse à poings nus. Ron Murphy foudroie Bernard Geoffrion d'un coup de bâton sur la tête. Ébranlé, le bouillant Canadien part à la chasse à l'assaillant. Reculant devant lui, Murphy cherche à parer les coups. La foule réclame un peu plus d'action. Geoffrion propose des droites, des gauches. Murphy les évite et son bâton s'abat encore une fois. Geoffrion accuse le coup sans plier les jambes. Étourdi, il ramasse un bâton dans le désordre sur la glace et revient vers Murphy. Après un échange de moulinets et une démonstration de dérobades, Geoffrion le casse sur la mâchoire de Murphy.

Maurice Richard, le chroniqueur de sport, rapporte ces événements. Il prend la défense de son coéquipier. Attaqué, Geoffrion n'a voulu que protéger sa vie dans cette altercation. Le président de la Ligue nationale, Clarence Campbell, voit les circonstances différemment. Il suspend les deux gladiateurs.

La semaine suivante, le journaliste Maurice Richard dénonce l'injustice de la sentence infligée à la victime, Geoffrion. Il rappelle que Clarence Campbell n'a pas sévi quand Mozienco et Evans des Rangers ont blessé Béliveau. Il reproche à Clarence Campbell d'avoir été indifférent quand Gordie Howe a presque fait perdre un œil à Dollard Saint-Laurent. Clarence Campbell punit-il Geoffrion parce qu'il est Canadien français? La province de Québec entière se pose la même question. Que tout cela ressemble à l'histoire de notre peuple! Les Canadiens français sont victimes de l'injustice des maîtres. Ah! Si mes études peuvent se terminer... Je vais aussi écrire des articles percutants. Maurice Richard ne craint pas de dire ses quatre vérités à Clarence Campbell.

Le président de la Ligue Nationale se fait traduire cette chronique dont tout le monde parle. Il n'aime pas la prose du Rocket: il le condamne à une amende et il lui ordonne de se rétracter dans sa prochaine chronique, d'abandonner sa collaboration journalistique et de lui adresser une lettre d'excuses. Humilier le Rocket, c'est humilier toute la province de Québec.

– Un jour, Clarence Campbell, tu vas te faire parler!

Au retour des vacances, à notre cercle patriotique, nous discutons de l'autonomie de la province de Québec. Nous ne comprenons pas très bien ce concept de Duplessis, mais quand on a seize ans, on n'a pas besoin de tout comprendre; on sait. Tous les membres sont d'accord avec Duplessis: la province de Québec devrait contrôler ses impôts; c'est évident. Cependant nous découvrons que, en politique, ce qui est évident pour les uns ne l'est pas pour les autres. Les ouvriers de la province de Québec ont un salaire moins élevé que ceux de l'Ontario, ils paient plus de taxes et ils ont plus d'enfants à nourrir. L'impôt provincial est un droit de la province, mais si les contribuables ne peuvent pas le payer...

Un fils remplace-t-il la coupe Stanley?

1954. Le gardien de but des Red Wings, Johnny Bower, est doué d'un sang-froid immuable. Il ne bronche pas devant l'attaquant. Il ne craint pas de donner un coup d'épaule s'il s'approche trop. Ou bien il plonge à plat ventre, balayant la rondelle avec son bâton. Si l'attaquant insiste, il lui redresse son bâton dans l'entrejambe. Chez les Maple Leafs, Harry Lumley a réussi 13 blanchissages: un record qui n'a pas été égalé depuis la saison 1928-1929. Confrontant ces équipes, le Rocket peine consciencieusement. Son propre record de 50 buts lui semble inaccessible, mais il peine. Sa farouche opiniâtreté lui a occasionné 112 minutes de pénalités: l'équivalent de presque deux matchs entiers perdus. Le Rocket est cependant le meilleur marqueur de la Ligue nationale avec 37 buts.

Le style émotionné des Canadiens leur apporte des blessures. Comment les Canadiens pourront-ils conquérir la coupe Stanley avec leurs meilleurs joueurs blessés: Lach, Moore, Béliveau? À cause d'une douleur au genou, le Rocket a peine à patiner. Son corps n'obéit plus à la pugnacité de son âme.

Malgré les blessures, l'appétit de vaincre est si insatiable chez les Canadiens qu'ils remportent la semi-finale sur les Bruins. Les partisans peuvent rêver de la coupe Stanley.

En finale contre les forts Red Wings, contre Gordie Howe, Harry Lumley, les Canadiens ne sont pas à la hauteur du défi. Au début, ils ressemblent à des perdants. Le premier match leur échappe. Puis le second et le troisième. Et, semblables à des soldats désespérés qui refusent la mort prochaine, de coup de patin en coup de patin, d'effort en effort, de minute en minute, de tir en tir, de période en période, les Canadiens reconquièrent le territoire perdu avec constance imperturbable, un jeu d'équipe tumultueux. Les Canadiens remportent trois victoires de suite! Chaque équipe a gagné trois matchs. Les Canadiens ne sont plus des perdants.

L'équipe qui arrachera le septième match sera sacrée championne de la coupe Stanley. Les Canadiens prennent le train pour l'Olympia de Detroit. Les partisans les accompagnent à la gare. Ils seront là aussi pour les accueillir à leur retour, avec la coupe Stanley!

Le match se termine 1 à 1. À la quatrième minute de la période supplémentaire, le vieil ennemi du Rocket, Tony Leswick, nettoye sa zone en expédiant la rondelle chez les Canadiens. Elle vole comme une chandelle au baseball. Retombant, elle ricoche sur le gant du défenseur Doug Harvey et saute dans le filet de Gerry McNeil.

La victoire des Red Wings n'est pas une vraie victoire. La défaite des Canadiens n'est pas une vraie défaite. C'est la chance qui a conquis la coupe Stanley.

Moi, l'adolescent qui essaie de comprendre la vérité du monde, je me demande: la chance ne serait-elle pas un élément de toutes les grandes choses réussies dans l'histoire? En ce 16 avril 1954, la chance n'était pas du côté du Rocket. Cependant Maurice Richard n'a jamais attendu la chance pour accomplir ce qu'il voulait... Ne pas avoir la chance de son côté ne l'a pas empêché de devenir le meilleur joueur de hockey au monde.

En cette fin de saison, si Maurice ne peut présenter la coupe Stanley aux partisans, le 30 avril, il tient dans ses bras son nouveau fils, André. L'enfant ne remplace pas la coupe Stanley, mais les partisans aiment voir leur Rocket, le coléreux Rocket, le fougueux Rocket, cette tempête électrique sur glace, cet artilleur sans pitié se transformer en père de famille attendri. On colle la photo du Rocket, de Lucille et de leur fils dans les *scrapbooks*. On la glisse dans l'album parmi les photos de famille. On la fixe sur les caisses enregistreuses des restaurants, des épiceries. On la pique au mur des garages et des ateliers. On l'affiche dans les écoles parmi les images colorées des saints à imiter. Costumé en père de famille, le Maurice Richard me fait penser à Superman quand il entrait dans la cabine téléphonique pour se transformer en Clark Kent, l'homme ordinaire.

Le Rocket est aussi un homme ordinaire. Son genou doit être opéré. Il est aussi un artiste doué de la faculté d'obsession. Durant l'été, il repasse, un à un, les buts marqués, les buts ratés, il corrige tel élan, tel contournement. Il refait son trajet, retisse son jeu, questionne la tactique, améliore le maniement de la rondelle. Il ressemble à Balzac qui refait son manuscrit. Il est meurtri par l'affaire de sa chronique dans le *Dimanche-Matin*. Clarence Campbell l'a humilié, l'a fait se mettre à genoux. Le Rocket ne s'était jamais excusé devant un homme. Ce fut une grande faute, qu'il a faite, de présenter des excuses à un homme qui méprise les Canadiens français. Frank Selke, Dick Irvin l'y ont forcé. Il viendra un temps où un Canadien français ne s'excusera pas devant Clarence Campbell!

48

Du feu, des fenêtres brisées, des pierres lancées comme à la Bastille

1954. Le fidèle compagnon, le modeste Elmer Lach, a pris sa retraite après tant de campagnes où Maurice et lui ont été complices. Les recrues sont fringantes: Bernard Geoffrion, Dickie Moore, le prince Jean Béliveau. Geoffrion est le seul qui ose taquiner le Rocket. Tous respectent le Rocket, mais tous ambitionnent de marquer plus souvent que lui. Ces jeunes prennent assurance et expérience; ils l'obligent à redevenir jeune comme eux.

J'ai dix-sept ans. J'ai hâte d'entrer dans la vraie vie. Au séminaire, je suis comme une recrue sur le banc, impatient de sauter sur la patinoire. Je lis. J'écoute. J'observe le monde. La politique est un fil constant de la tapisserie de nos vies. Le premier ministre Louis Saint-Laurent déclare que les provinces sont moins importantes que l'ensemble du Canada. Sur-le-champ, nous, les patriotes, éclatons d'une fureur qui doit faire trembler la tour du Parlement. Pour les Canadiens français, la province de Québec est le seul endroit où les ils ne se sentent pas en territoire étranger. Duplessis dénonce les propos de Louis Saint-Laurent: si Ottawa domine la province de

Québec, prophétise-t-il, ce sera l'assimilation des Canadiens français. Vivrons-nous toujours menacés, soumis, en danger de disparaître?

Les Canadiens entament leur saison contre les piteux Black Hawks qui n'attirent plus personne. Pour renouveler leur bassin de spectateurs, ils présentent leurs matchs ailleurs qu'à Chicago: à Omaha, à Saint-Louis, à Saint-Paul. Dans ces villes aussi, le public est clairsemé. Les Canadiens emportent la victoire. Le Rocket: deux buts, deux mentions d'aide.

Au début d'octobre, les membres de notre cercle patriotique lisent un texte un peu embroussaillé de Pierre Elliot Trudeau. À cause de notre pauvreté économique et de la misère de notre éducation, nous sommes condamnés à être des valets, dit-il. Nous aurions dû, par la politique, conquérir une dignité d'hommes libres; malheureusement, nous avons confié notre sort à la superstition religieuse.

Informé que ce texte circule, l'aumônier nous rassemble d'urgence. Le jour où les Anglais se sont emparés du Canada, nous explique-t-il, les Canadiens français ont demandé à l'Église catholique de les guider à travers leurs adversités. L'Église a accompli sa mission. Preuve: les Canadiens français sont toujours là. Nous écoutons. Nous ne croyons pas toujours ce que disent les prêtres. La province de Québec change.

L'hôtel le plus moderne d'Amérique sera construit à Montréal! annonce la Commission des chemins de fer qui a même obtenu un privilège exceptionnel de la reine d'Angleterre: l'hôtel portera son nom: *The Queen Elizabeth Hotel*. Quoi! Un tremblement de terre secoue la province de Québec. La désignation de ce nouvel hôtel est un camouflet au visage français de Montréal. Les Canadiens français ne veulent pas voir sur l'édifice le plus moderne de la ville, écrit en anglais, le nom de la reine d'Angleterre. S'il avait un peu de respect pour nous, le président de la Commission des chemins de fer nationaux, Walter Gordon, aurait choisi un nom français pour son hôtel, par exemple, celui de Maisonneuve, le fondateur de la ville de Montréal. On sait déjà que l'Écossais Walter Gordon méprise les Canadiens français. Il a déjà déclaré qu'il n'y a pas de Canadiens français assez compétents pour travailler dans ses bureaux de la Commission des chemins de fer nationaux. Walter Gordon, c'est un autre Clarence Campbell. Des milliers de lettres de protestation déferlent dans les salle de rédaction des journaux. Les éditorialistes tempêtent dans leur page et sur les ondes. Des milliers de personnes manifestent dans les rues. Les Canadiens français n'acceptent plus l'humiliation!

Le Rocket continue! Aux avanies de Clarence Campbell, aux insultes racistes, aux bulldozers sur patins qui le boutent contre la clôture, il oppose l'éclair de son tir. Le 18 décembre 1954, il inflige son 400ᵉ but à Al Rollins des Black Hawks. Ses coéquipiers le portent en triomphe sous les applaudissements de la foule qui le célèbre comme s'il était un joueur des Hawks. Jamais on a été témoin d'une semblable ovation à Chicago. Inspiré, l'organiste déverse des flots de musique. Maurice voudrait être à Montréal...

Le lendemain, les Canadiens vont braver les redoutables Red Wings. Même s'il est riche de son 400ᵉ but, dans le train qui le mène dans la ville de l'automobile, le Rocket ne s'assoupit pas. Il est hanté par Gordie Howe, ses stratagèmes; Howe est solide comme un édifice. Son coup d'épaule a la force d'une ruade de cheval. Il pense à «Terrible» Ted Lindsay, le dur Lindsay: une roche qui roule vers vous en patins, avec un bâton et des poings... Même s'il n'est pas très grand, 5 pieds 8 pouces, il ne céderait jamais le passage à un gorille enragé. La principale ligne d'attaque des Red Wings est redoutable: Earl Riebel, Gordie Howe et Ted Lindsay. Le Rocket s'est fait du souci pour rien. Les Canadiens humilient les Red Wings par un étourdissant blanchissage 5 à 0.

Le 400ᵉ but du Rocket. Les partisans de Montréal veulent célébrer leur 400ᵉ but. Pour le retour de Maurice Richard, le 20 décembre, à la Gare centrale, près du site où de grands panneaux proclament la construction du *Queen Elizabeth Hotel*, attend une foule en fête. Ils sont des milliers: des gens de tous âges, hommes, femmes, enfants; ils portent des vêtements d'employés de bureau, d'ouvriers, d'hommes d'affaires; ils sont coiffés de chapeaux mous, de casquettes; de bibis; ils sont gantés de cuir souple et de cuir fort. Il y a des femmes, beaucoup de femmes. Elles sont jolies dans leur petit manteau d'étoffe ou de fourrure. Quelques-unes aimeraient bien donner un baiser au beau champion qui a toujours l'air un peu triste mais, comme le dit une chanson à la radio, «à un baiser le Rocket préfère compter un point.» Plusieurs tiennent leur journal comme une bannière, avec la photo de Maurice. Un Rocket géant, construit de papier mâché, domine la foule, un jovial bonhomme qui n'a pas l'air d'un champion.

Dès son apparition, Maurice est soulevé par une marée d'épaules sur lesquelles il traverse la salle des pas perdus. On crie comme l'on glorifie ses buts au Forum. On joue des coudes. Des yeux sont remplis de larmes. Une forêt de mains s'agitent. Des mains d'enfants, des mains de jeunes filles, des mains d'ouvriers, des vieilles mains tremblantes essaient de toucher au Rocket, espèrent attirer son regard.

Cette adulation le rend mal à l'aise. Pourtant, sans elle, il sait que son coup de patin ne serait pas aussi vigoureux, que son tir ne serait pas aussi ferme. Le désir de la foule est son carburant. Cependant, il se sentirait mieux sur une patinoire avec un gardien de but à embobiner. Les flashs des caméras crépitent. Le Rocket ne se dérobe pas.

400 buts: depuis douze ans, c'est un marathon ininterrompu. Il s'entraîne. Il patine. Il pousse la rondelle. Toujours plus vite. On l'attaque. Il passe la rondelle. Il se querelle. Il se blesse. Il est puni. Il n'abandonne jamais. «Il lance et compte.» Le public n'exige pas plus du Rocket que le Rocket de lui-même. Cet athlète est chargé comme la bombe atomique. La foule ne peut détourner le regard de ce champion qui évolue avec une grâce sauvage. Chacun de ses buts est une création différente. Pour surprendre le gardien il se surprend lui-même. Ses mouvements restent imprimés sur la rétine en zigzags luminescents. Flottant sur les vagues de son triomphe, cet homme aurait l'air d'un homme ordinaire s'il n'avait pas ces yeux qui voient ce que les autres ne voient pas.

400 buts. Ce n'est pas fini. Derrière un filet conquis s'en cache un autre qui le défie. Depuis douze ans, il est comme Ulysse à l'aventure sur la mer glacée du hockey. L'horizon au loin: 500 buts.

Le 29 décembre, les Canadiens reviennent à Toronto. Les Maple Leafs ont établi un système de défensive serré. Hap Day, l'instructeur, astreint ses joueurs à certains principes. D'abord, la mise au jeu est cruciale. Dès cet instant, l'avantage doit basculer en faveur de l'équipe. Il y a plusieurs manières de neutraliser l'opposant. Ses joueurs se sont exercés à toutes.

Le Rocket est tendu. Jouer à Toronto, c'est affronter Ted Kennedy, dont l'acharnement, la vitesse ne peuvent que se comparer aux siens. Comme le Rocket, il n'hésite pas à utiliser son bâton comme un braquemart. Sa rapidité est impressionnante bien que, pense le Rocket, il n'ait jamais appris à patiner. Les partisans fouettent son ardeur: «Come on Teeder!» Jouer contre Toronto, c'est aussi avoir à se dépêtrer de ce coriace Bob Bailey, une recrue dont le Rocket pense qu'il a autant de talent qu'un boucher de troisième classe. À un moment, cette recrue filant à sa vitesse maximale largue sa masse de 200 livres dans le dos du Rocket. Écrasement prodigieux sur la clôture. Sonné, il se ramasse, se retourne vers l'arbitre, réprimant son instinct de vengeance: Bailey sera puni. Les Canadiens seront en position de force. Le Rocket attend la sentence. L'arbitre Red Storey ne réagit pas. Va-t-il fermer les yeux sur cet assaut?... Le Rocket a été attaqué dans son dos. Le coup était illégal. L'arbitre ne prend pas sa responsabilité; le Rocket va se faire justicier. Comme Zorro, Robin Hood à la télévision. Qui l'a attaqué? On lui dit: Bailey. En quelques enjambées, il traverse la patinoire et accoste Bailey, lui appliquant un coup de bâton qui lui fait sauter une dent. Le costaud perd l'équilibre. Emporté aussi par sa chute, le Rocket achoppe sur ses jambes, tombe sur lui. Tous deux échangent les politesses d'usage. Bailey, lui prenant la tête dans l'étau de son bras, lui enfonce les doigts dans les yeux. Maurice explose. Il veut tout détruire. De son bâton, il fauche tout ce qui se tient debout sur la glace. Cinq fois, Red Storey le désarme. Cinq fois il revient avec un bâton. L'arbitre finalement expulse le Rocket.

De retour à Montréal, il est convoqué devant Clarence Campbell qui lui impose une autre amende. Cette histoire a déjà été racontée: un adversaire commet un acte répréhensible. La victime, Maurice Richard, est punie: non l'assaillant. Chez les partisans, la rage monte. On récite le chapelets des injustices subies par le Rocket.

À la boutique de journaux et magazines, sur la 1re Avenue, ce n'est pas *Quick* qui m'attire. Évidemment je jette un coup d'œil sur la photographie d'une belle actrice française qu'on prendrait pour la sainte Vierge si elle n'était pas complètement nue. Je suis plutôt intéressé par des romans français qui sont sur la liste des livres interdits par l'Église. J'en achète deux. Je les passerai en contrebande devant le surveillant, cachés sous mon pantalon. Devant sa caisse-enregistreuse, le patron discute avec un client:

– On peut pas dire que le Rocket a eu raison de faire ce qu'il a fait, mais on peut pas le blâmer non plus...

– On endure, on endure, mais on va pas toujours endurer.

À l'injustice, le Rocket répond d'une seule façon: «Il lance et compte.» Le lendemain de l'incident avec Bailey, il réussit un tour du chapeau. Un jour, les Canadiens français vont se lever. Tous les Clarence Campbell à la tête de la Ligue nationale, des moulins à textiles, des hôtels modernes, des usines, des finances et du gouvernement vont s'apercevoir que les Canadiens français ne veulent plus être un «peuple à genoux», ainsi que le dit un fameux cantique de Noël.

À notre cercle patriotique, on est en colère. Walter Gordon construit *The Queen Elizabeth Hotel* à Montréal, la deuxième ville française au monde, habitée à plus de 60% par des Canadiens français. Walter Gordon donne à son hôtel le nom de la reine d'Angleterre. Et pour ajouter l'insulte à l'humiliation, le nom de l'hôtel sera écrit en anglais. Nous avons lu plus de cent articles publiés à ce sujet. Jean Drapeau, le nouveau maire de Montréal, réclame un nom français.

Les manifestations se multiplient devant le site de la construction. Nous recueillons des sous pour soutenir la guerre patriotique. Personne parmi nous n'est allé à Montréal. Parce qu'elle est française, elle est notre ville. Cette fois les Anglais ne gagneront pas.

Le Rocket poursuit son escalade. Le 30 décembre, il accomplit un autre tour du chapeau. Et un autre le 20 janvier 1955. Au début de février, il couronne d'un quatrième but un tour du chapeau. Il abat le record de 414 buts du fameux Newsy Lalonde qui a joué pour les Canadiens de 1917 à 1922.

Le samedi 12 mars, au Forum, l'hospitalité envers les Bruins n'est pas chaleureuse. Les Canadiens sentent qu'ils touchent presque la coupe Stanley. Le Rocket veut aussi devenir le meilleur compteur de la Ligue nationale, c'est-à-dire, le joueur qui obtient le plus haut total avec ses buts et ses mentions d'aide additionnées. Ce championnat lui a jusqu'ici échappé. Cette saison, il est le premier, mais Béliveau et Geoffrion le talonnent. Les Bruins comme d'habitude essaient d'exaspérer Maurice: «French pea soup!», « Goddam frog!», «French bastard!». Coups de bâton, coups de genou. Finalement, il est culbuté contre la cage du gardien de but; son dos percute le montant vertical.

Le lendemain, les Canadiens retrouvent les Bruins à Boston. Le Rocket ressent une cuisante douleur au dos. Il est aussi fatigué. Six mois de jeu et de voyages. Ce match sera dur. C'est la dernière rencontre de la saison avec les Bruins; on va régler quelques comptes. Durant les cinq derniers matchs, il n'a obtenu aucun but. À un moment dans sa carrière, un joueur frappe un mur, il ne peut plus avancer. Serait-il rendu là? Il faut travailler. Il faut enfoncer cette frontière. La coupe Stanley attend de l'autre côté et le championnat des compteurs.

Les Bruins tâchent de démoraliser les Canadiens. Les bâtons se balancent haut. Certains matraquages font mal. La foule s'excite. Les Bruins vont-ils s'imposer? Dick Irvin incite ses joueurs à ne pas se laisser intimider. Personne ne sait encore qu'il est rongé par un cancer des os. C'est son secret. Depuis quelque temps, il a l'air malheureux. Il n'a plus de patience. Il veut la coupe Stanley. Sa dernière, peut-être.

Hal Laycoe, un défenseur, plaque le Rocket. L'arbitre indique à Laycoe le banc des pénalités. Le match continue. Le Rocket n'oublie pas que Laycoe a essayé de l'écrabouiller. Les Canadiens encaissent les assauts. D'impatience, ils crachent des étincelles. La foule aiguillonne ses Bruins. Dynamisés, ils redoublent d'efforts. Le Rocket ressemble à un taureau furieux dans les arènes d'Espagne.

À la troisième période, Hal Laycoe et le Rocket se retrouvent l'un contre l'autre. Le Rocket veut lui extirper la rondelle. Laycoe se débat, pilonne avec ses épaules, ses coudes. Le Rocket est solide. Finalement, ses deux patins calés sur la glace, il chipe la rondelle à Laycoe et se pousse vers le filet. Il a l'impression de voler à nouveau. Il va marquer!

À sa poursuite, Laycoe, allongeant le bras, le fouette de son bâton au visage, tout près de l'œil. Était-ce par accident? Était-ce volontaire? Le Rocket rage et continue, contourne le filet des Bruins. Une chaleur coule le long de son nez. Il enlève son gant, porte la main à son visage. Ses doigts sont rouges. Il laisse tomber son bâton, ses gants, roule les poings. Écumant, il se rue sur Laycoe. Les lunettes du défenseur sautent; il les cherche sur la glace. La poudrière a explosé. La bagarre est générale. Le Rocket ramasse son bâton et, armé, retourne vers Laycoe. Thompson, le juge de ligne, veut empêcher un assassinat. Il empoigne un bras du Rocket et le lui remonte dans le dos, comme un lutteur expérimenté. Le Rocket résiste. Laycoe s'approche du Rocket immobilisé et lui étend quelques mornifles. Retenu, le Rocket se trémousse, roule par terre avec le juge de ligne, se libère. Mais le juge de ligne reprend sa prise de lutteur. Comment se débarrasser de lui? Un coup de poing à la figure! Le Rocket a frappé Thompson, un juge de ligne... On sait qu'il a le plus vif punch de la Ligue nationale.

Laycoe revient à la charge, bâton levé. Le Rocket l'invite à se battre comme un homme, à coups de poing. Laycoe rejette l'invitation. L'arbitre Red Storey exile le Rocket au vestiaire pour le reste du match. Le docteur lui fait les cinq points de suture nécessaires. Le lendemain les journaux de Boston réclament un châtiment sévère pour le Rocket qui a frappé un juge de ligne.

Dans le train qui les ramène vers Montréal, Dick Irvin et le Rocket ne peuvent se décider à regagner leur couchette. Hal Laycoe a fait couler le sang du Rocket. En réponse, le Rocket a provoqué un cataclysme. L'instructeur, miné par le cancer, voit dériver au large sa coupe Stanley... L'an prochain, sera-t-il encore debout derrière le banc des joueurs? Maurice ne regrette rien. Sa colère était juste. Cependant, son emportement n'a pas aidé les Canadiens. Silencieux, tête baissée, il ne lui reste que sa fierté.

Le président Clarence Campbell convoque Maurice Richard, Dick Irvin, Ken Reardon, Hal Laycoe et Lynn Patrick, son instructeur, qui accuse le Rocket d'avoir ouvert les hostilités. À deux heures de l'après-midi, Clarence Campbell communique sa sanction aux journalistes: le Rocket est suspendu pour le reste de la saison.

La province de Québec est incrédule. Le Rocket s'est simplement défendu: il ne peut être puni pour cela. Puis, on comprend que le châtiment est irrévocable. Alors on constate la réalité: sans le Rocket, on ne verra pas la coupe Stanley à Montréal. Encore une autre fois, le Rocket est puni pour avoir été attaqué. Les bûcherons comme Laycoe ne ralentiront jamais le Rocket. Maurice sera toujours loin devant eux. Clarence Campbell aimerait le voir étendu au sol. Le Rocket se tient debout. Il se défend comme un homme. On ne craint plus les patrons. On a traversé des grèves dans les usines, dans les mines, dans les moulins à textile. On va organiser une grève contre Clarence Campbell qui a toujours dédaigné les Canadiens français. Durant la guerre, il était assis dans son bureau bien propre pendant que les Canadiens français étaient dans la vase. Voilà ce qu'on dit. Clarence Campbell est indulgent pour des joueurs à gros bras et à petit talent comme Ezenicki, Leswick, Murphy, Bailey, Laycoe, mais il s'est toujours montré impitoyable pour le meilleur joueur de hockey dans l'histoire du monde. Voilà ce qu'on dit. Clarence Campbell essaie d'écraser un petit Canadien français qui a des ailes. Voilà ce qu'on dit. La colère gronde dans la province de Québec comme l'eau des rivières retenues sous la glace de l'hiver.

Il est fini le temps du mépris, monsieur Clarence Campbell. Depuis le temps où vos ancêtres se sont emparés de notre pays, depuis deux cents ans, avec une longue patience, le peuple a ravalé sa colère. Elle a grandi, immense. Voilà ce qu'on dit.

Le Rocket revient à la maison, tout pâle. Lucille ne l'a jamais vu aussi démonté. Il revient de l'hôpital. Avec une bonne nouvelle. Depuis qu'il a percuté le montant du filet des adversaires, une douleur lui brûle le dos. La radiographie n'a décelé aucune blessure grave. Un peu de temps et ce sera disparu. Aujourd'hui, c'est plutôt Clarence Campbell qui le fait souffrir. Lucille voudrait l'aider. Elle connaît les silences de son homme. Il est désespéré. Le téléphone sonne et sonne. Les gens appellent de partout. Toutes sortes de gens. Ils promettent leur soutien à Maurice.

Au bureau de Clarence Campbell, le téléphone aussi est fébrile. Les voix protestent. L'injurient. Certaines profèrent des menaces. Le ton des voix inquiète. Des télégrammes affluent: la province de Québec entière crie son désaccord.

Partout, des poings frappent sur la table. Partout, des visages sont rouges de colère. De partout, des insultes fusent vers Clarence Campbell. Chacun a une histoire de mépris à raconter. Les vieux parlent du temps où ils coupaient du bois dans les chantiers, peinant d'une noirceur à l'autre... On parle du temps de la guerre, à l'armée.

On se rappelle d'un patron qui trichait en additionnant les heures travaillées. On mentionne une cousine qui travaillait pour quelqu'un comme Clarence Campbell. On parle d'endroits où un Canadien français ne pouvait être admis quelque part parce qu'il était Canadien français. Maurice Richard n'a jamais accepté une humiliation. Humilier le Rocket, c'est humilier le peuple entier. Nous ne courberons pas la tête, cette fois.

Des lettres d'admirateurs s'amoncellent à la résidence des Richard. Le téléphone sonne si souvent que les jeunes enfants sont terrifiés. Des voisines aident Lucille qui, dans ce brouhaha, est débordée. Alice, la mère de Maurice, vient aider. Et quelques voisines. «On est avec toé, Maurice!»; «Donnes-y Maurice!»; «Lâche pas, Maurice!». Un mot d'ordre se répand: «Boycottons les soupes Campbell!» Ce produit a le malheur de porter sur son étiquette un nom honni. Craignant un soulèvement populaire, le maire de Montréal, Jean Drapeau, réclame que la Ligue nationale revoie toute l'affaire. Le député conservateur à la Chambre des communes, Léon Balcer, demande un débat d'urgence à ce sujet.

Clarence Campbell a informé la police que des voyous se proposent de faire sauter son bureau. D'autres ont proféré des menaces de mort à son égard. Des policiers insinuent que, cette fois, ils auraient plus de sympathie pour les assassins que pour la victime.

Tôt le matin, des curieux s'amènent devant le Forum. On sent venir l'ouragan. À midi, des manifestants hissent des pancartes aux inscriptions maladroites: «Révoltante décision!»; «Campbell est une poire!»; «Dehors Campbell!»; «Campbell est un cochon!»; «Vive Richard!»; «Injustice à Richard = Injustice aux Canadiens français»; «Richard, le persécuté»; «Cupid puppet Campbell».

À sa résidence, Maurice est au téléphone. «On va te l'organiser, Campbell!» promet un admirateur. Maurice essaie de l'apaiser: «Les Canadiens ont encore de bonnes chances de gagner la coupe.» Il n'est pas convaincu de ce qu'il dit. Quand il tempère la furie de ses admirateurs, il les désappointe. Ils ne veulent pas être calmés. Pour échapper à tout cela, devrait-il aller ailleurs avec sa femme et les enfants? Lucille lui rappelle que Maurice Richard n'a jamais fui devant personne.

En début de soirée, la foule s'amène au Forum. Samedi soir; c'est la grande sortie. Les hommes ont leur nœud de cravate bien serré. Ils portent le chapeau. Leur gabardine est boutonnée. Les femmes sont jolies sous leurs mignons petits chapeaux de feutre sculptés et décorés de fleurs. Plusieurs sont enveloppées dans un manteau de fourrure. On ne s'habille ainsi que pour assister à la messe. Plusieurs s'amènent avec des sacs remplis d'œufs, dont quelques-uns sont pourris, de tomates...

La rue Sainte-Catherine, devant le Forum, est bloquée par des manifestants: hommes et femmes, patrons et employés, gens de bureaux et gens d'usine, jeunes et vieux. Des femmes avec des enfants, même des femmes enceintes. Les policiers surveillent la marée humaine. Quelques voyous portent leur veste de cuir. Des gens sont juchés sur les voitures stationnées ou paralysées. Certains sont perchés sur les cabines téléphoniques, sur les stands à journaux, sur les signaux «No parking». D'autres ont grimpé dans les poteaux qui supportent les fils électriques ou dans les arbres du parc. En anglais, en français, des pancartes vitupèrent le président de la Ligue nationale: «Campbell, drop dead!»; «Dehors, Campbell!»; «Boycottons la game!».

À l'intérieur, le Forum ressemble à un cœur gonflé d'une trop forte émotion. Afin d'éviter la cohue, Maurice et Lucille utilisent une porte discrète à l'arrière. Lorsqu'ils apparaissent, les cris se fondent en une rumeur victorieuse: il semblerait que le Rocket vient de marquer le plus beau but de sa vie! Des larmes coulent sur les joues de plusieurs. Hier, quand Clarence Campbell a rendu son jugement, on se sentait impuissants. Ce soir, ensemble, on se sent forts. Maurice et Lucille prennent place derrière le filet de Terry Sawchuck. Ces deux adversaires ont du respect l'un pour l'autre. Ce n'est pas un déshonneur que d'avoir son tir bloqué par un gardien magnifique comme Sawchuck. Ce n'est pas non plus un déshonneur que de ne pas saisir la rondelle tirée par le meilleur marqueur de tous les temps. Le Rocket est inquiet; les Canadiens perdront-ils leur faible avance sur les Wings? Il aimerait aplatir le nez de Campbell. Mais il ne touchera pas à cet homme. Son corps est condamné à rester dans son siège, mais son âme va être sur la glace, dans ses patins. Tous les sièges sont occupés, sauf deux: ceux de Clarence Campbell. Ce «dictateur», ce «mange-canayens», comme l'appellent certaines pancartes, osera-t-il se montrer?

Parmi les partisans, un jeune homme tremble. Il a, dans sa poche, une bombe lacrymogène qu'il va lancer au moment approprié. Il est très nerveux. Heureusement, il n'est pas seul. Des amis l'accompagnent. Ils savent son secret. Ces jeunes gens n'acceptent pas l'injustice faite au Rocket. Ils exigent la démission de Clarence Campbell. Dès sept heures, ce soir, ils sont arrivés au parking armés de leurs projectiles: tomates, œufs et cette bombe lacrymogène. Un de leurs amis, un policier, n'a pas hésité quand ils lui ont demandé d'emprunter une bombe lacrymogène. Qui va la lancer? Les amis tirent au sort. Gendron lancera la bombe. Il n'a jamais fait rien de semblable, mais il le fera avec plaisir. Campbell... Quelque temps plus tard, il se désiste. Il est trop nerveux. Desmarais fera le travail. Gendron échange sa bombe contre les tomates de Desmarais qui, à son tour, se sent troublé. D'autres partisans dans la foule font un pari: si quelqu'un du groupe réussit à frapper Campbell, on lui souscrira une récompense de 100 $. Bruits de vitre brisée. On lance des bouteilles contre la façade. Les débris de verre neigent sur ceux qui entrent. Un manifestant lance une boule de plomb dans une vitrine.

Les Canadiens et les Red Wings viennent sur la patinoire. Un silence pesant les accueille. Le match débute. Les Canadiens se meuvent lentement. Personne n'a envie de regarder ce match-là. C'est une autre partie qu'on est venu voir. Maurice serre les dents; jamais il n'a vu son équipe si incohérente. Ses pieds s'agitent comme s'ils étaient chaussés de patins. Ses mains se crispent comme si elles tenaient un bâton; les muscles de ses bras se contractent comme s'il allait tirer au but.

Clarence Campbell et sa secrétaire Phyllis marchent rue Sainte-Catherine, passent entre les manifestants sans être reconnus et voici qu'apparaît, dans le Forum, Sa Majesté Clarence Campbell. Il arbore son air guindé, dédaigneux, son air snob avec son mouchoir blanc à la pochette de son manteau: un air de patron. Son regard absent. Maurice ne se souvient pas que Campbell l'ait jamais regardé droit dans les yeux. Le président s'assoit lentement. Il veut que les partisans s'aperçoivent que tout ce cirque ne l'impressionne pas. Il a eu raison de punir le Rocket. Et il sort ses jumelles d'opéra.

D'abord, il n'y a eu qu'un silence où était suspendue la fumée des cigares et des cigarettes. Puis des chuchotements. Et la foule élève la voix. Les cris flagellent: «Vive Richard!»; «Shoo Campbell!»; «On veut Richard!». Phyllis, la secrétaire du président, terrifiée, lui demande de sortir. Il demeure impassible.

À peine une minute après son arrivée, les Bruins marquent un but. Clarence Campbell va-t-il en plus leur porter chance? Deux minutes plus tard, les Bruins enfoncent un autre but. Bien tranquille, Campbell regarde les Canadiens perdre à travers ses jumelles d'opéra. Quel mépris! Quel dédain! «Dehors Campbell!» Comme si ce cri était le mot de ralliement attendu, de partout, jaillissent fruits, légumes, œufs frais, œufs pourris, couvre-chaussures, hot-dogs, cubes de glace, cornichons, patates, tomates... Sous les projectiles Campbell reste imperturbable. Il a eu raison de punir le Rocket. Cette sentence exemplaire est juste. Dans le passé, le Rocket a été réprimandé pour avoir malmené des officiels. Dans le passé, il a été averti par la Ligue nationale de ne pas se servir de son bâton comme d'une arme. Clarence Campbell a bien fait son travail de président. La décision n'était pas facile. Il a agi selon ses responsabilités. Ce soir, le président est assis dans sa loge, malgré les menaces de mort, malgré l'avis de la police, malgré les insultes, malgré les projectiles. Il a agi raisonnablement selon son meilleur jugement.

La première période terminée, la foule descend les gradins. À travers la mêlée, les agents de sécurité se précipitent à la rescousse de Campbell. Un jeune homme écrase des tomates sur son manteau. Le président demeure impassible, avec de l'effroi dans ses yeux. Les agents de sécurité pourront-ils empêcher son lynchage?

Le jeune homme à la bombe, Desmarais, la tire de sa poche, il arrache l'anneau, ainsi que le lui a enseigné l'ami policier, et la lance en direction de Campbell. Il était fébrile. La bombe ne vole pas très loin et roule de gradin en gradin. Un épais nuage de fumée jaunâtre s'en dégage et s'étend. L'odeur est affreusement âcre. On étouffe. On tousse. Les yeux pleurent. Suffoquant, aveuglés, la bouche couverte d'un mouchoir, les gens cherchent les sorties. Le Forum se vide. Les pompiers exigent que le match se termine. L'annonceur proclame que la victoire est concédée aux Bruins.

À l'extérieur, les partisans terrorisés et mécontents se mêlent aux manifestants qui recouvrent la rue Sainte-Catherine et se répandent sous les arbres du parc, en face du Forum. Invectivant Campbell, emportées par une même rage, les deux foules se mêlent pour assiéger le Forum. Les munitions sont abondantes: glaçons, cailloux, briques, bouteilles. Ici et là, on allume des feux. Feux de joie? Feux pour réchauffer l'air froid de ce jeune printemps? Feux à lancer sur le Forum? Des manifestants renversent des voitures de la police. Ils cabossent à coups de pieds les voitures garées le long des trottoirs. Ils déraillent les tramways immobilisés dans le frénétique embouteillage. Ils arrachent des clients paniqués de leur voiture-taxi. Ils fracassent les pare-brise. Ils cassent des fenêtres. Ils brisent des projecteurs de télévision. Ils démolissent les stands à journaux, car ils ont besoin de bois pour leurs feux. Ils ont aussi besoin de papier. Et le vent emporte dans l'air des pages de journal qui volent comme des oiseaux de feu. Si les policiers s'emparent d'un manifestant, la foule le libère. La démence règne dans la rue. Le Forum refuse de s'enflammer. Les manifestant ne peuvent y pénétrer pour le saccager. Alors ils se déplacent vers là où il y a des vitrines à fracasser, des boutiques à piller. Est-ce la grande colère d'un petit peuple? Est-ce une fête barbare?

Les policiers vêtus de longs manteaux, en rangs serrés, frappant en cadence leur bâton blanc dans leur main, s'avancent sur les manifestants et les repoussent vers l'est de la ville.

Le lendemain, le Rocket s'étonne de l'importance des dégâts. Une cinquantaine de vitrines de boutiques ont été enfoncées. On a pillé ces commerces. Le Rocket se rase devant le miroir: il est responsable de ce gâchis. Il est coupable de ce désordre. Il a causé cette violence qu'on n'avait jamais vue à Montréal. Les partisans ont imité dans la rue les gestes qu'il a accomplis sur la patinoire. La violence d'aujourd'hui sera-t-elle pire que celle d'hier? À coups de menaces, on lapide Clarence Campbell. Le vandalisme couve comme le feu sous la cendre.

À la demande de Frank Selke, le Rocket se présente à la télévision pour inciter la population au calme. Mal à l'aise, il lit un texte qu'on lui a préparé. Sa conduite fautive, dit-il, méritait une punition. Le châtiment est sévère. Il l'accepte. Il lit ces mots, mais le cœur en est absent. Les Canadiens peuvent encore, assure son texte, conquérir la coupe Stanley.

Dans notre séminaire de campagne, on ne comprend pas cette hystérie urbaine. Quelle frénésie s'est emparée des gens? On discute. Ont-ils voulu détruire un environnement dans lequel ils se sentent étrangers? Le peuple s'est-il offert une fête gratuite? N'étaient-ce que des sportifs qui exprimaient leur désaccord avec l'arbitre? Étaient-ce des cris de protestation poussés par notre petit peuple pour les injustices souffertes? Réprimés par l'histoire, les Canadiens français commencent-ils à se rebiffer comme le Rocket sur la patinoire?

Un journal anglais, le *Montreal Star*, que nous haïssons de toute notre âme et que nous n'avons jamais lu, nous reproche de souffrir d'instabilité émotive et d'indiscipline. Le patron doit en être une sorte de Clarence Campbell. Les aristocrates du temps de la Révolution française trouvaient aussi disgracieux le mécontentement du peuple qui manifestait contre eux dans la rue...

En fin de saison, Maurice Richard assiste, impuissant, à la défaite de son équipe aux deux derniers matchs contre les Red Wings. Pendant que Richard n'est qu'un spectateur, Bernard Geoffrion joue de toutes ses forces, il marque des buts, il dépasse le total du Rocket et devient le champion des compteurs de points. Ce championnat a été dérobé à Maurice, non pas par Geoffrion, mais par Clarence Campbell...

En semi-finale, les Canadiens, sans Maurice, démantibulent les Bruins en cinq matchs. Ensuite, sans lui, ils essaient de survivre, en finale, contre les Red Wings. Le septième match leur est fatal. Ainsi se termine une fâcheuse saison.

Maurice est amer, incapable d'oublier. Incapable de dormir. Lucille ne sait plus comment calmer son homme. Même aux enfants, il se montre parfois sans patience. Il ronchonne. Il ne supporte plus les chansons western qu'il affectionne pourtant. Il n'a qu'une pensée: si Clarence Campbell ne l'avait pas chassé, le défilé de la coupe Stanley aurait eu lieu à Montréal... Après le désastre de cette saison, il n'ose plus se montrer en public. Il voudrait pouvoir se faire invisible comme Mandrake, le magicien des bandes dessinées.

Aussi ses coéquipiers ont-ils peu de mal à convaincre le taciturne Maurice à se joindre à eux pour un voyage au soleil de la Floride. Ils aiment ce loup solitaire. Ces athlètes en vacances l'entourent d'une rude amitié. Pour certains, le Rocket est un héros d'enfance. Jean Béliveau suivait ses exploits à la radio, rêvant que, un jour, il jouerait comme lui. Il les a tous inspirés. Avec le Rocket dans l'équipe, comment ne pas croire qu'une défaite est la fin du monde? Pour lui, il n'y a qu'une option: gagner. Personne n'ose être médiocre à côté de lui. Béliveau, Geoffrion, Mosdell, Moore aiment ce père qui n'a pas besoin de parler pour leur dire ce qu'il pense: un regard suffit. Ils respectent ce héros légendaire qui, parfois, rit d'une histoire et qui ne sait pas en raconter.

Très courte histoire d'une pomme pourrie

1955. Au Canada, le 24 mai est la fête de la reine Victoria, mais dans la province de Québec, nous célébrons plutôt un fabuleux héros de la Nouvelle-France, Dollard des Ormeaux qui, avec ses compagnons, a résisté durant de longues heures à une attaque des Iroquois contre son fort du Long-Sault. Au moment où les Iroquois parvenaient à s'immiscer dans le fort, Dollard les a repoussés en mettant le feu à un baril de poudre. Au sacrifice de sa vie, nous a-t-on appris, il a sauvé la

Nouvelle-France, la religion catholique et la langue française en Amérique.

Notre cercle patriotique m'a délégué pour prononcer le discours de circonstance devant les étudiants et les prêtres réunis. J'exalte le courage de Dollard, symbole du peuple canadien-français qui n'accepte plus la soumission tranquille... Les événements du Forum n'en sont-ils pas la preuve?

Ai-je touché le cœur de mes camarades? Ils m'applaudissent. Je suis un peu fier de moi. Le directeur me demande à son bureau. Est-il si content de moi? Il ne lève pas la tête quand je suis introduit. Il dit seulement:

— Ta malle est sur le balcon.

Je ne comprends pas; je répète:

— Ma malle est sur le balcon?

— Ramasse ta malle et va-t'en. On ne garde pas dans notre séminaire un lecteur de livres malpropres.

Je comprends. Le surveillant a fouillé dans mes affaires. L'illettré a trouvé les deux chefs-d'œuvre de la littérature française que j'ai achetés plutôt que le *Quick*, *Germinal* et un autre.

— Quand une pomme est pourrie, on ne la laisse pas dans le bol de fruits, insiste le directeur, sans lever les yeux de son papier.

Je me sens étourdi. Il y a une minute, j'étais applaudi. Maintenant, je suis un proscrit:

— Je suis expulsé comme Maurice Richard?

— Comme une pomme pourrie, tranche le directeur, mais ici, il n'y aura pas d'émeute en ta faveur.

Piteusement, je retourne dans mon village. Mes parents ne savent que dire à une pomme pourrie. Si le seul mal qu'il a fait est de lire des livres, ça ne peut pas être un si grand mal, opine ma mère qui a été institutrice. Elle aurait aimé avoir eu des livres à lire.

Arrive, le 24 juin, la fête de saint Jean Baptiste, le patron des Canadiens français. Je regarde la télévision. Les gens de Montréal semblent apaisés après avoir secoué leur ville. Bien paisibles le long de la rue, ils regardent défiler avec une tendre affection saint Jean Baptiste, sur son char allégorique: cet insignifiant blondinet, aux cheveux bouclés, habillé d'une peau de mouton. Saint Jean Baptiste, un garçon manqué, une fillette ratée, une représentation insipide de notre identité que les prêtres ont inventée et qu'ils nous ont appris à vénérer.

Le peuple, un jour, jettera en bas de son socle cette idole minable. Voilà ce que je prédis: la mauvaise pensée me vient sans doute de mes mauvaises lectures. Ma mère a le cœur qui chavire à la vue de cet agneau humain. Mon père est plus réaliste:

– Au lieu de rêvasser, trouve-toi un collège qui va vouloir de toi à l'automne.

50

Retour de Toe Blake

1955. Toe Blake revient chez les Canadiens remplacer Dick Irvin. Toe a joué pendant six ans aux côtés de Maurice. Six années d'efforts partagés, d'entraide, six années de blessures, de victoires et de défaites. Six années de dialogue constant où l'on n'avait pas besoin de beaucoup de mots. Six années où ces deux hommes sur la patinoire s'efforçaient d'être plus que des joueurs: des gagnants. Six années pendant lesquelles leur rapidité, leur sang-froid, le don d'eux-mêmes suscitaient le délire dans les arénas d'Amérique. Six années pendant lesquelles ils ont été d'accord sur le même plan de match: «Comptons plus de buts que l'autre équipe.» Peut-on imaginer les liens qui unissent ces deux hommes?

De plus, Toe Blake est à demi canadien-français; il va parler français à ses joueurs canadiens-français. Cependant, comme le Rocket, Toe Blake est peu bavard, en français comme en anglais. Quand il faisait partie de la ligne Punch, si une tactique avortait, si un jeu se démaillait, si une passe était floue, si un des ailiers était ailleurs que là où il aurait dû être, Toe Blake n'«engueulait pas l'univers», comme dit le poète Rimbaud. C'est par le silence que ces deux joueurs communiquaient. Ensemble ils ont amoncelé tant de victoires. Ce temps-là va recommencer. Toe Blake parle de l'avenir à Maurice. «Pour gagner, tu vas maîtriser ton caractère comme tu contrôles ta puck. Retiens-toé et met ta colère derrière ta puck quand tu shootes.» Quelques mots, quelques phrases tronquées, quelques silences, quelques regards... Ils n'ont pas besoin de phrases complètes. Cependant l'instructeur tient à préciser: «Maurice, toé pis moé, on a joué quelques parties ensemble, on se connaît un peu. Quand tu seras pas d'accord avec moé, j'aimerais ben que tu me le dises pas en face des joueurs.» Maurice ne dit pas un mot – mais il fait un signe de la tête. Toe mérite son respect.

Frank Selke est un homme d'affaires qui pense d'abord aux revenus des Canadiens. Cependant, il parle parfois comme un père à Maurice: «T'as 34 ans. T'es le joueur le plus fameux de la Ligue nationale. T'as des records. Je te dis pas de te reposer. Les foules viennent pour te voir. T'es à ton meilleur. Ce que je te dis, c'est que t'as des coéquipiers. T'es pas tout seul. Tu dois pas prendre toute la responsabilité sur tes épaules. Laisse de la responsabilité aux autres. À la fin des deux dernières saisons, les Canadiens étaient les meilleurs; on aurait dû gagner la coupe Stanley. En 54, un lancer a dévié sur le gant de Doug Harvey et Gerry McNeil a rien vu. Le printemps dernier, ton combat avec Laycoe a nui à l'équipe. Rocket, je veux pas te parler du passé. Je te parle de l'avenir. Contrôle-toé. Tu dois pas créer les circonstances qui te font perdre. Ce qui compte, c'est pas de gagner une ronde de boxe; c'est de gagner la coupe Stanley.»

Au camp d'entraînement, Toe Blake observe ses recrues. Ces jeunes comprennent qu'il ne suffit pas de rêver de jouer pour les Canadiens. Ils doivent gagner leur place. Il s'émerveille de voir aussi ses vétérans lutter comme s'ils voulaient retenir l'attention des dépisteurs. Il ne se souvient pas d'avoir vu les Canadiens si forts. La rondelle sillonne la patinoire. Parmi les jeunes: Henri Richard, le frère de Maurice. L'impétuosité de ce joueur minuscule rappelle celle du Rocket. Depuis longtemps, dans les ligues mineures, il paie le coût d'être le frère du Rocket. Ses adversaires aiment se mesurer au frérot de Maurice. Pendant sa période de chroniqueur sportif au *Dimanche-Matin*, Maurice incitait Jean Béliveau à quitter les As de Québec pour venir chez les Canadiens. Les amis des As n'appréciaient pas ce maraudage. Lorsqu'Henri se montrait à Québec, il subissait les conséquences des mots de son frère. Ces expériences lui ont enseigné le courage. Elles l'ont endurci.

Henri, plus jeune de quinze ans, n'a pas beaucoup connu son frère. Il connaît surtout le grand joueur de hockey. À cinq ans, Onésime l'amenait au Forum et il suivait le match sur les genoux de son père. Déjà, il connaissait les noms de tous les joueurs. Il criait quand Maurice prenait la rondelle. Maurice est son héros. Comme lui, sa manière attire l'attention. On ne peut détacher le regard de cette recrue sur la glace. Maurice est spectaculaire même quand il lace ses patins. Les mouvements d'Henri sont fascinants comme la flamme qui bouge. Dix mille personnes se déplaçaient pour le voir jouer dans la Ligue junior.

Un matin d'exercice, Henri s'échappe vers le filet des adversaires. Il tire et, sans quitter des yeux la rondelle, se dirige derrière le filet. Maurice, en même temps, va se positionner derrière le filet pour préparer le prochain jeu. Emboutissage. Si les deux frères étaient des voitures, elles auraient été transformées en accordéons. Ils s'écroulent. Des coupures au visage. Il y a du sang sur la glace. Le soigneur s'amène. Le Rocket reprend conscience. Il reconnaît son frère qui, lui aussi, revient sur terre:

– Fais attention Henri, tu pourrais te faire mal!

Mis à l'essai pour trois matchs, Henri impressionne l'administration. Il n'a que 19 ans, mais ce petit diable en patins dispute la rondelle à qui il veut. Les partisans reconnaissent un Richard. Certains se rappellent de l'arrivée, il y a treize ans, du jeune Rocket: Henri est un nouveau Rocket. Les adversaires surveillent Henri comme ils surveillent un Richard. Maurice ne se tient jamais loin de son frère si on lui manque de politesse. Les filles aiment ce petit joueur si rapide. Elles ont remarqué que, durant le réchauffement, il fait deux fois plus de tours que les autres joueurs.

Le 15 octobre, le Rocket marque deux buts et Henri inscrit son premier dans les registres de la Ligue nationale. Un des partisans est silencieusement fier: leur père, Onésime. Il a quitté sa Gaspésie parce qu'il n'y avait pas d'avenir. Il a travaillé dur. Il a été sévère avec ses garçons. Maintenant deux de ses fils jouent pour les Canadiens. Maurice est le meilleur joueur de la Ligue nationale. Henri sera peut-être meilleur encore. Aux journalistes qui lui demandent ses sentiments, il dit: «Les deux gars, i' sont pas pires!» Ce n'est pas lui qui ferait un discours.

Frank Selke, l'homme d'affaires, veut que son spectacle soit le plus attrayant possible. Toe Blake veut gagner la coupe Stanley. Les deux hommes sont d'accord: Maurice et Henri joueront ensemble sur la même ligne d'attaque, avec l'efficace Dickie Moore à l'aile gauche. Quelle agile force de frappe! Quand ils auront besoin de repos, une deuxième ligne aussi redoutable prendra la relève: Béliveau, Geoffrion et Bert Olmstead. Et une troisième ligne sera sur un pied d'alerte: Floyd Curry, Claude Provost, Don Marshall. À la défense, Doug Harvey, Butch Bouchard. Dans les buts, Jacques Plante, qui a la vivacité d'un chat. Tous sont travailleurs, habiles patineurs; ils savent appliquer un coup d'épaule où c'est nécessaire; tous sont convaincus que la rondelle n'a pas de raison d'être si elle n'aboutit pas dans le filet des adversaires. Chacun connaît sa responsabilité. Chacun l'exécute comme s'il allait sauver le pays.

Bernard Geoffrion n'est pas heureux. Il souhaiterait quitter les Canadiens. Chaque fois qu'il entre sur la patinoire, au Forum, les partisans le huent comme s'il appartenait à l'autre équipe. Geoffrion ne craint ni les ecchymoses, ni les coupures, ni les fractures, ni les sutures à froid, mais le tollé des amateurs le bouleverse et le pousse au bord des larmes. Il a ravi au Rocket le championnat des compteurs de points, la saison précédente. Maurice a été écorché d'avoir raté ce championnat, mais il se raisonne: Geoffrion ne pouvait pas tirer à côté du filet pour éviter de marquer des buts. La foule, cependant, ne pardonne pas. Ses huées font à Geoffrion l'effet de recevoir 14 000 seaux d'eau glacée au visage. Il croit qu'il devrait jouer ailleurs. Avec son amitié bourrue, Toe Blake ramène ses joueurs à l'objectif: gagner les matchs un par un, but par but.

De la même manière, il répète au Rocket qu'il n'a pas besoin d'exploser chaque fois que son cadran à colère atteint le degré maximum. Le Rocket écoute. Rage, sans un mot. Lance des regards courroucés. Mais il se conforme. Et la rumeur se répand que le Rocket s'adoucit.

Toe Blake, en peu de temps, a établi son autorité. Les joueurs ont confiance en lui. Il n'a pas oublié ce que c'est que de jouer sur la glace. Chaque membre de l'équipe se sent respecté: jamais il ne reproche à un joueur d'avoir commis une erreur. Plutôt, il lui parle en privé. Il lui explique comment elle aurait pu être évitée. Toe Blake se voit comme un père; les Canadiens sont une famille. Non seulement Maurice et Henri mais tous les joueurs de son équipe sont frères. Ils écoutent l'instructeur: «L'objectif: gagner. Pour gagner, d'abord, il faut marquer des buts. Ensuite, il faut encore marquer des buts.»

Lettre d'exil
d'un grand patriote

1955. Me voici exilé au Nouveau-Brunswick. Il suffit de traverser un pont sur la rivière Madawaska et nous sommes en territoire américain. Mon nouveau séminaire est situé à une courte promenade des États-Unis. Mon cercle patriotique est bien loin.

Je lis que le gouvernement fédéral souhaite que quelques panneaux de circulation, à Ottawa, portent des mots français afin que les Canadiens français ne se sentent pas, dans la capitale, comme dans une ville étrangère. La présidente d'une association de femmes protestantes du Canada a déclaré que «l'usage de la langue française est illégal en dehors du Québec.» Cette phrase m'aplatit comme une mise en échec contre la clôture de la patinoire.

Avec qui partagerai-je ma colère? J'aime le style d'un journaliste du *Devoir*, Pierre Laporte. Je lui écris. Peut-être pourra-t-il conseiller un patriote en exil? Le grand journaliste me répond dans une lettre de deux pages et demie: «Les Canadiens français doivent faire comme Maurice Richard: ne jamais céder d'un pouce, aller vers le but, marquer.» Dix fois je relis cette lettre écrite à la main.

Je médite aussi sur une autre lettre, publiée dans *Le Devoir*, qui dénonce le rock and roll, «cette musique abrutissante, faite pour accompagner des orgies sauvages dans la jungle». L'auteur supplie le gouvernement d'interdire ces concerts de musique barbare. Le rock and roll, la musique sucrée des Platters, de Pat Boone, des Four Aces, des Four Lads, la musique américaine déferle sur nous comme un raz-de-marée. Il y a tant de musique américaine que nous sommes des naufragés. Mais nous aimons cette musique! Le rock and roll donne envie de sauter par-dessus les toits. Avec quelques nouveaux amis, nous sommes allés voir trois fois, aux États-Unis, le film *Rock around the Clock*. Nous nous portons des costumes *zoot*: un veston très large aux épaules et un pantalon très serré aux chevilles. Regardez-nous! Ainsi attifés, mes nouveaux amis et moi traversons le pont international. Nous allons aux États-Unis danser avec des jeunes filles qui ont une crinoline sous leur jupe et de coquettes chaussettes blanches dans leurs souliers blancs. De temps à autre, le rock and roll cède l'espace à une chanson douce comme *I'm a Great Pretender*. On serre dans nos bras ces filles américaines rondes et parfumées qui aiment les petits *Frenchies*. Cependant quand les Fly Boys, les aviateurs de la base voisine, débarquent dans la salle, nous cessons d'exister. Si on peut attirer quelqu'un pour la prochaine danse, c'est une arrière-grand-mère. La musique américaine menace notre culture, mais le patriote ne résiste pas très fort. Avec une belle fille en crinoline dans les bras, le grand patriote se fait conciliant.

L'hiver arrive. Le hockey commence. Mon nouveau séminaire est fier de son excellente équipe. Ici, les filles ne sont pas interdites comme de mauvais livres. Personne ne les chasse à coup de goupillon. Je n'ai jamais vu autant de belles filles aimer le hockey. Elles sont comme Lucille, la petite amie de Maurice, avant qu'elle ne soit sa femme. Entre les périodes, ici, les joueurs ont le droit de leur parler. À la fin du match, les filles se ramassent au portillon. Les joueurs, même l'équipe perdante, traversent un bouquet de filles avant d'aller retirer leurs patins. Les filles sont pour les Maurice Richard locaux.

52

Au loin,
voyez briller la coupe Stanley

1955. Le Rocket s'adoucit-il? Il refuse une ronde de boxe contre Lou Fontinato, des Rangers. Fontinato détient le record des pénalités dans la Ligue nationale. Le petit Henri Richard, avec un fort élan, l'a pilé contre la clôture. Fontinato lui retourne deux coups de battoir à la figure. Le Rocket veille. Il allait se précipiter à la défense de son frère, mais il s'arrête. Henri se défend plutôt bien. Il n'a pas besoin d'aide. Plus qu'à Henri, c'est au Rocket que Fontinato aimerait s'en prendre. Il part à sa poursuite. La foule l'encourage. Il rattrape le Rocket. Deux fois, il lui applique au visage son cachet officiel. La foule approuve avec plaisir. Le Rocket vacille. Il s'essuie le visage. Sont-ce des gouttes de sueur? Du sang! Le Rocket va-t-il détruire Fontinato? La foule demande un combat. Toe surveille Maurice qui, finalement, ne remet pas la politesse, mais rentre au vestiaire, furieusement muet.

À la troisième période, des éclairs vont claquer. La hallebarde du Rocket est pointée vers Fontinato. Toe Blake lui rappelle: «Une rondelle dans le filet des Rangers, c'est plus payant qu'une claque sus la gueule de Fontinato.» Les joueurs observent. Écoutent. Se taisent. Doug Harvey risque une farce. Les joueurs éclatent de rire. Les yeux du Rocket fulminent, mais un sourire s'esquisse sur ses lèvres. Est-il en train de s'attendrir? Toe Blake l'apaise: «Maurice, t'as le droit de te fâcher. Mais si t'es fâché, fourre-leu' l'puck dans le net.»

Le 29 décembre, sur une passe d'Henri, il marque le 21e but de sa saison et le 500e but de sa carrière, saisons régulières et séries éliminatoires additionnées. Jamais personne avant lui n'a déjoué autant d'adversaires, autant de gardiens de but. Vibrantes célébrations à Montréal. À Toronto, le maire lui rend hommage: «Vous représentez le Canada tout entier.» Pour le modeste et ambitieux Rocket, le sommet qui compte est le suivant. Il veut devenir, cette année, le champion des compteurs de points. Ce titre lui a échappé l'an dernier à cause de Clarence Campbell... Et de Geoffrion. Toe Blake veut s'emparer de la coupe Stanley; sa hantise de vaincre convient au Rocket. Pour gagner, il faut défoncer les filets. Cela lui convient aussi.

Lors d'un départ pour New York, Lucille, comme toujours, accompagne son mari à la gare. Un photographe aimerait prendre un cliché sentimental: «Rocket, veux-tu embrasser ta femme pour ma caméra?» L'air facétieux, Maurice répond, sans retirer son cigare: «Je l'embrasse jamais quand je pars pour un si petit voyage!»

Le Rocket s'adoucit... Son jeu demeure passionné. Il investit sa vie entière dans chacun de ses mouvements. Il joue comme s'il éteignait le feu dans sa maison. Il joue comme nage un naufragé vers la terre ferme. Il est tout entier, corps et âme, passé, présent et futur dans ce coup de patin qui pousse la glace derrière lui, dans cette crispation des muscles qui décochent un tir. Le Rocket joue comme si l'univers en danger ne pouvait être sauvé que par un but. Il joue comme saute en bas d'une falaise un homme convaincu d'avoir le don de voler. Il joue comme traverserait un champ de tir un homme qui se croirait immortel.

Le 15 mars 1956, durant le dernier match de la saison régulière, le Rocket amorce l'une de ses magnétisantes échappées. Les Black Hawks l'attendent à leur ligne bleue: Gus Mortson et Pierre Pilote. Ils calent leurs patins. Ils vont coincer le Rocket. Va-t-il faire un détour? Il pousse sa vitesse, tête baissée. Les défenseurs se préparent au choc. Percussion. Les trois corps sont projetés. Le Rocket glisse vers le filet d'Al Rollins, sa tête heurte le montant vertical, la cage recule. Il ne se relève pas. Debout, en silence, les partisans attendent un signe de vie. Les infirmiers viennent recueillir le Rocket et l'emportent sur une civière.

Le Rocket revient à la vie. Points de suture. Radiographies. Le bilan de sa saison: 38 buts et 33 mentions d'aide. Il n'est pas le champion des compteurs de points. Cette année, Jean Béliveau a accaparé le titre. Le Rocket court vers la rondelle comme si elle était son cœur tombé sur la glace. Béliveau, qui joue comme si c'était facile, a amassé plus de points que lui. Maurice n'est que le troisième... Est-il troisième parce qu'il s'est un peu adouci? Est-il troisième parce qu'il pèse maintenant 200 livres, quinze de plus qu'à l'époque de son record de cinquante buts? Plusieurs fois, il s'est mis à la diète. Il avait faim. Il se sentait fatigué. Ce n'est pas le temps de se sentir affamé et fatigué; les séries éliminatoires commencent.

Les Rangers attendent les Canadiens de pied ferme. Maurice Richard va leur démontrer qu'il est le Rocket, et non le troisième. Dès le premier match, il leur inflige une bastonnade: un tour du chapeau dans une victoire de 7 à 1. Les Canadiens ont bien assimilé les leçons de Toe Blake. Bert Olmstead excelle à s'approprier la rondelle dans les coins. Il la transmet à Doug Harvey. Imperturbable, il protège la rondelle pendant que son regard évalue l'échiquier mobile de la patinoire. Dans le tourbillon des joueurs qui se déplacent, il juge, parmi ses coéquipiers, lequel est le mieux placé pour rendre la rondelle dans le filet. Alors d'un air nonchalant, il l'expédie à travers un taillis de jambes et de bâtons. Il ne rate guère sa cible: elle frappe la palette du bâton du Rocket, de Geoffrion ou de Béliveau qui font feu sur «Gump» Worsley.

Après avoir gagné deux matchs à New York, les Canadiens reviennent au Forum gonflés de gloire pour donner le coup de grâce aux joueurs de Phil Watson: 7 à 0. Le Rocket n'a pas réussi un seul but, mais on lui a reconnu cinq mentions d'aide. Voilà une extraordinaire contribution. Les partisans sont déçus. Ils voulaient voir le Rocket introduire lui-même la rondelle dans le filet. Le Rocket est-il en train de ralentir? «Une assistance, philosophie un partisan, c'est comme aller chercher votre beau-frère pour rendre les honneurs à votre femme...»

Les Canadiens ont triomphé en semi-finale. Que réserve la finale? Glenn Hall, le gardien des Red Wings, est un homme compliqué. L'automne, il se présente toujours en retard au camp d'entraînement. Son excuse: il n'avait pas fini de peinturer sa grange en Saskatchewan. On raconte qu'il a peur de la rondelle. Pourtant il a imposé douze blanchissages durant la saison. On raconte qu'il déteste tellement garder les buts qu'il vomit avant chaque match. Que valent ces rumeurs? Toe Blake fait remarquer à ses joueurs que, devant son filet, Glenn Hall n'a pas l'air d'être plus nerveux qu'une souche. Le Rocket connaît sa manière: il ouvre ses jambes d'un montant à l'autre de la cage pour que ses jambières forment un A majuscule. Pour fermer complètement l'ouverture, il installe son bâton entre ses deux jambes. Son autre main est libre pour attraper les tirs au vol. Il ferme ainsi la cage comme une porte.

Durant les longues heures de voyage en train, certains jouent aux cartes. Jacques Plante, le gardien de but, tricote: sa mère a enseigné à ses nombreux enfants comment tricoter; ainsi ils n'auront jamais à souffrir du froid. D'autres joueurs racontent des anecdotes. Certains somnolent. Le Rocket essaie de lire un article dans un magazine, mais il n'arrive pas à comprendre de quoi il est question. Il est distrait par son prochain match. Ses adversaires. Leurs trucs. C'est la lourdeur de ses songeries qui le rend si léger sur la glace. Bien préparé, il semble improviser. Sa réflexion le rend instinctif. C'est elle qui rend son action lumineuse sur la glace.

Les Maple Leafs, en semi-finale, ont été réduits en miettes par les Red Wings. Un même sort serait-il réservé aux Canadiens? À la seconde période, ils tirent de l'arrière 4 à 2. Toe Blake, inébranlable, a confiance en la force de son équipe. Sa première ligne de tireurs ne réussissent pas à marquer? Il appelle sa deuxième ligne. Et sa troisième. Jackie Leclair réduit l'avantage 4 à 3. Jean-Guy Talbot établit l'égalité 4 à 4. Béliveau assure la victoire 5 à 4. Et Claude Provost confirme la défaite des Red Wings. Glenn Hall, terrorisé par les tirs impitoyables, vomit; il veut retourner en Saskatchewan, où il ne pleut pas de rondelles.

Les Canadiens détroussent les Wings une seconde fois. Les partisans déjà célèbrent la Victoire, la seule, celle de la coupe Stanley. Les Wings emportent le troisième match 3 à 1. Les Canadiens ripostent par un blanchissage 3 à 0.

Si les Canadiens gagnent le match suivant, il pourront danser sur la glace du Forum en tenant dans leurs bras la coupe Stanley. L'an dernier, Clarence Campbell a empêché cette fête d'avoir lieu. Le Rocket a promis que la coupe Stanley reviendrait à Montréal, cette année. Le Rocket a toujours donné sans jamais promettre. Cette fois il a fait une promesse; elle sera respectée.

Quatorze mille partisans sont venus pour être témoins de la transfiguration des Canadiens en champions de la coupe Stanley. Les Red Wings semblent avoir accepté que la défaite est inévitable. De leur côté, les Canadiens semblent avoir la volonté un peu molle. Les partisans sont déjà un peu ivres, mais les Canadiens ne leur donnent rien à célébrer. Heureusement, Jean Béliveau, après une feinte astucieuse, attriste Glenn Hall: 1 à 0. Plus tard, le Rocket accapare la rondelle. À sa manière connue mais qui étonne chaque fois parce qu'elle n'est jamais tout à fait la même, il improvise un beau solo. Les adversaires s'ameutent. Il tire. C'est le but! Une échappée du Rocket s'imprime dans les mémoires comme le passage d'une comète dans le ciel. Les partisans frissonnent. C'est la victoire! La coupe Stanley!

Presque... Duplessis est debout parmi les partisans. Lui, le champion de l'autonomie provinciale, ne recevra jamais un tel élan de reconnaissance populaire. Aucune décision politique ne peut autant faire plaisir au peuple qu'un but du Rocket. Bernard Geoffrion enfonce un troisième but. Alex Delvecchio épargne aux Red Wings la honte d'un blanchissage.

La coupe Stanley appartient aux Canadiens! Un rugissement de joie énorme se prolonge tard dans la nuit et reprend le matin pour durer toute la journée, le long d'un défilé à travers tous les quartiers de la ville, en ce froid samedi malgré tout ensoleillé. Le défilé dure plus de six heures. On parcourt 65 kilomètres. Suivant les fanfares, les majorettes, de luisantes décapotables transportent les héros qui signent des autographes, embrassent les mariées, caressent la tête des enfants. Trônant dans la *Chrysler*, rayonnant, Maurice salue les partisans, leur serre la main. Leur chaude amitié l'intimide toujours. À l'intersection des rues Sainte-Catherine et Saint-Denis, sous les affiches colorées qui annoncent «Bowling» ou «Night clubs», les partisans se pressent, en rangées serrées, sur les trottoirs. Clarence Campbell, cette fois, vous avez perdu!

Retour provisoire d'un exilé

1956. Les prêtres nous ont permis de regarder ce dernier match à la télévision. Nous avons conquis la coupe Stanley! Nous allons, le lendemain, célébrer notre victoire sur les Américains en dansant du rock and roll avec des filles américaines. Sur le pont international entre le Canada et les États-Unis, nous marchons avec l'impudence des conquérants. Richard, Béliveau, Geoffrion, Plante, Talbot, Pronovost: les Canadiens français ont battu les Américains. À nous la coupe Stanley! Pendant un *slow* sur une chanson au miel, nous confions à nos belles américaines que nous sommes cousins avec le Rocket. Dans la musique, les crinolines, nous triomphons jusqu'à l'arrivée des «Fly Boys».

Quelle que soit l'importance de la coupe Stanley, une élection aura lieu le 20 juin dans la province de Québec. Duplessis exhorte la population à résister à l'impitoyable gouvernement d'Ottawa qui veut éradiquer les droits et prérogatives des Canadiens français. Seule l'autonomie peut nous sauver. Selon mon père, Duplessis a accompli des miracles. Avant lui, les routes étaient misérables. Duplessis a déroulé comme des tapis de belles routes, souvent en asphalte. Les seuls villages qui ne sont pas traversés par une route neuve sont ceux qui ont voté contre Duplessis. Qu'ils ne se plaignent pas! Personne ne les a forcés à voter contre Duplessis. Il a aussi installé l'électricité dans les campagnes, même dans les étables. Mon père m'explique qu'il ne faut pas avoir de honte pour voter contre Duplessis qui a construit 85 hôpitaux, 3 000 écoles primaires; qui a créé 10 000 nouvelles entreprises; qui a entrepris l'exploitation des mines de l'Ungava et de l'Abitibi. Et ce n'est pas tout! Duplessis protège sa province du communisme...

On ne se rend pas compte de l'astuce déployée par les communistes pour pervertir les Canadiens français. Heureusement Duplessis veille. Dernièrement, les communistes ont trouvé un moyen de s'infiltrer jusque dans les cuisines les plus catholiques. Des milliers de douzaines d'œufs importés de la Pologne communiste ont été découverts à la douane... Duplessis a donné l'ordre de saisir la cargaison. «Protégez vos enfants du communisme. Votez pour Duplessis!» Durant la campagne électorale, à plusieurs endroits de la province, Duplessis est fier de présenter aux habitants, à côté de lui sur la tribune, son «bon ami Maurice Richard». Et la foule l'applaudit comme s'il venait de marquer un but, de «la mettre dedans». Duplessis acquiesce d'un mouvement de la tête et sourit comme si l'hommage était pour lui.

Un ami de mon père dans le parti de Duplessis me trouve un travail d'assistant de l'assistant de l'assistant d'un arpenteur. Pendant la campagne électorale, nous fixons le tracé des routes que Duplessis construira dans la région si les gens votent pour lui. La nouvelle route passera sur la terre de fermiers qui sont sympathisants de Duplessis. Si le fermier est soupçonné de sympathie envers l'opposition, on évite sa terre, on dessine une courbe... Un matin, le patron me demande de faire un ménage dans la paperasse accumulée sur son bureau. Je sais lire. Un ajout, au bas d'un contrat, mentionne: «Retenue habituelle». La même mention a été ajoutée au bas de tous les contrats que je classifie.

– Patron, qu'est-ce que ça veut dire «Retenue habituelle»?

– Ça mon petit Christ, t'as pas vu ça. Mêle-toé pas de politique...

Duplessis est reporté au pouvoir. Les électeurs ont voté pour les routes d'asphalte, l'électricité dans les étables, l'autonomie et contre les œufs communistes.

Au mois d'août, *Le Devoir* publie un commentaire sur la récente campagne électorale. Les auteurs assurent qu'elle a été malhonnête, mensongère, immorale. Le parti de Duplessis a acheté les votes. Défrayé des comptes d'hôpitaux et des honoraires de médecins, des frais d'accouchement, des frais de réparation de voitures, des factures d'achat de réfrigérateur, de téléviseur. Promis des contrats conditionnels au vote des électeurs. Volé des boîtes de scrutin. Fait voter des personnes décédées. Fait voter des gens plusieurs fois. Fait voter des sympathisants à la place d'opposants. Empêché des opposants de voter. Falsifié des résultats de scrutin. Les auteurs de cette diatribe sont deux prêtres. Ils accusent Duplessis; seraient-ils pervertis par le communisme? La rumeur déjà circule. Ils ne sont probablement pas de bons prêtres car les bons prêtres soutiennent Duplessis. Ces deux prêtres osent même accuser l'Église catholique d'être obsédée par les «péchés mouillés» que sont l'ivrognerie et la luxure, alors qu'elle est complice des «péchés secs» comme l'injustice économique, les abus de pouvoir, la négation des droits démocratiques.

Moi, je lis, j'étudie, j'écris des poèmes, je danse le rock and roll, mais je ne suis pas heureux comme on devrait l'être à mon âge. L'affaire *The Queen Elizabeth Hotel* préoccupe tous les patriotes. Plus de 1 000 articles ont été publiés à ce sujet. Les conseils municipaux de plus de cinq cents villes et villages se sont prononcés contre l'adoption de ce nom. Le 4 juillet, un député de la province de Québec présente à la Chambre des communes d'Ottawa une pétition de 250 000 personnes qui rejettent ce nom. Il restera. Ce serait une injure à Sa Majesté de ne pas utiliser son nom après avoir obtenu sa gracieuse permission.

La politique est excitante, mais il arrive toujours un moment où c'est compliqué. On ne sait qui croire. Et il arrive toujours un moment où la politique a l'air corrompue. Duplessis a remporté 77 sièges sur 93, mais que vaut son pouvoir s'il est fondé sur la tricherie, la prévarication, la concussion? Quel est l'avenir de notre petit peuple s'il vend son droit de vote pour quelques bouteilles de bière? Que vaut notre religion si notre honnêteté ne résiste pas à un petit cadeau de Duplessis? Nous accusons toujours les Anglais; quand accuserons-nous les coupables de l'ignorance qui nous accable? Voilà des pensées que, durant l'été, je tourne et retourne.

Le hockey est plus simple. Personne ne peut mentir. Un but est un but. Une mise en échec est une mise en échec. Le jeu se déroule ouvertement, devant les yeux de la foule. Le Rocket n'a jamais triché. Il pousse la rondelle à travers toutes les interférences, vers le filet. En cette période de corruption, le Rocket est incorruptible. Peut-on reprocher au peuple de lever les yeux vers un champion de hockey lorsqu'il ne veut plus regarder ses chefs, lorsqu'il a peine à se regarder lui-même? Lorsque les chefs flottent comme des billes de bois dans le courant qui les emporte, le Rocket affirme l'autorité qu'on a sur le destin.

54

Un chirurgien

1956. Si la politique a ses secrets, le hockey a ses rituels. Chaque joueur a sa manière de lacer ses patins, d'enrouler le ruban gommé autour de son bâton. Maurice prend la précaution de choisir lui-même le bois de ses bâtons. Il en vérifie la souplesse, la rigidité, la pesanteur. Il examine le sens du bois. Il est aussi précautionneux que le percussionniste d'un orchestre symphonique. Il mesure l'équilibre entre le manche et la palette du bâton. Il examine les joints du talon, son angle. C'est du talon de son bâton que le Rocket décoche ses tirs: il insère le talon de son bâton entre la glace et la rondelle. Sans ces précautions, son bâton n'aurait aucune vertu magique.

Maurice participe à un rituel beaucoup plus secret. Au début de la saison, les vétérans ont le devoir d'inculquer aux recrues les valeurs sacrées et fondamentales qui inspirent l'équipe dans la recherche de la victoire. Premier principe: l'abnégation. La recrue doit faire à l'équipe le don total de soi. Quel plus beau symbole de cette vertu que de sacrifier son pénis! D'abord, les recrues reçoivent une préparation psychologique donnée avec subtilité psychologique par une vingtaine de joueurs de hockey qui ont été plusieurs fois assommés, blessés, disloqués dans la poursuite sauvage de leur idéal. Ensuite, les recrues sont déshabillées pour la grande ablation. Cela est fait avec une délicatesse de religieuses-infirmières. Alors s'amènent le chirurgien et son assistant, vêtus de blanc, calotte, masque et blouse, avec les instruments tranchants nécessaires. Quand la recrue est suffisamment terrifiée, on expose la partie à opérer. L'assistant du chirurgien, le Rocket, rase avec précaution ce qu'il y a à raser afin que le chirurgien, le défenseur Doug Harvey, puisse trancher, «juste un petit peu», témoigne-t-il. Le désir de jouer avec les Canadiens est si fort qu'aucune recrue n'a jamais pris la poudre d'escampette.

Butch Bouchard, le capitaine, a pris sa retraite du hockey. Pour le remplacer, ses coéquipiers choisissent le Rocket. Il faut gagner. Il faut jouer pour gagner. Marquer des buts. Avec 460 buts accumulés durant les saisons régulières, il entreprend son ascension vers son 500e. Ce sera un record historique. Marquer 40 buts cette année: c'est possible. Conserver la coupe Stanley à Montréal: on le fera. L'année sera bonne!

À le voir envahir le territoire des adversaires, on se dit que Maurice Richard joue mieux que dans sa meilleure jeunesse. Polie par une longue et rude expérience, sa technique est enrichie d'une compréhension profonde du hockey. Qui soupçonnerait qu'une douleur au coude l'importune? Il combat le mal en exigeant encore plus de son bras gauche. Mais la douleur le paralyse. Il consulte un médecin. Des fragments d'os brisé râpent les nerfs à l'articulation. Une opération est urgente. Les médecins veulent toujours opérer. Le Rocket veut jouer. Finalement, il doit se soumettre aux médecins, à la fin de novembre. Puis il change d'idée. S'il arrête, qu'arrivera-t-il à son objectif de 500 buts? L'intervention chirurgicale est sérieuse. Il hésite. Pour tirer au but, il a besoin de son coude! Mais son coude ne fonctionne pas. Les médecins se font rassurants: «Une légère incision»... Tout allait si bien.

Deux semaines plus tard, il revient au jeu. Son coude a-t-il été endommagé? Le Rocket rassure les partisans en marquant un but contre les Maple Leafs; il reçoit aussi deux mentions d'aide. Quand les Canadiens et les Leafs se retrouvent, la semaine suivante, le Rocket leur administre deux buts dévastateurs. Nul doute, l'intervention chirurgicale est réussie.

À son tour, Gordie Howe a rejoint le record de 324 buts de Nelson Stewart. Qui est le meilleur joueur? Maurice Richard ou Gordie Howe? Le débat se poursuit. À Montréal, on ne discute plus. Les partisans ont calculé que pour marquer 324 buts, il a fallu 652 matchs à Stewart, 666 à Howe et 526 au Rocket... Donc Maurice est le meilleur, mais Gordie Howe se rapproche. Pour garder l'avance, le Rocket doit courir! Marquer!

Février 1957 est un mois de naissances chez les Canadiens. Le frère de Maurice, Henri, annonce l'arrivée d'une fillette. Une semaine plus tard, Maurice et Lucille présentent leur petite Suzanne. Jean Béliveau devient aussi père d'une fillette. Dickie Moore s'enorgueillit d'un fils. Comme les victoires, les défaites, les blessures, les naissances sont partagées avec les partisans. On fait quelques blagues: tous ces bébés arrivent en même temps, neuf mois après la conquête de la coupe Stanley! Ils sont la preuve que les Canadiens ont célébré de la même façon! Dans des églises, des prêtres soulignent dans leur sermon qu'il est réconfortant de voir nos Canadiens respecter les valeurs de la famille traditionnelle, contrairement aux communistes pour qui le sexe n'est qu'un acte bestial.

Plutôt qu'aux bébés des Canadiens, je m'intéresse à un mouvement patriotique qui vient de naître: l'Alliance laurentienne. Son chef, Raymond Barbeau, doit boire un verre de miel avant chaque discours. Il est très intelligent. À chaque question, il offre une réponse qui fait regretter de l'avoir posée. Selon lui, l'avenir des Canadiens français ne peut être bâti que dans un pays indépendant: la Laurentie. Je lis tous les articles des journaux à ce sujet. La Laurentie, c'est la province de Québec.

Je réfléchis. Notre peuple a souffert au Canada. Il a souffert sous la domination française; il a souffert sous la domination anglaise. Mes ancêtres ont parcouru ce pays, ils l'ont défriché, ils l'ont cultivé. Ils ont contribué à la vie économique du Canada. Ils ont participé à sa vie politique. Faut-il, comme Raymond Barbeau le prêche, quitter le Canada? Quand Maurice Richard perd un match, quitte-t-il le hockey? Non, la fois suivante, il fait un tour du chapeau! Maurice Richard ne se refugie pas, piteux, derrière la ligne bleue: il charge, il domine, il conquiert. Foncez, Raymond Barbeau! Je ne quitterai pas le Canada pour votre Laurentie! Raymond Barbeau, vous voulez me donner un petit pays. Merci, j'en ai déjà un grand.

Fin février, les Canadiens luttent pour la première place dans la Ligue nationale. Le 28, les Canadiens blanchissent les Red Wings 3 à 0, avec deux buts du Rocket. Quatre jours plus tard, ils les écrabouillent 5 à 1. Le Rocket a marqué un but.

Le 11 mars, une grève est déclenchée à Murdochville, en Gaspésie. C'est loin. Une fois de plus, c'est une grève de mineurs. La Gaspé Copper Mines refuse d'octroyer une accréditation syndicale à ses travailleurs. Dès le lendemain, les 1 100 grévistes voient débarquer 800 briseurs de grève. Sous la protection de la police, ils descendent dans la mine. Les grèves apportent bien du malheur. Personne n'est à l'abri.

Ce sont des partisans soucieux qui suivent les épisodes des séries éliminatoires du hockey. Les Canadiens vont gagner la semi-finale contre les Rangers. Ils leur ont déjà arraché trois matchs; les Rangers n'ont qu'une victoire. Et ce soir, ils sont à Montréal. Sans doute pour se prosterner devant les Canadiens.

Phil Watson a juré devant la presse que ses Rangers vont châtier les Canadiens. Watson est vite désappointé. Les Canadiens dominent 3 à 0. Sont-ils devenus outrecuidants? Les Rangers s'arc-boutent. À la fin du match, le score est nul: 3 à 3. Les Canadiens ont presque été défaits. Au vestiaire, Toe Blake demande à ses joueurs: «Comment allez-vous expliquer votre défaite aux amateurs? On gagnait 3 à 0. On pensait que c'était fini et on est rentrés à la maison. On a oublié que les gars de Watson étaient encore sur la glace. C'est ça que vous allez expliquer?... On va revenir de la maison et on va prendre notre butin.»

Commence la période supplémentaire. «Gump» Worsley, à l'entrée du filet, calfeutre tout interstice. Trapu, grassouillet, sa philosophie n'est pas abstraite: une rondelle est un javelot lancé vers le but; le travail du gardien de but est de se placer devant le javelot.

À deux minutes onze secondes, Henri Richard tire vers lui. Le défenseur Lou Fontinato étend la main pour saisir la rondelle au vol. Elle glisse dans son gant et retombe sur la glace. Le Rocket la cueille. Il était là. Quelle incroyable intuition du jeu! Il perçoit à l'avance comment le jeu va se débobiner. Avant tout autre joueur, il déchiffre, parmi les multiples complexités du jeu, sa logique. Ainsi informé, il se précipite à l'endroit où la rondelle va surgir et détermine la suite.

Donc le Rocket cueille la rondelle et s'amène devant «Gump» Worsley. Le gardien attend le javelot. Son équipement est désuet. C'est le même que lorsqu'il avait dix-huit ans, dans l'équipe de Verdun. Le Rocket connaît Worsley: il sait qu'il devine son mouvement avant qu'il ne soit amorcé. Le Rocket tire. Worsley se porte en avant comme un bouclier et se jette à plat ventre. Le Rocket n'a pas vraiment tiré. C'était une feinte. Sans hâte, Maurice Richard tire par-dessus le corps affalé. C'est un but! Les Rangers sont éliminés. Même les grévistes de Murdochville sont un peu moins malheureux.

Les Bruins, ravigorés, ont défait en semi-finale les puissants Red Wings: quatre matchs contre un. Toe Blake prépare ses Canadiens pour une série finale abrupte: «Soyez tout le temps mobiles. Arrêtez pas de patiner. Il faut les étourdir. Pognez l'avantage dès la mise au jeu. Shootez le plus souvent possible, mais dans le net.» Chaque joueur doit jouer à la limite de ses forces et un peu plus. Chacun doit aider son coéquipier à faire ce qu'il fait le mieux. «I' faut que vous ayez faim et soif. Ceux qui ont pas faim et soif sont des perdants.»

Le Rocket, pendant de longues heures, attend la fin de la nuit, les mains croisées derrière la nuque. Est-il encore capable de jouer comme dans les bonnes années? Il a vu de très bons joueurs flancher après une douzaine d'années. Il en est à sa quatorzième saison. Peut-il jouer aussi bien que son frère Henri, Béliveau, Geoffrion, Moore?

Le Forum est rempli, le samedi 6 avril, pour le premier match de la série finale. Le Rocket joue comme un musicien improvise un air qui fait danser la foule. Sa spontanéité est flamboyante. Son énergie est dévastatrice. Plus le match avance, plus elle jaillit. Il invente des jeux compliqués. Pourtant ses mouvements sont impromptus. Il va vers le but des adversaires comme l'animal va boire à la rivière. Terry Sawchuck, au repos, a été remplacé par Don Simmons. À la seconde période, lancée du revers, la rondelle effleure le patin du gardien et dévie dans le filet. «Maurice Rocket Richard lance et compte.» Il n'est pas fier. Un but chanceux n'est pas un beau but.

Presque aussitôt, il reprend la rondelle. Les adversaires l'encadrent. Il se débat pour fuir l'enclos. On lui arrache la rondelle. Il rejoint l'adversaire, la lui subtilise. Finalement, au bout d'une rude escalade, il revient devant Simmons. Il est trop près de lui. Le Rocket bifurque vers sa gauche. De son patin droit, il freine dans une bourrasque de poussière blanche et se laisse tomber sur son genou gauche. Le corps penché vers l'arrière, le genou glissant sur la glace, il tire. Dans ses yeux, il y a une lumière un peu démente. Par ce regard, Simmons sait que la rondelle est déjà derrière lui. C'est un deuxième but du Rocket.

Quelques minutes plus tard, il complète un tour du chapeau. Trois buts en moins de six minutes! Jamais les partisans n'ont vu du si beau hockey. Jamais le Rocket n'a été meilleur! C'est le délire! Maurice n'a pas terminé. À la troisième période, il marque un quatrième but. Abasourdis, les Bruins, 5 à 1!

La force de frappe des Canadiens est trop puissante pour eux. Au match suivant, Jacques Plante leur interdit de marquer un seul but. Les Canadiens s'emparent de la coupe Stanley en cinq matchs.

Maintenant le Rocket va-t-il mieux dormir? huit buts en dix matchs... Le jeune Geoffrion en a compté onze... De plus, des douleurs à la tête le harcèlent depuis qu'il est entré en collision avec la cage des Bruins. Les journaux, la radio, la télévision chantent les louanges de Maurice Richard: «magnifique», «fantastique», «amazing», «incomparable», «unique», «irremplaçable». Les journalistes vident l'entrepôt des comparaisons. L'un deux me semble se distinguer.

En tête de sa chronique, il a écrit en gros caractères MAURICE RICHARD. Puis il a laissé vierge l'espace entier de sa chronique, dans la page. Au bas, il conclut: «Quand on a écrit ce nom-là, on a tout dit.» Cette invention littéraire m'impressionne.

Depuis quelques jours, je m'épuise sur cet essai que je dois écrire sur les sept preuves de l'existence de Dieu. Je suis en retard. Maintenant je sais quoi faire. Au centre de la première page de mon essai, je trace en gros caractères le mot DIEU. Puis je broche ensemble une douzaine de pages blanches, sans rien écrire d'autre. À la toute fin de la dernière page, je déclare: «Quand on a écrit ce nom-là, on a tout dit.»

La fête s'estompe et la vie normale continue avec ses grandes et ses petites misères: cette vie quotidienne où l'on ne gagne pas souvent, où l'on n'a pas grand-chose à célébrer. Le débat sur *The Queen Elizabeth Hotel* ne s'apaise pas. 1 500 articles ont maintenant été écrits à ce sujet. Walter Gordon a la permission d'humilier les Canadiens français.

C'est enfin la dernière nuit au pensionnat, sur notre colline du Nouveau-Brunswick. Nous sommes réunis sous le ciel étoilé de mai, autour d'un feu de camp. Avant que notre classe se sépare, chacun prenant sa route vers la vie réelle, nous formons un cercle autour du feu. Nous tenant par la main, nous chantons. Quelqu'un nous amène un Walter Gordon de paille. Plongé sous nos huées dans les flammes, il brûle sous nos applaudissements. À peine Walter a-t-il terminé sa carrière qu'on nous amène un autre ami, Clarence Campbell. Nous ne lui faisons pas de procès. Au feu!

Adieu pensionnat! Nous sommes devenus des hommes. Aucun de nous ne croit plus qu'il est Maurice Richard. Nous ne sommes que nous-mêmes, bien petits sur la patinoire du monde.

Petits événements en attendant le retour du hockey

1957. Maurice n'a pas que l'appétit de gagner. Il a faim de viande, de dessert. Il a faim souvent. L'été, il ne pourchasse pas la rondelle, mais il a faim comme s'il jouait durant trois périodes, il mange et il prend du poids. 210 livres: ce sera un fardeau à porter sur ses patins. Il voudrait bien brûler cette graisse qui arrondit son corps. Aussi souvent que possible, il se joint à l'équipe de balle des Canadiens. Ce n'est pas ces petites courses au premier but qui le feront maigrir.

Il n'est pas facile non plus de perdre du poids durant ces voyages qu'il fait à travers des régions éloignées de la province de Québec pour arbitrer des matchs de lutte. Maurice amène avec lui Lucille, les enfants en Beauce, au Lac Saint-Jean, en Gaspésie. À Jonquière, la pêche à la ouananiche est bonne et Maurice se sent à l'aise parmi des gens francs et simples. Parfois Lucille demeure dans la famille Bouchard avec les enfants quand il reprend la tournée ou part en excursion de pêche avec ses nouveaux amis. On vient de loin pour voir de ses propres yeux Maurice Richard en personne. Sur les affiches, le nom de l'arbitre est proéminent. Maurice tolère pas mal de grabuge, mais il arrive un moment où il montre ses poings pour repousser dans son coin le méchant qui a abusé de sa méchanceté. Aucun méchant n'est assez méchant pour ne pas accepter la loi du Rocket. Les enfants aiment ces tournées. On traverse des villages, on s'arrête pour un pique-nique, on pêche quelques truites dans la rivière ou dans le lac, et on les fait rôtir. Avant la sieste, les enfants appliquent des prises meurtrières aux champions de la lutte internationale et les font hurler de douleurs. Ou ils pourchassent les lutteurs nains. Et on se remet en route vers le prochain stade paroissial.

L'été n'est pas partout bucolique. La grève de Murdochville se poursuit depuis six mois. La production continue grâce aux scabs. La misère des mineurs s'aggrave de jour en jour. Ils tournent en rond avec leur pancartes accusatrices. En toute impunité, les patrons sont intraitables. Notre société serait-elle impuissante à régler ses problèmes? Souffre-t-elle d'une indifférence à la misère? Le gouvernement protégerait-il mieux ses riches que ses pauvres? Ce qui se passe à Murdochville a aussi eu lieu à Asbestos, à Louiseville. Cela pourrait aussi arriver ailleurs. Inquiétude. Duplessis fait de grands discours contre Ottawa qui opprime la province de Québec; pourquoi ne prend-il pas soin de ses ouvriers quand ils sont vraiment opprimés?

Le 15 septembre, un défilé de plusieurs centaines de voitures partent de Montréal pour Murdochville. Le cortège qui grossit de village en village suit le fleuve Saint-Laurent. À Québec, on s'arrête sur les plaines d'Abraham. Pour un instant, on se recueille. Que serait devenue la Nouvelle-France si Wolfe n'avait pas gagné l'escarmouche de 1759? On imagine, on rêve... Puis, devant le Parlement, des syndicalistes et des vedettes de la télévision exposent la misère des grévistes de Murdochville.

Une grande pauvreté a toujours régné en Gaspésie. Jamais elle n'a été aussi oppressante qu'à Murdochville. Quand Onésime, le père de Maurice, et Alice, sa mère, ont immigré à Montréal, il rêvaient d'échapper à leur misère. Les grévistes de Murdochville sont si pauvres qu'ils ne peuvent même plus rêver.

Maurice Richard regarde ses enfants. Chaque été, ils vont à l'air pur de la campagne, ils sont habillés comme des enfants d'avocat. Ils n'ont pas connu, comme lui, la faim du temps de la Crise. Souvent, il se dit que le hockey a été bon pour lui.

Toe Blake aurait préféré le voir arriver un peu moins lourd au camp d'entraînement. Les recrues l'entourent d'admiration, mais ils ambitionnent tous de prendre sa place. Alors il se dépense comme l'on se donne à vingt ans pour impressionner les patrons. Lui aussi doit impressionner les patrons. Ses records sont du passé. Seul compte aujourd'hui. Et demain. Certains administrateurs des Canadiens estiment que le Rocket devrait se retirer maintenant, en pleine gloire. S'il s'attarde, il va désappointer ses partisans, craignent-ils. Personne n'ose le suggérer à Maurice. Il devine, dans leur silence, ce qu'ils ne lui disent pas. Il n'est pas prêt à partir. Il peut encore marquer des buts. Sa détermination est aussi farouche qu'à ses débuts.

À trente-six ans, le Rocket, désormais, affronte le Temps. C'est le plus grand défi de sa vie. Il joue contre l'époque passée de ses records, il joue contre le jeune Rocket dont les acrobaties enchantaient les foules. À trente-six ans, il doit être meilleur que ce jeune Rocket. Il joue contre sa jeunesse. Il joue contre son âge, contre son poids, contre ses blessures accumulées; il joue contre l'usure de ses muscles qui, comme l'arc du philosophe, ont perdu de leur force pour avoir été constamment bandés. Il joue contre une intuition qui s'étiole après avoir inventé tant de buts spectaculaires. Il joue contre sa légende; il doit être supérieur à son histoire. Maurice joue aussi contre l'avenir. Ces jeunes qu'il a inspirés, maintenant s'efforcent de le détrôner: Geoffrion, Béliveau, Gordie Howe, Dickie Moore... Le Rocket ne va pas quitter le hockey. Un vieux pêcheur de la Gaspésie de ses parents ne quitte jamais la mer, car elle est en lui. Maurice veut encore jouer au hockey pour atteindre des cimes qui le défient encore. Il veut demeurer le plus grand joueur de hockey des temps modernes. Il joue avec une ardeur désespérée parce qu'il refuse que ses actions soient effacées par le temps qui passe. C'est le Temps qui garde le filet. C'est contre le Temps qu'il marquera son 500e but.

Étudiant à l'Université, j'habite une petite chambre blanche. Le 4 octobre 1957, je lis et relis, incrédule, ébahi, la première page du journal. L'événement est incroyable. Voilà une prodigieuse conquête dans l'histoire humaine. Les Terriens ont franchi une frontière jusque-là inaccessible. Les bandes dessinées de mon enfance n'étaient donc pas de la fantaisie. C'est plus important que la découverte de l'Amérique! L'Union soviétique a installé dans l'espace un satellite artificiel. Avec ses antennes directionnelles et son poids de 83,6 kg, à une altitude qui varie entre 228 et 947 km, il va tourner autour de la Terre comme notre planète tourne autour du Soleil. Le rêve de Jules Verne se réaliserait-il? La tête pleine de vertige, j'écoute notre professeur de poésie, un vieux prêtre, discourir:

— À moi qui ai vécu à l'époque de la voiture à cheval, il a été donné de voir l'invention de la bombe atomique, de la télévision et du satellite artificiel. Imaginez ce que vous verrez, vous qui naissez à l'époque du satellite artificiel... Mais je ne comprends pas le bon Dieu qui laisse les communistes être les premiers.

Un de nos collègues lève la main:

— Les Russes ne sont pas les premiers...

— Non? Alors, dites-nous, qui sont les premiers.

— C'est nous, les Canadiens français... Parce que, depuis longtemps, notre Rocket est en orbite!

Un morceau de caoutchouc unit tout un peuple

1957. Les Canadiens renversent tout sur leur passage. Au premier match de la saison, le 13 octobre, ils blanchissent les Red Wings 6 à 0. Le gardien de but Terry Sawchuck, le meilleur gardien de la Ligue nationale, est mortifié! Le Rocket et Dickie Moore lui ont chacun accompli un tour du chapeau. C'étaient les 495e, 496e et 497e buts de Maurice. Le temps est-il vraiment venu pour lui de tirer sa révérence?

Quatre jours plus tard, Henri accomplit son premier tour du chapeau dans la Ligue nationale. Maurice est fier. Son petit frère est rapide, un rude batailleur; comme lui, sa seule passion est de marquer des buts. Ce feu follet en patins est une bombe! Jamais les Canadiens n'ont été aussi puissants. Avec leur ligne de feu, les Canadiens vont retenir leur coupe Stanley. 499e but du Rocket. Tintamarre euphorique au Forum. Les partisans, maintenant, veulent son 500e but. Ils sont prêts pour l'extase. Dès que son bâton effleure la rondelle, ils se dressent comme si la rondelle allait déjà vers le filet. Ils applaudissent. Ils crient. Ils l'exhortent. Ils insultent les adversaires. Ils menacent. Leurs pieds sont dans les patins du Rocket. Ils tiennent son bâton, jonglent avec la rondelle. Ils vont tirer. Le Rocket est poussé par leur voix comme par une vague qui roule. Le Rocket a marqué deux buts, il a reçu deux mentions d'aide, mais il a raté son 500e but. Les partisans retournent à la maison désappointés.

Le samedi 19 octobre, plus de 14 000 spectateurs au Forum attendent que commence une fête inoubliable! Le Rocket va atteindre son 500e but. Les techniciens de la télévision, avec leurs bobines de fil et leurs caméras, se préparent à transmettre les images historiques. Ce sera comme un éclair! S'ils le rataient... Ils sont nerveux. Tout sera si rapide... Photographier la rondelle du Rocket: c'est comme vouloir capter le passage d'une balle. La célébration sera plus facile à transmettre, mais le tir... Le premier ministre Duplessis est présent.

Maurice Richard est l'un des premiers à descendre sur la patinoire. Il tourne en cercle. Il ne quitte pas des yeux le gardien de but des Black Hawks. Durant les dernières séries éliminatoires, Glenn Hall a reçu la rondelle sur les dents. Il n'a pas regagné son entière confiance en lui. Il déteste la rondelle. Il en a eu toujours peur. Même s'il n'a jamais raté un match, il rêve toujours de sa ferme en Saskatchewan. Les yeux du Rocket ne le lâchent pas; il a déjà entrepris le match.

Vers la fin de la troisième période, Dickie Moore, dans la zone des Black Hawks, ramasse la rondelle dans un coin et la passe à Béliveau, derrière le filet de Glenn Hall. Harcelé, Béliveau se dégage et revient devant le filet. Il cherche une ouverture. Glenn Hall ferme la cage. Inutile de tirer. Le Rocket est près de la ligne bleue. Béliveau lui expédie la rondelle. Les Hawks sont étonnés de cette passe. Pourquoi Béliveau n'a-t-il pas tiré? Aussitôt que la rondelle touche la palette de son bâton, le Rocket la retourne, comme si elle rebondissait, par un lancer frappé qui claque dans le Forum. Ce bruit est aussitôt suivi par une silencieuse ondulation du filet repoussé par la rondelle. D'habitude, seul le gardien de but l'entend. Ce soir les 14 000 partisans ont entendu la rondelle toucher le filet. C'est le 500e but! Notre

500e! Sous l'élan de son propre mouvement lorsqu'il a tiré, le Rocket a chuté. Il rebondit pour serrer Béliveau dans ses bras sous les acclamations qui crépitent pendant dix minutes.

Nous sommes les champions! L'organiste, qui a épuisé son répertoire de marches triomphantes, improvise des rythmes de danse. Pour les partisans, le match est terminé. Pourquoi continuer? On a prouvé qu'on est les meilleurs! Duplessis applaudit. Quel mot magique pourrait-il employer dans ses discours pour soulever cette mer de patriotisme? Montréal n'est plus divisée entre Anglais, Canadiens français et immigrants. Il n'y a plus d'humiliés. Il n'y a plus d'exploités. Il n'y a plus de Murdochville ni d'Asbestos. Il n'y a plus de patrons voraces. Il n'y a plus de riches et de pauvres. Il n'y a plus de vies insatisfaites. Le Rocket a fait une révolution dans la province de Québec.

Jubilant, ses coéquipiers entourent le Rocket avec leur mâle tendresse. Toe Blake accourt. Ces deux hommes dominent leurs émotions comme des hommes. Toe Blake a appris de son père ce que lui avaient enseigné les mines du nord de l'Ontario. Le Rocket a appris de son père ce que lui avaient enseigné la terre ingrate de la Gaspésie. Ces gens-là se méfient des paroles. Ces gens-là ne se donnent la main qu'aux mariages, aux funérailles et au jour de l'An. Toe et Maurice se regardent. Chacun connaît la pensée de l'autre. C'était un beau but: du bel ouvrage. La besogne est terminée. On ne parle plus de ce qui est fait. Ce but, Dick Irvin l'aurait aimé. Le pauvre Dick est loin de la patinoire. Un cancer des os l'a emporté. Dick les a dirigés pendant tant d'années... C'est lui qui a inventé la ligne Punch... C'est terrible, le cancer. Pauvre Dick... De là où il est rendu, il a vu comment le Rocket a mené la rondelle. Dick Irvin a certainement aimé...

Le Rocket tourne en cercle, il jette des regards vers les gradins. Quand ils sont touchés, les partisans sentent qu'ils ne sont plus les mêmes: le Rocket les a vus. Le Rocket salue d'un geste de la main.

Après un match, le Rocket, d'habitude, avoue aux journalistes que tel but a été plutôt chanceux, ou bien, que pour tel but, il a reçu «une ben belle passe», ou bien qu'il ne pouvait pas éviter de pousser cette rondelle-là dans le filet. Cette modestie agace certains journalistes. Ce soir, il se fait énigmatique: «Le but le plus important, c'est le dernier.»

57

Parlons d'un petit chien

1957. À l'université, les futurs médecins, les futurs avocats, les futurs politiciens sont lyriques. Ce 500ᵉ but de Maurice Richard m'excite plus que je ne me l'avoue. Montréal, où j'arrive, m'est une ville étrangère. Tout ce que j'étudie m'est étranger: les auteurs, leur époque, leur pays. Même ma langue française m'est étrangère. Dans mon village, à la frontière du Maine, dans la Beauce de mon premier petit séminaire, ou au Nouveau-Brunswick, personne ne parle comme on parle dans mes livres de France. Mais une rondelle ne m'est pas étrangère. Une patinoire, je sais ce que c'est. Être au milieu d'un hiver tout blanc, sous un ciel fait de la même glace que celle de la patinoire, je sais ce que c'est; se sentir petit et vouloir devenir un homme fort et tirer la rondelle contre la clôture qui résonne et reprendre la rondelle et flageller la glace de coups de patins qui me font plus grand, qui me font aller plus vite, avec des épaulettes qui me rendent costaud, je sais ce que c'est. Aucun de mes livres ne parle de cela. Se batailler pour une rondelle, cela m'est familier. Tirer de la gauche comme le Rocket, je sais ce que c'est. Un bâton qui vous transforme en un valeureux guerrier, je sais ce que c'est. Je connais aussi l'énergie que ce jeu requiert. Je sais quel grand rêve le hockey peut être pour un garçon. Marquer: je sais quelle détermination il faut opposer à six adversaires qui veulent vous en empêcher. La Ligue nationale, je la connais mieux que le gouvernement du Canada. Le Rocket, c'est le seul héros de notre histoire. Je suis touché par son 500ᵉ but. À la Taverne de la Veuve, où se réunissent les étudiants, je dis aux futurs docteurs et futurs avocats: «Ce 500ᵉ but est peut-être la seule chose qui appartient aux Canadiens français.»

Le 3 novembre, une autre nouvelle percutante nous provient de derrière le Rideau de fer. Les Soviétiques ont lancé un autre *Spoutnik* dans l'espace. Beaucoup plus lourd que le premier: 1 120 livres. Plus rapide: il parcourt 17 840 milles à l'heure. En plus, le satellite transporte un animal: une chienne, Laïka, une espèce qui ressemble au poméranien. Ses maîtres l'appellent Frisée. Les journaux l'ont baptisée Laïka. On lui a attaché des instruments qui évaluent son comportement biologique. À quoi pense-t-elle dans sa capsule à l'air climatisé? Cette sphère va voyager pendant six mois, puis se désintégrer. Combien de temps Laïka peut-elle survivre? Que va-t-elle penser, seule dans l'espace? Que diront ses jappements aux Terriens? Après une chienne, on enverra un singe puis un homme dans l'espace... Sur la Lune...

Les discussions se prolongent à la Taverne de la Veuve. Il n'y a pas de limite à ce que l'homme peut accomplir. L'espace à explorer est infini. L'imagination de l'homme est infinie. Sa curiosité est aussi infinie. Un jour, nos enfants joueront au hockey sur la Lune.

À mes amis qui dépècent les cadavres et qui parlent plus qu'ils ne réfléchissent, j'assure que la force de Maurice Richard est de la même nature que celle qui a poussé Icare à voler, Jules Verne à inventer sa fusée lunaire, les Russes à lancer *Spoutnik* et, bientôt, les Terriens à naviguer vers la Lune. C'est un urgent besoin de déchirer le cocon qui nous enveloppe.

Une autre résurrection du Rocket

1957. Le 13 novembre, à Toronto, la malchance frappe le Rocket. Il vient de tirer sur le gardien; la rondelle rebondit; il se dépêche à la reprendre. Voyant que son gardien de but est en danger, le défenseur Marc Rhéaume se précipite en se jetant sur le Rocket. Les deux athlètes s'écroulent l'un par-dessus l'autre. Ils s'agitent pour dénouer leurs jambes, leurs bras. Leurs muscles se tendent pour se lever et reprendre l'action. La lame du patin de Rhéaume s'appesantit, non pas sur la glace, mais elle pénètre plutôt comme un couteau dans le bas de laine du Rocket et son tendon d'Achille. Sectionné à demi. «Quand est-ce que je vais retourner au jeu?» Le médecin réfléchit. Le Rocket a 36 ans. Le hockey est un sport de jeunes. Cet accident serait-il une façon qu'a la vie de lui dire: «C'est assez!»?

– Maurice, il te faudra un peu de patience.

De la patience... De la patience... Le Rocket est assis dans son fauteuil; son pied enrobé de plâtre est allongé sur une chaise, ses béquilles posées près de lui sur le plancher... De la patience... La vie du Rocket s'est arrêtée, car le hockey s'est arrêté...

Ailleurs la vie continue. Le hockey continue. Le hockey change. Le monde change. Sur l'alignement des Bruins, en ce soir du 18 janvier 1958, il y a un joueur noir, le premier à jouer dans la Ligue nationale de hockey, Willy O'Ree. Maurice tente un premier pas. Même appuyé sur ses béquilles, il ne parvient pas à rester debout. Cette douleur! De la patience... Il ne va attendre en priant pour sa guérison. Il va faire le miracle! L'ours est irascible. Il gémit. Il s'insurge. Il secoue sa cage. Il tourne en rond avec sa béquille. Il sautille sur sa bonne jambe: «Maurice, tu ébranles la maison!» Les Canadiens jouent ce soir. Sa chaudière intérieure bout d'ardeur comme avant un match, mais il est incapable de seulement faire un pas. Il retourne dans son fauteuil, pose ses béquilles. De la patience... Rester immobile...

Il fait enfin un premier pas. Puis un autre. Aussitôt, il chausse ses patins. Il patine en boitant. Il atteint la ligne bleue, il va vers le filet. Il est estropié, mais il est debout. Il patine. Il peut augmenter sa vitesse. Il irait plus vite si la douleur n'enfonçait pas un clou dans sa jambe chaque fois que le patin touche la glace. Il va endurer. Il suffit de s'habituer. Patiner encore. Aller plus vite. Il suffit d'apprendre à mieux glisser: propulser son corps de la pointe de son patin, sans forcer son tendon. Imposer sa volonté à ses muscles.

Malgré son absence, les Canadiens gagnent plusieurs matchs. Mais les partisans ne voient pas le Rocket tirer sur le gardien. Les partisans ne se dressent pas pour suivre Maurice ayant aux pieds ses patins enchantés. Henri est sa réincarnation dans un plus petit corps. Il est déchaîné comme Maurice. Il accomplit la besogne que ferait le Rocket s'il pouvait jouer. Le Rocket est fier de lui... Il aimerait faire son travail lui-même! Henri traverse une période fertile. Le Rocket aurait du plaisir à jouer avec son frère, mais il est condamné à être assis, la jambe étendue, à lire, relire et relire encore ces journaux qui racontent les faits et gestes de ceux qui jouent encore au hockey.

Au début de février 1958, le gouvernement du Canada, un gouvernement minoritaire, vote sa dissolution. Des élections auront lieu le 31 mars. Le conservateur Diefenbaker, qui a besoin du vote des Canadiens français, leur fait une promesse: s'il est reporté au pouvoir, avec un appui fort de la province de Québec, il établira un service de traduction simultanée pour les débats à la Chambre des communes.

Ainsi, les députés canadiens-français n'auront plus à parler en anglais pour être compris de tous.

On a déjà entendu ce bla-bla-bla électoral. L'attention est plutôt dirigée vers le Forum. Beaucoup de rumeurs. Certains auraient vu Maurice sans béquilles. D'autres l'ont vu en patins. Selon d'autres, le docteur aurait annoncé à Maurice qu'il n'a plus dans sa jambe tous les muscles nécessaires; les Canadiens gagnent, Henri est aussi bon que lui, peut-être meilleur. Le temps est arrivé: le Rocket va annoncer sa retraite... Cela a plus importance que les déclarations d'amour de Diefenbaker.

Et le 21 février, la nouvelle éclate! Le Rocket revient au jeu! Après une absence de 43 matchs, malgré que son tendon d'Achille ait été presque sectionné, le Rocket réintègre son équipe. Lorsqu'à sa façon caractéristique il bondit sur la glace, les partisans l'accueillent comme s'il venait de compter son 1000e but, son 2000e! Puis la clameur se calme. Et les yeux se fixent sur sa jambe blessée. Elle semble vigoureuse. Le Rocket pourra-t-il encore étourdir ses adversaires par sa vélocité? Pourra-t-il sauter de la vitesse à l'immobilité dans un petit nuage de poussière de glace? Pourra-t-il virer à angle aigu et continuer comme si la ligne était droite? Le Rocket est-il encore le Rocket?

Ce match, il l'a déjà joué bien des fois dans sa tête. Il sait comment les adversaire vont tenter de l'immobiliser. Ils vont cogner sur sa jambe blessée. Oui, il y a encore un peu de mal... Pas beaucoup. Et il y a la voix des partisans... Cet accident l'a obligé à refaire le cycle d'une vie. Après l'opération, il était comme un nouveau-né, incapable de se mouvoir. Il a appris à se tenir debout, il a fait un premier pas, il a appris à patiner. Deux mois plus tard, il est à la conquête de l'inaccessible. Si le Rocket était un alpiniste, il voudrait grimper plus haut que l'Everest. S'il était un pilote, il voudrait atterrir sur la Lune. S'il était un haltérophile, il voudrait lever la terre. Il est à la recherche d'un absolu comme les poètes que j'étudie, même si son vocabulaire ne contient peut-être que deux mots: rondelle et but.

Le Rocket a reçu autant de coups qu'un chêne qu'on abat. Ce soir, les partisans sont venus voir leur champion blessé se relever. Il ne veut pas les décevoir. Respectueux des autres, il est un dictateur sur lui-même. Il leur donne deux buts! Le gardien des Bruins, Harry Lumley, tout abasourdi, ne comprend pas ce qui s'est passé. Il y a quelques semaines, le Rocket était invalide... Deux buts! Après avoir été trois mois sans jouer. Deux buts! Sa guérison est un miracle! Ira-t-il déposer ses béquilles avec celles des miraculés à l'oratoire Saint-Joseph? Ce soir, son jeu avait une beauté épique.

Parmi la foule qui sort du Forum, un acteur de la télévision, heureux d'être reconnu, commente les événements à des admiratrices: «Le Rocket ressemble à un grand acteur; quel que soit le mal dont il souffre, lorsqu'il entre en scène, son mal disparaît. Moi, par exemple...»

Au vestiaire, les journalistes voudraient que leur article reflète la frénésie du match et ils cherchent des citations percutantes:

– Rocket, as-tu beaucoup souffert de ton tendon sectionné?

– C'était pas pire que d'autre chose.

– Es-tu content de tes deux buts?

– Le premier a été pas mal beau, mais le deuxième a été pas mal chanceux.

– Commences-tu à penser à prendre ta retraite?

– J'sus pas ben ben fatigué.

Il n'a jamais éprouvé une grande difficulté à déjouer Harry Lumley. Chez les Red Wings, les Black Hawks, les Maple Leafs ou les Bruins, Lumley n'a jamais vraiment neutralisé le Rocket. Maurice ne dit rien de cela. Il ne leur confie pas non plus qu'il pense souvent à Dick Irvin. Son ancien instructeur doit être content, ce soir. Maurice a joué à bride abattue comme Dick aimait voir jouer sa ligne Punch. Le Rocket a gagné son match; Dick a perdu le sien. Il y a tant de choses qui ne se comprennent pas.

Le magique retour au jeu du Rocket, les Canadiens en tête du classement, les prouesse d'Henri Richard, les nombreux buts de Dickie Moore, malgré son poignet dans un plâtre: ces bonnes nouvelles rendent impossible la propagande des partis politiques. Comment intéresser les gens aux discours de Diefenbaker?

Maurice Richard au pouvoir

1958. À peine le Rocket est-il revenu au jeu que s'ouvrent les séries éliminatoires. Au premier match de la semi-finale, les Canadiens humilient les Red Wings 8 à 1. Le Rocket fournit sa contribution: deux buts en moins de deux minutes. Il obtient aussi deux mentions d'aide. Au deuxième match, le Rocket contribue encore de deux buts à une victoire de 5 à 1. À la rencontre suivante, le match est serré. Il faut aux Canadiens une période supplémentaire pour arracher, à la onzième minute, une victoire de 2 à 1.

Le quatrième match de cette semi-finale est le 1000ᵉ de Maurice Richard depuis son entrée dans la Ligue nationale. L'événement ne semble pas tourner à la fête. Les Canadiens ne peuvent s'envoler. Les Wings veillent. Au début de la seconde période, ils acquièrent l'avantage d'un but: 1 à 0. Aussitôt le Rocket l'annule avec un de ses buts électrisants; il a tiré alors que, bulldozé par Bob Bailey, il était tombé à genoux et dérivait sur la glace. Trois minutes plus tard, Gordie Howe redonne l'avantage à Detroit. Billy McNeil, avec un autre but, confirme la position des Red Wings. Les Canadiens laisseront-ils les adversaires dérober au Rocket son 1000ᵉ match? À la fin de la seconde période, Detroit s'est imposé: 3 à 1.

Quand commence la troisième période, les étincelles dans ses yeux noirs témoignent de son feu intérieur. Maurice va jouer à la fois pour son passé, pour le présent et pour l'avenir. À l'occasion de ce 1000ᵉ match, il ne veut pas que les partisans se souviennent de ses beaux buts du temps passé. Au contraire, ses actes, ce soir, illumineront ceux de son passé. Dès les premières minutes, il enfonce un but: 3 à 2. Les Wings ont encore l'avantage. Cinq minutes plus tard, Dickie Moore leur impose l'égalité 3 à 3. Au 1000ᵉ match du Rocket, les Canadiens ne seront pas tout à fait humiliés. Quarante-neuf secondes plus tard, chargé comme un nuage noir, le Rocket tire au but: 4 à 3! Pour célébrer son 1000ᵉ match dans la Ligue nationale, Maurice Richard a offert à ses partisans un tour du chapeau, une victoire de match et l'accès aux séries finales.

Dans le vestiaire des Red Wings, l'odeur de la tristesse est encore plus âcre que celle de la sueur. Ces athlètes, pour repousser la défaite, ont eu des gestes de tueurs. Pourtant certains sanglotent comme des enfants. Terry Sawchuck confesse aux journalistes que pour chacun des sept buts dont le Rocket l'a accablé, il a utilisé une tactique différente. «Je ne connais pas la manière du Rocket, parce qu'il n'a jamais la même.»

Les voix qui bourdonnent autour de nous, à la Taverne de la Veuve, parlent de Maurice Richard. Mes amis et moi sommes plutôt préoccupés par la crise des universités. Le gouvernement fédéral leur a voté des octrois. Duplessis s'insurge. L'éducation, proclame-t-il, est une responsabilité sacrée de la province de Québec. Si les universités se laissent séduire par l'or fédéral, Duplessis leur coupera ses subsides. Nous, les étudiants, sommes coincés entre ces deux gouvernements qui nous veulent du bien. Les bibliothèques sont pauvres, la nourriture est infecte, les professeurs sont médiocres, les laboratoires sont misérables. Le 6 mars, à la façon des ouvriers d'Asbestos, de Louiseville et de Murdochville, les étudiants se mettent en grève. Le Chef opine que les étudiants devraient étudier plutôt que de se mêler de ce qui ne les regarde pas.

Mais la série finale 1957-1958 commence. Pour contrer la force de frappe des Canadiens, les Bruins inventent la Uke Line: trois joueurs d'origine ukrainienne: Bronco Horwart, John Bucyk et Vic Stasiuk. Leur mission: bombarder Jacques Plante. Malgré ces kamikazes des steppes, les Canadiens décrochent le premier match 2 à 1.

Au deuxième match, les Bruins repoussent les Canadiens et tiennent le Rocket loin de la rondelle et loin du filet. Ils gagnent 5 à 2. C'est une victoire considérable. La Uke Line va-t-elle continuer ses ravages? Les Bruins sont-ils en train de ravir la coupe Stanley aux Canadiens? 5 à 2: pourquoi le Rocket n'a-t-il rien fait?

– Il est moins jeune qu'i' était, Maurice...

– Il est pas si vieux que ça.

– Pour un joueur de hockey, 36 ans, c'est pas la jeunesse...

Sa rapidité a diminué. Auparavant, il cramponnait la pointe de son patin dans la glace pour se lancer en orbite par une formidable détente des muscles de sa jambe. Depuis qu'il a eu le tendon sectionné, ce mouvement lui cause une douleur insoutenable. Pour se projeter, il doit maintenant s'appuyer sur la lame entière de son patin. Cette précaution le retarde.

Si Maurice Richard ralentit, il ralentit à sa manière. Au troisième match de la semi-finale, il se signale par deux buts; Henri en marque un autre. Jacques Plante résiste à la Uke Line. Blanchissage: 3 à 0. Humiliés, les Bruins reviennent avec une ferveur vengeresse. Ils maîtrisent les Canadiens 3 à 0.

Les Canadiens et les Bruins sont maintenant nez à nez: chaque équipe a gagné deux matchs. L'équipe qui perdra le prochain se trouvera dans une situation désavantageuse. Le 17 avril, le cinquième match s'achève sur un score de 2 à 2. Aucune des équipes n'a envie de céder le passage. Les joueurs s'affrontent comme des béliers de montagne. Durant la période supplémentaire, le Rocket, qui a deux fois l'âge de certaines recrues, est deux fois plus rapide qu'eux. À la mise au jeu, Henri Richard saisit la rondelle et fait une passe à Dickie Moore qui la transfère au Rocket. Henri patine devant le gardien de but, et le Rocket doit retenir son tir. Pour leurrer Simmons, Moore fait semblant de se préparer à recevoir une passe pour la faire dévier sur Simmons. Le gardien attend, mais le coup vient du Rocket. C'est le but gagnant. Dans le Forum où flotte une vapeur d'humidité, les Canadiens, en gerbe, étreignent Maurice, le rouent de cajoleries sous un tonnerre de cris et une averse d'objets hétéroclites. Et les Bruins se retirent, piteux, au vestiaire et ne s'en remettent pas. Ils perdent le match suivant. La coupe Stanley demeure à Montréal. C'est la troisième coupe Stanley conquise par les Canadiens sous la direction de Toe Blake.

Depuis qu'il est revenu au jeu, après sa blessure, le Rocket a marqué 13 buts en 15 matchs. Son obsession de tirer la rondelle dans le filet est encore déchaînée. Son pouvoir de concentration est encore vertigineux. Son énergie est encore torrentielle. Il a une conviction indéfectible qu'aucune situation n'est sans espoir. Quand le but semble impossible, c'est alors que le risque lui est irrésistible. À la suite des récents exploits du Rocket, certains suggèrent que, puisqu'il faut partir, mieux vaut s'en aller avec la coupe Stanley dans les bras. Beaucoup sont convaincus que le Rocket ne s'arrêtera jamais.

Les Canadiens français ont besoin de ce héros franc, direct, simple, prompt à corriger une injustice, ce héros qui ne cache rien, qui joue franc jeu, ce héros qui ne ment pas, ce héros qui ne leur demande rien, qui ne leur prend rien et qui se donne à son jeu comme un feu se consume pour faire de la lumière. Ils ont besoin de ce héros intègre quand leurs chefs politiques et religieux rampent comme de petits vers dans un fruit pourri.

Hydro-Québec a vendu à la Corporation du gaz naturel son réseau de distribution du gaz. De cette transaction, des ministres de Duplessis, des amis de son parti et des promoteurs ont retiré un gain de capital non imposable de neuf millions de dollars. L'opinion publique est divisée. Pour la plupart, Duplessis, qui est demeuré célibataire parce qu'il est marié à sa province, ne peut pas avoir été malhonnête. Pour d'autres, ces transactions malhonnêtes sont une preuve supplémentaire que ce sauveur du peuple n'est que le liquidateur de ses richesses. Sous la traditionnelle vertu catholique des Canadiens français, sous tous les Ave déclamés par les familles se cache quelque chose de pas très beau. Cette pourriture refoulée commence à bouillonner. Souvenons-nous de l'émeute du Forum, des nombreuses grèves violentes... Mais ce sont là des pensées pessimistes... Nous avons gagné la coupe Stanley, la vie est belle. Merci Rocket!

Maurice Richard a été élu par le peuple et tous les hommes politiques veulent être vus lui serrant la main. Maurice ressemble à ceux qui exécutent de durs travaux: les bûcherons, les manœuvres, les pêcheurs, les débardeurs, les maçons. Il a la franchise frustre de ceux qui, dans leur métier, ne peuvent mentir. Les politiciens aiment de temps à autre s'abreuver à une source d'honnêteté brute. Après notre soumission au passé, dans notre présent animé du maigre souffle de nos politiciens magouilleurs, devant l'incertitude de l'avenir, le cœur de Maurice Richard est une motte de cette pierre en fusion qui est au centre de la terre: le feu de la vie originelle et sauvage.

60

Parlons d'un film suédois et d'un but phénoménal

1958. À la fin de la campagne électorale, Diefenbaker remporte 208 sièges sur 265 à la Chambre des communes. Pour les Canadiens français, c'est plutôt Maurice Richard qui règne. En ce début de saison, l'instructeur des Rangers, Phil Watson, a fait une prédiction dans la presse: le Rocket sera forcé de prendre sa retraite avant la fin de la saison, car il est loin d'être le joueur qu'il était.

Quel effronté! Maurice quittera la patinoire quand il en aura envie. Ni Watson ni personne d'autre que lui ne choisiront la date de son départ. Il se tait. Il rage. C'est avec sa rondelle qu'il va répondre. Bien sûr, le temps viendra de fermer derrière lui la porte de la patinoire. Quand? Cette question le ronge depuis plus d'un an. Il n'en dort plus. Il n'a jamais bien dormi. Maintenant il est dérangé par cette question tenace comme un mal de dents: quand prendra-t-il sa retraite? Pendant de longues heures, il reste allongé sur le dos, à considérer les ombres de la nuit sur le plafond. Il ne se résout pas à une décision. Ses jambes n'ont plus la force de ses jeunes années; parfois elles sont meilleures. Depuis l'accident à son tendon, il ne peut plus décoller aussi prestement, mais il a marqué de bien beaux buts. Puis il a encore envie de jouer. Ensuite il a la responsabilité d'une famille à soutenir. De grands adolescents. Il n'est pas à l'aise avec eux. Il en a peur, lui qui ne craint ni Lou Fontinato, ni Laycoe, ni «Terrible» Ted Lindsay. Il aime ses enfants. Il va les encourager lorsqu'ils jouent au hockey. Il fait la lecture aux plus jeunes. Il les aide, quand il sait quelque chose, à faire leurs devoirs sur la table de la cuisine. Mais les adolescents? Il ne connaît pas les mots qui les intéressent. Son père, Onésime, était comme lui, peu loquace, mais dans ce temps-là, la vie était différente. Il aimerait être comme Lucille; les femmes savent parler aux enfants. Pour un homme, c'est difficile. Les aînés pensent que leur père préfère les jeunes. Il les aime tous. Et Lucille... Quelle chance il a eue de trouver une femme comme elle! Il est responsable d'une famille. Quand le hockey sera terminé, d'où viendra l'argent nécessaire? Ils grandissent, ils ont de l'appétit... En ce moment, les honneurs descendent sur lui comme des confettis, mais quand les partisans ne le verront plus sur la patinoire, ils oublieront vite... De tout ce qui existe dans la vie, il ne connaît que le hockey. Sans patins et sans bâton, que peut faire un joueur de hockey dans le monde? Bardé de ses épaulières, ses genouillères, ses cuissards, ses cubitières; l'air égaré, dans son armure, que peut faire dans le monde un chevalier qui revient après avoir conquis le saint Graal?

Les paroles de Phil Watson n'ont aucune importance, mais pourquoi se sent-il si insulté? Maurice ne devrait accorder aucune attention à son bavardage mais il y pense. Il n'a pas bien digéré son souper. Il sent des nœuds dans son estomac. Il a la diarrhée. Quand il mange, rien n'est bon. Il maugrée. Pourquoi est-il si agacé par la déclaration de Watson? Ses enfants sont nerveux à cause de sa nervosité; il n'aime pas ça. Lucille est bonne, elle comprend. Mais il sait qu'elle aimerait que son homme ne soit pas de si mauvaise humeur.

Les Rangers seront sur la patinoire, ce soir. Pousser la rondelle dans le filet du gardien de Phil Watson serait presque un aussi grand plaisir que de lui clouer un poing sur sa grande gueule. Aura-t-il dans les poignets la force nécessaire pour tirer? Pourra-t-il donner à son tir la précision voulue? Saura-t-il être capable de se libérer des pièges que posent autour de lui les jambes, les bras, les bâtons, les épaules des adversaires? Auparavant, il ne se posait pas ces questions. Il filait au but. Il suffisait de fournir l'énergie à son instinct. Depuis qu'autour de lui on parle de sa retraite prochaine, il est contrarié par tous ces doutes. Phil Watson l'accuse publiquement d'être trop vieux pour jouer! Le Rocket n'aime ni le mépris ni le dédain.

Il n'y a pas si longtemps, il était trop jeune pour jouer. Dans son enfance, il jouait dans la rue de son quartier; les grands s'échangeaient la rondelle comme si le petit Maurice n'avait pas été là. Il se démenait. Quand il rentrait la rondelle dans le filet, il n'était plus trop jeune. Il va marquer et il ne sera plus trop vieux. S'il ne marque pas un but, il ne vit pas. Le Rocket va marquer pour vivre! Et il prendra sa retraite quand il le décidera.

Pour se préparer à donner une raclée aux Rangers de Watson, il suit son horaire habituel. Lever à 8 heures 30. Après le petit déjeuner, il se rend au Forum. On analyse les forces et les faiblesses des adversaires; on précise la tactique à leur appliquer. Ensuite, il y a une série d'exercices. Non seulement le Rocket y participe comme si c'était un vrai match, il les prolonge: il s'efforce de tirer plus fort, plus vite; il répète ses feintes, les polit; il fignole ses tirs directs; il reprend ses revers. Comme le violoniste se dédie à faire sourdre toute la musique contenue dans son violon, il essaie d'extirper toute la puissance de son bâton. De retour chez lui, vers 15 heures, il dévore un steak bien cuit, une pomme de terre, des légumes, un jus de tomate. Puis, le dessert: une salade de fruits ou de la crème glacée. Ensuite il sort pour une promenade. À son retour, il tente de faire une sieste. Mais il ne dort pas. Trop nerveux. Trop tendu. Trop préoccupé. Il voit, dans sa tête, les Rangers comme s'ils étaient sur la glace. Phil Watson, tu as trop parlé!

Plus tard, enfin sur la patinoire du Forum, Maurice Richard lui réplique: deux rondelles dans le filet de «Gump» Worsley. Le Rocket n'est pas un joueur fini. «Gump» Worsley se dit que Watson aurait dû se taire. Le Rocket est désappointé. C'est par un tour du chapeau qu'il voulait assommer Watson.

Un après-midi, au lieu d'être à l'université, nous sommes à la Taverne de la Veuve. Nous parlons beaucoup plus que nous ne buvons; les mots sont gratuits. Sommes-nous si bruyants? Quelques clients menacent, dit le tenancier, de «nous pelleter dehors». Nous nous calmons. Nous venons juste de nous entendre sur un point: dans notre enfance, nous avons tous rêvé de jouer au hockey comme Maurice Richard et personne de notre groupe n'a jamais vu jouer le Rocket en chair et en os. Ne devrions-nous pas tous aller au Forum? Le Rocket n'en a plus pour longtemps à jouer.

– C'est dans ses bonnes années qu'il aurait fallu le voir...

– Dans cinquante ans, on va avoir l'air de pauvres insignifiants quand on avouera qu'on n'était pas intéressés à voir jouer Maurice Richard. Le Rocket est immortel.

L'opinion de notre confrère a pas mal de poids. Il connaît la vie. Plus âgé que nous, il a passé quelques années dans l'armée. Il a même visité des bordels en Belgique. Allons donc voir jouer un joueur immortel! Nous nous précipitons vers le tramway. Dieu nous aime, ce soir! Qui apercevons-nous sur une banquette? Notre consœur

Marie. Elle est si belle, elle est si intelligente, elle a lu tant de grands livres immortels. Jamais elle ne fait un pas sans une brassée de volumes qu'elle écrase contre sa poitrine où on n'ose pas rêver de poser la tête.

– On va voir le Rocket au Forum! annonce notre vétéran. Aimerais-tu venir avec?

– Malheureusement, je m'en vais voir un Bergman.

– Qu'est-ce que c'est un Bergman?

– C'est un grand cinéaste suédois. Bergman est un génie immortel.

Si vous aviez connu Marie, vous l'auriez suivie, vous aussi, et vous auriez enduré *Le Septième Sceau* en suédois, sans sous-titres.

Phil Watson a prédit que le Rocket flancherait avant la fin de la saison. Le Rocket est content d'être à New York. Il va lui montrer de quelle manière il flanche. C'est contre ses Rangers qu'il va d'enregistrer son 600e but. Avec ses deux cents quelques livres, il est une pesante ballerine. Le voici venir. Il se sent plus lent; dans chacune de ses impulsions, il investit encore plus d'énergie. Lou Fontinato est prêt: grand, fort, batailleur. Le Rocket évite le défenseur, le dépasse, mais pour tirer au but, il est déjà rendu trop loin. Il n'aperçoit que le côté de la cage. «Gump» Worsley calfate toute fissure. Sans hésitation, comme si la manœuvre avait été répétée, sans ralentir, alors que les Rangers s'essoufflent à sa poursuite afin de le serrer dans le coin, il vire brusquement, passe derrière le filet; Worsley glisse vers l'autre côté pour fermer l'ouverture. Trop tard! De l'arrière du filet, se propulsant de sa jambe droite, pliant au maximum sa gauche, plantant le talon de sa lame dans la glace, il pousse le plus possible son bâton en avant du montant de la cage, les muscles de son bras gauche se contractent; un coup de revers projette la rondelle entre le montant du but et la jambière de Worsley. «Maurice Rocket Richard lance et compte son 600e but!»

Comparons son geste à celui d'un motocycliste qui, filant à soixante à l'heure, aurait introduit un huard dans la fente d'une tirelire... Chance? Non. C'est de réflexion qu'il faut parler. La patinoire est semblable à un échiquier. Les pions bougent dans toutes les directions; ils sont armés. Les joueurs se déplacent à grande vitesse. Imaginons le nombres astronomique des possibilités qui, à l'infini, se multiplient. Cela se passe non pas dans le silence transcendantal d'une partie d'échecs mais dans l'animosité d'un champ de bataille sur la glace. Il faut deviner par des muscles qui se contractent sous les uniformes, des regards qui fixent dans une direction, quel sera le prochain mouvement des adversaires, évaluer quelles variations ils appliquent à leur tactique qu'on a décodée. Une profonde connaissance des habitudes de chacun des joueurs, tant des coéquipiers que des adversaires, est indispensable. À travers ce chassé-croisé d'éclairs, il faut, à la vitesse de l'éclair, décider quel sera son prochain geste. À chaque fraction de seconde, il faut réévaluer l'échiquier. Déjà, il n'est plus le même. Tout change sans cesse dans cette violence mobile. Esquisser avant d'avoir décidé ce qu'il sera, le mouvement suivant. Sans une prodigieuse intelligence, personne ne pourrait déjouer cinq joueurs bien décidés à vous empêcher de violer leur filet et qui protègent leur gardien devant une cage plutôt étroite. Le célèbre instinct du Rocket, c'est de l'intelligence bien informée que son corps transforme en action.

Son 600e but! Projeté par son propre élan, le Rocket perd l'équilibre. Les adversaires, enfin, le rejoignent parce qu'il est étendu sur la glace, ils s'entassent sur lui comme s'ils pouvaient encore empêcher ce but. Quand il peut enfin se dépêtrer de ce tas de Rangers, il sourit à la foule qui l'ovationne après l'avoir tant de fois hué. Derrière le banc des Rangers, Phil Watson a l'air plutôt dépité.

Ce but était si beau que la chance n'a pas osé être absente, en ce 25 novembre. Ce n'était pas le but sage d'un vieux guerrier au corps hachuré par les blessures, alourdi par l'âge. Le corps de l'athlète de trente-six ans est encore habité par l'âme du jeune joueur qui a marqué 50 buts en 50 matchs.

Le Rocket
chez les communistes et
Fidel Castro
chez les capitalistes

1959. À ses débuts, Maurice Richard n'était qu'un simple mortel. Puis il s'est élancé à la conquête de l'Olympe où résident les dieux.

Ces divins personnages ont tenté de le repousser en lui infligeant toutes sortes de blessures. Par sa vaillance, sa ténacité, le Rocket s'est installé parmi eux. Les dieux ne lui ont jamais pardonné. Un jour viendra où les dieux chasseront cet intrus de leur Olympe.

Mes amis se moquent de ma poésie. Ai-je raison? Au début janvier, les dieux attaquent! Lors d'un match contre les Maple Leafs, Maurice Richard, après s'être blessé au dos, se casse un orteil. Quelques jours plus tard, il s'estropie à un coude. Le 18 janvier, à Chicago, le Rocket monte vers les défenseurs. Geoffrion lui passe la rondelle; elle ricoche sur un bâton. Le tir de Geoffrion était puissant. La rondelle frappe le Rocket à la cheville. C'est comme si une faux lui tranchait le pied. Le coup a porté là où, dans le patin, ne se trouve aucune protection. Le point faible de l'armure que cherchaient les dieux de l'Olympe. Aucune douleur n'a jamais arrêté le Rocket dans son ascension vers un but. Celle-ci est affreuse. Il parvient tout près du filet. Dollard Saint-Laurent et Al Arbour, les défenseurs, l'honorent des rites de bienvenue. Engourdie par le mal, sa cheville n'a plus de force. Le mortel s'écroule. Incapable de se remettre debout. Pour sortir de la patinoire, le vieux guerrier doit être soutenu. Et la foule de Toronto le gratifie d'une acclamation. Un joueur de hockey ne devrait pas être applaudi parce qu'il ne peut pas se tenir debout, songe Maurice.

On prétend que le Rocket prend de l'âge. Qu'il est usé par l'action. Qu'il a un peu trop de graisse sur les os. Qu'il ne réagit plus aussi rapidement qu'auparavant pour éviter les coups. Personne n'accuse les dieux de l'Olympe, sauf moi, le poète...

Sa cheville est fracturée. Toe Blake se souvient. Il y a quelques années, une blessure semblable l'a chassé du hockey. Une blessure prendra-t-elle enfin cette décision inévitable que le Rocket repousse? Maurice aussi se souvient: après une blessure semblable, Toe, qui ne voulait pas quitter le hockey, a dû faire ses adieux à la ligne Punch. Tous deux ont la même pensée. Ils ne parlent pas. Toe, qui a vécu tant d'années avec le silence du Rocket, sait qu'il croit à un retour rapide. Dans le passé, il a toujours guéri plus tôt que l'avait prévu le médecin. Souvent il a été un meilleur joueur après une blessure qu'avant.

Cette saison, il a planté moins de buts mais ils ont été plus beaux. Aussi, il marque quand c'est important. Oui, il va endurer son plâtre durant quelques jours, il va boitiller un peu et il va revenir. Ainsi monologue-t-il pour se rassurer. Prisonnier de son fauteuil, il lui est insupportable de perdre tout ce temps à ne pas jouer. Le voici: petit vieux, avec ses béquilles! Il regarde le temps passer et le temps n'est pas pressé. Au lieu de se décarcasser comme un homme, il ne fait rien d'utile. Il attend. Il lit et relit les nouvelles du sport. Il écoute ses disques, mais ses meilleures chansons western l'agacent. La maison est exiguë, étouffante. Il a envie de cogner sur les murs. Il a envie de maugréer. Mais il se retient. Lucille est enceinte; un autre enfant arrivera bientôt. Il sait qu'elle comprend sa mauvaise humeur. Elle a le don de comprendre ses sentiments, sa pensée, même lorsqu'ils sont embrouillés. L'air lui manque. Il se rend à la patinoire où s'amusent ses enfants; appuyé sur ses béquilles, il les observe. Son fils, peut-être, jouera pour les Canadiens: comme son père, quand il n'était pas invalide. Il va dans le vestiaire féliciter les futurs Rockets.

Annoncer sa retraite du hockey? À quoi s'occupera-t-il le lendemain? Que fera-t-il en dehors de la patinoire? La foule l'acclame lorsqu'il est en patins, sur la glace, mais qu'arrivera-t-il lorsqu'il se retrouvera en souliers sur le terrain des vaches? Quand il sera parti, la foule fêtera les plus jeunes: Béliveau, Geoffrion, Moore, et ce Bobby Hull, des Black Hawks, qui est bâti comme les culturistes dans les magazines. En dehors du hockey, Maurice ne sait rien faire. Redevenir machiniste? Le travail a changé. Maurice a changé. Sortir du Forum et rentrer à l'usine... Enlever son uniforme des Canadiens et endosser un salopette de machiniste... Vendre des voitures? Il l'a déjà fait; les gens venaient le voir et ils repartaient avec un autographe. Il aimerait demeurer dans le domaine du hockey. Ses patrons ne sont pas à genoux pour l'avoir dans leurs bureaux. Maurice a la responsabilité d'une famille: bientôt six enfants. Pourquoi est-il toujours à s'inquiéter? Trop penser à l'avenir: c'est comme tirer dans le filet sans avoir la rondelle sur la palette de son bâton. Trop d'inquiétude n'est pas bon pour la santé. Il va guérir et retourner au jeu. L'anxiété le gruge. Cette fois, l'avenir n'est pas le prochain match, n'est pas le prochain but; c'est l'inconnu. Les dieux de l'Olympe sont satisfaits. Atteint par des soucis humains, le Rocket n'est plus qu'un mortel dans son fauteuil.

Même s'il n'est pas avec eux, les Canadiens, sans lui, remportent des victoires. Cette équipe va sans doute arracher la coupe Stanley. Sa cheville va guérir avant les séries éliminatoires. Il va donner à ses partisans quelques buts comme eux et lui les aiment. Les jeunes marquent des buts; personne ne sait cuisiner un but à la Rocket... Peut-être Geoffrion... Peut-être Béliveau...

Au début mars, après six semaines d'insoutenable immobilité, l'heure arrive enfin de casser son plâtre. Aussitôt libéré, le Rocket chaussera ses patins. Le docteur prend une radiographie. Une simple précaution... La fracture n'est pas encore soudée. Il faut un peu plus de patience. La cheville ne guérira pas plus vite s'il s'impatiente. Le médecin le retourne au repos. L'os ne doit être soumis à aucun effort, aucun choc; autrement la cassure pourrait s'élargir.

Est-ce la fin?... Il ne va pas finir de cette façon! La colère de dix volcans secoue son âme. Un coup de téléphone sauve sa famille d'une tempête probable. Le gouvernement de la Tchécoslovaquie invite le Rocket à Prague où se tient un congrès mondial du hockey amateur. Étonné, incrédule, le Rocket s'envole vers la Tchécoslovaquie, en pleine guerre froide. Un Canadien français catholique va visiter les communistes.

Certains partisans ne sont pas sans inquiétude. Dans ces pays de dictature communiste, il suffit parfois d'un mot et l'on vous expédie en Sibérie pour un demi-siècle. Ou bien vous devez fuir comme beaucoup de Tchécoslovaques qui ont trouvé refuge au Canada. Maurice a son franc-parler; les communistes pourraient-ils le garder et l'exiler en Sibérie? Va-t-il, chez les athées, trouver une église encore ouverte pour assister à la messe? D'autre part, hockey et communisme ne vont pas ensemble. Ces pays-là sont incapables de produire des vrais joueurs... Le hockey est le sport national des Canadiens, il est le fruit de nos froids hivers, de notre glace dure, de notre solide nourriture, de notre tempérament de défricheurs. Du hockey communiste...

Les communistes sont nos ennemis. Durant la guerre froide, nos gouvernements préparent les bombes qui les détruiront. Chez eux, ils prennent les mêmes précautions. Se rendre en pays communiste, c'est aller chez le diable. Le Rocket est brave. Peut-être va-t-il convertir les communistes au hockey canadien-français catholique?

Le 10 mars, sous le toit d'un grand amphithéâtre, 15 000 personnes, guidées par la discipline des délégués du Parti, attendent le moment où apparaîtra le plus grand joueur de hockey au monde, venu du Canada. Ils ont été informés de ses exploits. Certains amateurs ont lu dans leurs journaux quelques informations sur le Rocket.

Enfin, le maître de cérémonie:

– Voici Monsieur Maurice Rocket Richard!

L'assistance lui offre un accueil aussi bruyant que ses partisans de Montréal. Mais il est entré sans patins sur la patinoire. Il ne porte pas l'uniforme des Canadiens. Il claudique, s'appuie sur sa béquille. Il est coiffé de son chapeau. «Rocketa! Rocketa! Rocketa!» C'est comme à Montréal. Et il est en Tchécoslovaquie communiste! La voix de la foule lui a donné une poussée qui l'a presque renversé. Les gens crient comme au Forum. Et c'est la guerre froide. Ce sont des communistes. Cet accueil chaleureux dure et dure. Il n'a pas marqué de but. Il a seulement marché sur la glace. En boitant. Il en est embarrassé. Être tant aimé, si loin de chez lui! Va-t-il pouvoir retenir cette larme qui le pique au coin de l'œil? L'accueil est démesurément chaleureux. Va-t-il pouvoir retenir ce sanglot qui roule dans sa gorge? Il soulève son chapeau et salue la foule, inclinant la tête. L'ovation recommence. Cette vague lui chavire le cœur. Il n'était pas préparé pour tant d'admiration offerte, loin de son pays, derrière le Rideau de fer.

Ce congrès international veut promouvoir l'entente internationale. Deux grands héros sportifs, un du bloc capitaliste et un du bloc communiste, marchent l'un vers l'autre, se tendant la main: Maurice Richard et le colonel Emil Zapotek. Avant d'être au service de l'armée, Zatopek a été un fabuleux coureur. Il a établi un record de vitesse en 10 000 mètres, aux Jeux olympiques de Londres en 1948. Il a amélioré ce record en 1950. Aux jeux d'Helsinki en 1952, il a mérité trois médailles d'or. Zatopek est le Rocket des Tchécoslovaques. Les deux hommes s'approchent, ouvrent les bras, se donnent une accolade. Deux légendes, deux sports, deux pays, deux philosophies, deux régimes politiques s'embrassent.

Durant son voyage, Maurice est présenté à des groupes de joueurs, d'instructeurs, d'organisateurs de ligues de hockey. Il leur raconte comment il a appris à jouer dans la rue glacée de son quartier. Il leur explique la Ligue nationale. Il décrit son entraînement. Il retrace certains épisodes, explique comment il a déjoué tel ou tel gardien.

Quelques jours plus tard, il revient en pays libre, comblé de souvenirs et de cadeaux. Le gouvernement de la Tchécoslovaquie lui a offert une voiture, une *Skoda* décapotable.

Personne dans la province de Québec n'ignore le triomphe de Maurice de l'autre côté du Rideau de fer. Les communistes ne sont donc pas toujours condamnés au travail. Ils ont donc le droit de jouer au hockey. En plus, ils ne produisent pas seulement des armes; ils savent aussi construire des voitures. Des voitures de sport. Moi, le poète en pays capitaliste, je me suis offert, à 300 $, une vieille Hillman anglaise qui a rendu son dernier soupir dans les collines des Cantons de l'Est. Je l'ai quittée, triste, comme après avoir été rejeté par mon premier amour.

Le Rocket se précipite chez son médecin. Il a hâte de chausser les patins. Il se sent beaucoup mieux. Le médecin, après examen, lui recommande encore un peu de repos: «C'est délicat, une cheville. C'est compliqué.» Il remarque une légère amélioration. Maurice confesse qu'une petite douleur lancinante ne cesse de le tenailler. C'est à cause d'elle qu'il boitille. À la fin mars 1960, c'est évident pour tous:

le Rocket ne reviendra pas au jeu. Heureusement, les Canadiens vont bien. Ils remportent la semi-finale contre les Black Hawks.

Sous l'impulsion de Punch Imlach, les Maple Leafs sont redevenus forts devant leur gardien de but, Johnny Bower, l'homme au visage marqué de 250 points de suture et aux doigts tordus par ces rondelles qui explosent comme des grenades. Pour allumer l'enthousiasme de ses joueurs, Punch Imlach applique des méthodes de choc, dit-on. Un jour, il a renversé sur le plancher un seau plein de billets de banque: «Gagnez la coupe Stanley, vous en aurez encore plus!» Ses méthodes de persuasion semblent efficaces. Les Maple Leafs ne se sont pas classés pour la semi-finale, l'an dernier. Les voici en finale, au Forum, contre les Canadiens.

Toe Blake lui ouvre la porte. Le Rocket apparaît sur la patinoire. Personne ne l'attendait. Les partisans se lèvent pour l'accueillir. Le Rocket va aller leur chercher la coupe Stanley! Malheureusement le vieux champion qui remonte dans l'arène ne peut dissimuler qu'il est blessé. L'un de ses pieds hésite. Il patine avec une peine que lui seul connaît. Toe Blake l'a remarqué. Il regrette d'avoir voulu faire plaisir à son vieux partenaire. Il n'aurait pas dû. Ce n'est pas le Rocket, ce soir. Il considère le champion avec une certaine tristesse. Le vieux tigre affamé a grimacé: il n'aurait pas dû sauter sur la glace. Ce matin, durant l'exercice, Toe a remarqué cette raideur, à la cheville, qui affaiblit son coup de patin. Le Rocket en était conscient aussi. Ce n'est pas sa première rencontre avec la douleur. Il en a l'expérience. Il sait qu'elle va se faire oublier avec la chaude présence des partisans autour de la patinoire, la rondelle à capturer, les adversaires à renverser, le filet là-bas à défoncer. Il a déjà été affecté de souffrances plus aiguës et le hockey les a toutes guéries.

La rondelle glisse vers la ligne bleue. Il court à sa poursuite. Toe Blake observe. Le patin de sa cheville blessée est incertain. L'hésitation du coup de patin ne se corrige pas. Les muscles du Rocket craignent la brûlure que leur cause la poussée du patin. Il essaie de l'atténuer: à chaque coup, il prend une précaution. Maurice n'est pas prêt pour affronter les Maple Leafs. Toe Blake n'a pas eu le courage de lui interdire le vestiaire. Il aurait dû. Pouvait-il interdire à son partenaire de la ligne Punch de chausser ses patins? Pouvait-il garder le meilleur joueur de hockey de tous les temps assis sur le banc comme une recrue en qui on n'a pas tout à fait confiance?

Le Rocket s'étire pour cueillir une passe. Son mal persiste. Il absorbe les bousculades. Que la ligne bleue des adversaires est éloignée. Les Leafs sont de rapides patineurs, ce soir! Il jette un regard vers l'instructeur. Il souhaiterait que Toe Blake le rappelle. L'instructeur détourne les yeux. Il n'a pas envie d'humilier le Rocket. Il lui cède encore quelques secondes de ce hockey qu'il voulait tant. Les jeunes joueurs voient un grand champion, malgré l'âge, malgré les records, malgré les blessures, se consumer au jeu. Hors d'haleine, avec ce clou rougi au feu qui lui traverse la cheville, et le mal qui se réverbère dans sa jambe, Maurice joue pour convaincre les patrons qu'il a sa place chez les Canadiens. Toe le rappelle enfin. Il doit le rappeler.

Maurice n'a pas fait merveille. C'était son premier essai. Un réchauffement. Les partisans n'ont pas encore vu le vrai Rocket. La prochaine fois, ce sera différent. Il sait qu'il peut patiner. Endurer une mise en échec. La prochaine fois, il va leur donner un but... Toe Blake veut gagner ce match. Il ne s'empresse pas d'utiliser son champion éclopé. Le Rocket attend. Toe évite de le regarder. Il est mal à l'aise; les autres joueurs s'en aperçoivent. Il fait semblant de l'oublier. On n'oublie pas le Rocket. Le match défile et le Rocket, sur le banc, attend un signe de l'instructeur. La foule acclame les Canadiens et le Rocket ne joue pas.

Par respect, par amitié, Toe Blake le renvoie finalement au jeu. Le champion ne veut pas abandonner. Johnny Bower attend, à l'autre bout. Ce gardien suit la rondelle avec tant d'attention que ses yeux sont usés comme ceux d'un vieux moine qui a lu trop de manuscrits. Il a sa façon de sortir lentement de sa cage, glisser sur le ventre et, avec son bâton, de râteler la rondelle. Si nécessaire, il remonte son bâton et frappe l'adversaire à l'entrejambe. Le Rocket l'a souvent déjoué. Ce soir, remarque Bower, le Rocket est un peu lent. Ne serait-ce pas une autre de ses ruses?... Par respect, par amitié, Toe Blake rappelle le Rocket. À la fin du match, la victoire va aux Canadiens. Il n'a pas été utile.

Il revêt aussi l'uniforme pour le match suivant.

Les partisans remarquent qu'il ne fait pas de miracle.

Il joue aussi un peu durant un autre match.

Sa jambe ne le porte plus.

Il est incapable de marquer un seul but. Ses 600 et quelques autres buts ne sont que des souvenirs. De la fumée? Des statistiques. Ce but qu'il n'arrive pas à réussir efface tous les autres qu'il a marqués. Ce joueur qui porte le numéro 9 n'est pas le Rocket. La foule maugrée lorsqu'il touche la rondelle:

– Donnes-y le vieux! T'es capable!

Les Canadiens défont les Maple Leafs en cinq matchs. Pour une quatrième année consécutive, ils remportent la coupe Stanley. C'est un record que détenaient les Ottawa Silver Seven (de 1903 à 1906).

Maurice Richard se soustrait aux journalistes. Il n'a rien accompli; pourquoi répondrait-il à leurs questions?

Le héros des séries éliminatoires est plutôt Marcel Bonin. Enfant, il écoutait à la radio les prouesses et les éclats de Maurice Richard. S'amusant avec un bâton et une crotte de cheval gelée, il imitait Maurice Richard. Maintenant, encore étonné, il joue à ses côtés. Il rêve encore de jouer comme lui. Avec une admiration superstitieuse, Marcel Bonin a emprunté les gants du Rocket et a marqué dix buts en 11 matchs!

Le défilé de la coupe Stanley ne m'intéresse aucunement. Je suis amoureux. Ma muse et moi nous promenons, main dans la main, rue Sainte-Catherine, à Montréal, dans l'espoir d'apercevoir les barbus révolutionnaires de Fidel Castro en visite. Les journaux photographient les moindres gestes de ces grands patriotes. Pauvre poète, je souscris quelques sous au fond de charité avec lequel on achètera des jouets pour les enfants de Cuba.

Rue de la Montagne, nous apercevons une dizaine de révolutionnaires de Fidel, en costume de combat, la barbe sauvage. Nous hâtons le pas pour nous approcher. Pour nous approcher de la Révolution. Nous nous répétons les mots que Fidel Castro a prononcés au microphone du journaliste René Lévesque: «Je veux éliminer la misère, l'ignorance et créer une démocratie humaniste.»

Les dieux de l'Olympe chassent un mortel

1959. Les honneurs fleurissent le passage du Rocket. Il est invité parmi quelques dignitaires à un dîner avec la reine Élizabeth. On lui décerne des distinctions honorifiques. Ne devrait-il pas prendre sa retraite alors qu'il jouit de sa pleine gloire?

Son corps s'est encore alourdi. L'administration des Canadiens exigent qu'il réduise son poids pour retrouver son agilité et réduire les risques d'accidents. Pourquoi s'accroche-t-il? Ne va-t-il pas décevoir ses partisans en cessant de ressembler à sa légende? Sur la glace, le Rocket prenait ses décisions à la vitesse de la lumière; maintenant, il est indécis, hésitant comme un petit employé. On lui a promis un emploi au Forum. Cette responsabilité lui fait peur. Le hockey est son territoire, sa vie. Il a besoin de ce terrain hostile. Il ne sait rien d'autre que de renverser les obstacles, se frayer un chemin à travers les embûches pour aller au but. Depuis des années, il se consume durant un match et, comme le phénix, renaît de ses cendres au match suivant. Il ne va pas s'asseoir derrière un bureau et de regarder le temps passer sur des feuilles de papier. Il a peur de cela.

Cette fois, le Temps est posté à la défensive, fortement décidé à ne pas le laisser passer. Ses enfants ne veulent pas qu'il abandonne le hockey; il est agréable d'aller au Forum... Le petit Normand ne veut pas que son père s'arrête; il est le champion et il n'est pas vieux... Surtout, il aime assister aux exercices des Canadiens. Tous les joueurs le connaissent. Il apprend leurs trucs pour être meilleur quand il joue. Lucille souhaite qu'il prenne enfin une décision. Elle n'aime pas le voir ainsi déchiré. Ce n'est pas son homme. Elle préférerait qu'il soit sur la patinoire, le front en sueur, harassé, le visage couturé, plutôt que de le voir songer dans un fauteuil.

Il va jouer encore. S'il était un joueur fini, comme il l'a lu dans les pages sportives, pourquoi Phil Watson le veut-il à New York? Pourquoi Punch Imlach le veut-il à Toronto? Pourquoi Muzz Patrick le veut-il à Detroit?

Toe Blake analyse les statistiques. La saison dernière, le Rocket n'a participé qu'à 51 matchs. Il a accumulé 19 buts. C'est loin d'un record historique, mais comparons. Durant la même saison, Gordie Howe, qui a disputé 70 matchs, présente un total de 28 buts. Les chiffres indiquent que la carrière du Rocket n'est pas terminée.

Le 30 août 1959, à 4 heures 12 de l'après-midi, le tramway Papineau effectue son dernier trajet. C'est le tramway du quartier de Maurice; le tramway de sa jeunesse. C'est une grande nouvelle à Montréal. On en parle à la radio. Dans les journaux. Ce tramway ne roulera plus... Montréal se modernise. La vie change...

A-t-on encore besoin du Rocket? À l'automne 1959, le Forum affiche complet, même si le Rocket est absent. Par l'excellence électrisante de leur jeu, les jeunes joueurs fournissent aux partisans les émotions fortes qui leur sont nécessaires. Le Rocket aime ces jeunes qui ont voulu lui ressembler, qui lui ressemblent. Tout ce qu'il a réussi sur la patinoire, il l'a accompli dans l'action, avec cette intelligence de l'animal qui capture sa proie. Une évidence claire s'imposait à ses muscles. C'est de cette manière qu'il prenait ses décisions devant un gardien de but. En face de la porte qui s'ouvre sur sa retraite, rien n'est évident.

Le 7 septembre, un choc tellurique ébranle la province de Québec: la mort de Duplessis. C'est la fin d'une domination de quinze ans. Le Chef a construit une puissante machine qui impose sa justice: des faveurs à ceux qui appuient son parti et des punitions là où l'on regimbe. Ceux qui se risquaient à contrarier ses opinions étaient accusés d'être pervertis par le communisme. Pour quelques intellectuels, il n'était qu'un démagogue sans vergogne qui a bénéficié de la croissance économique favorable en Amérique. Il était adulé comme un petit dictateur. Comme un petit dictateur, il était craint.

À ses funérailles, à Trois-Rivières, son cercueil est honoré de plus de 1 600 couronnes de fleurs offertes par des amis reconnaissants: entrepreneurs, politiciens, évêques, directeurs de communautés religieuses, maires de village. Déposant Duplessis au cimetière, c'est un certain passé qu'on enterre. Même ses adversaires éprouvent un peu de tristesse. Quel Canadien français n'a pas eu un frisson quand Duplessis chantait les louanges de l'autonomie provinciale? Quel Canadien français n'a pas été fier de brandir ce drapeau fleurdelisé qu'il a donné à sa province?

Il était un ardent admirateur du Rocket. Il allait régulièrement le voir jouer au Forum et parfois, aussi, aux États-Unis. Quelquefois, il lui a adressé une note de félicitations. Duplessis était le champion de l'autonomie. Le Rocket est le champion du hockey. «Quand je serai rendu dans mon cercueil, il sera trop tard pour jouer au hockey», songe le Rocket. C'est maintenant qu'il doit jouer. À 37 ans, on n'est pas vieux. La fracture à sa cheville est guérie. Il doit cesser d'hésiter. Cesser de se tracasser. Jouer. Il consacrera au hockey l'énergie qu'il brûle à douter de lui.

Quatre jours plus tard, Paul Sauvé succède à Duplessis. De toute urgence, il s'attaque à la corruption des fonctionnaires. S'ils sont payés convenablement, croit-il, ils ne seront plus tentés d'arrondir leur traitement en faisant commerce de leurs faveurs. Paul Sauvé annonce aussi que désormais, son gouvernement travaillera au «développement du Canada en assurant son plein épanouissement au Québec».

Durant l'été, Maurice a beaucoup marché, il a joué au golf, il a joué à la balle. Il a ramené son poids à 185 livres. La saison dernière, il n'a aucunement contribué à la conquête de la coupe Stanley. Il sera plus inutile. Cette saison, il va prouver à ses partisans que le Rocket est encore le Rocket. L'administration des Canadiens a eu une idée qui enflamme sa volonté. Son jeune frère Claude a été invité au camp d'entraînement. Frank Selke et Toe Blake l'observent. Selke aimerait proposer aux partisans une ligne Richard qui jetteraient de la dynamite sur les jambières des gardiens de but.

Au camp d'entraînement, la patinoire des Canadiens est inondée de recrues décidées à ne plus la quitter. Il n'éprouvent aucune gêne d'essayer d'expulser les vieux. Les fermes-écoles de Sam Pollack sont une source inépuisable de jeunesse et de talent. Le hockey change.

Une nouvelle machine est arrivée. Maurice la voit aller sur la patinoire avec un sourire amusé. Entre les périodes, on n'a plus besoin de dérouler les boyaux comme des pompiers pressés pour arroser la glace scarifiée. La Zamboni, une sorte de gros tracteur, comme un immense pinceau, rend la glace plus douce, plus lisse. L'eau des boyaux gelait en gouttelettes. La Zamboni ponce ces minuscules aspérités. Sur la glace polie, la lame des patins rencontre moins de résistance. Les patineurs sont plus rapides. Le Rocket est content de cela.

Les patins ne sont plus fabriqués de cuir; la bottine est maintenant moulée dans le plastique. Il faut s'habituer. Le pied est moins à l'aise dans le plastique que dans le cuir. Mais il est mieux soutenu. Il y a moins d'oscillations des pieds. Dans l'effort du coup de patin, moins d'énergie se perd.

On délaisse les trains. Les Canadiens voyageront presque toujours en avion. Les joueurs avaient souvent du plaisir en train, mais ces longs trajets étaient épuisants. Les lits étaient trop courts. Les athlètes étaient secoués à chaque tour de roues. Moins fatigués, ils joueront du hockey plus vif. Certains partisans se demandent, d'autre part, si tout ce confort n'attendrira pas les joueurs.

Même les bâtons s'améliorent. Ils sont plus légers. Trop légers, estime le Rocket. Ces nouveaux bâtons sont supposés augmenter la force de son tir. La fibre de verre les rend plus rigides. Comment extraire toute la force de ce nouveau bâton? Le Rocket expérimente. Durant de longues sessions, il tire et tire. Le plus grand joueur de hockey au monde travaille à améliorer son tir.

Le 19 septembre, lors d'un match hors-concours, Toe Blake met à l'essai la ligne des trois frères Richard. Quelle belle trouvaille: le vieux champion en lutte contre le temps qui passe, Henri qui, avec un corps plus petit, répète les prouesses du Rocket et le jeune Claude, pour qui la patinoire est comme une ardoise neuve où rien n'est encore écrit. Il semble aussi doué que ses frères. La ligne des trois frères

Richard: c'est le passé chargé de souvenirs, le présent chargé d'électricité et l'avenir chargé d'espoir. Longtemps encore les Canadiens seront forts. Longtemps encore, la coupe Stanley résidera à Montréal, dans la province de Québec!

Chaque Richard est mesuré à l'aune de Maurice. Dans les ligues mineures comme dans la Ligue nationale, Henri a subi bien des coups que l'on ne pouvait adresser au Rocket. Même les enfants de Maurice, dans les ligues de parc, paient une rançon parce que leur père est le Rocket. On exige aussi qu'ils aient plus de talent que les autres; ils sont surveillés de plus près que les autres, assaillis plus que tous les autres. Claude sait que l'on a peu de patience pour un Richard qui ne fait pas un miracle en touchant la rondelle.

Maurice est radieux dans sa ligne des Richard. Il est fier de son jeune frère qui est à peine plus âgé que sa fille Huguette. Maurice le sent nerveux; il le rassure: «Même chez les Canadiens, le hockey c'est encore du hockey.» Puis il sourit: «Un petit peu plus vite, un petit peu plus dur, un petit peu meilleur...» Il n'a pas oublié son premier match chez les Canadiens, lorsqu'il est descendu sur la glace aux côtés du grand Toe Blake. C'était comme hier... avant-hier...

Durant ce premier match avec les Canadiens, Claude n'arrive pas à «la mettre dedans»: à porter la rondelle dans le filet. Dès le lendemain, il est renvoyé à Ottawa, dans son équipe junior. Cette décision a pour Maurice un goût amer. Il est convaincu que Claude a le talent nécessaire. Pourquoi les administrateurs lui refusent-ils un autre essai? «Donnez-lui deux ou trois autres matchs et il va trouver le fond du filet.» L'échec de Claude est un échec du Rocket. L'administration aimerait se défaire du vieux Richard; il résiste. Alors ils se vengent sur le jeune Richard. Maurice a son passé; ils ne peuvent lui nier cela. Son jeune frère n'a qu'un avenir... On ne lui a pas donné le temps de prouver qu'il peut devenir un Canadien. Il est un Richard. Comme Maurice, comme Henri. Ils ont poussé Claude dehors, mais c'est du Rocket qu'ils voudraient se débarrasser...

Maurice signe son contrat. Quels sont vos objectifs? demandent les journalistes. «J'ambitionne de compter quelques buts, si je ne suis pas blessé.» La modestie du Rocket est proverbiale: «Compter quelques buts»... L'athlète qui prononce ces mots laconiques est-il vraiment le Rocket? Ses objectifs n'ont jamais été modestes. C'est un homme fatigué, qui doute de soi, désappointé. La ligne des Richard aurait été encore meilleure que la ligne Punch... «Compter quelques buts»: c'est l'ultime résistance du vieux soldat qui quittera sa tranchée dès qu'il aura couché quelques ennemis, les derniers. Alors, en toute fierté, il rentrera chez lui s'il n'est pas blessé...

Dans les premières années de sa carrière, certains jugeaient le Rocket trop fragile pour jouer avec les Canadiens. Aujourd'hui, ils décrètent qu'il est fini. À ses débuts, il était si souvent blessé. De but en but, conquérant le hockey, il a développé une attitude d'invincibilité. Et si une blessure l'atteignait, rapidement s'accomplissait le miracle de la guérison. Promettre à ses partisans quelques buts à la condition de n'être pas blessé: ce n'est pas le Rocket. Le vieux champion a peur de son jeu tout autant qu'il a peur de le quitter.

Le hockey change. Jacques Plante est le meilleur gardien de but de tous ceux qu'il a connus, mais il tricote et écrit des poésies. Cependant, il ne craint pas la rondelle. Il prend plaisir à sortir de son filet, s'emparer d'une rondelle errante et la refiler à un coéquipier prêt pour l'attaque. Dans le passé, les gardiens de but n'étaient pas de bons patineurs. Le grand Georges Vézina, par exemple, a appris à patiner après être devenu un bon gardien de but. Auparavant, il jouait sans patins! Plante patine comme un joueur d'attaque. D'ailleurs, il se prend souvent pour un joueur d'attaque. Le Rocket juge ces manœuvres risquées. Mais les adversaires sont frustrés par ce gardien de but qui ne fait rien comme les autres. Jacques Plante est aussi, comme lui, solitaire, méditatif, avant et après un match. Il a du respect pour Plante, en dépit de ses petites fantaisies.

Au début de novembre, Jacques Plante a décidé de se présenter devant la foule avec le masque protecteur qu'il a porté durant certaines pratiques. Les partisans vont demander s'il a tout à coup une frousse de la rondelle. Est-ce parce qu'il en a reçu une, il y a quelques jours, en pleine figure? Frank Selke est convaincu que les partisans n'apprécieront pas cette mascarade. Ils aiment voir le visage de leurs Canadiens. «Un homme doit être capable de regarder la rondelle face à face.» Toe Blake tente de le dissuader de se cacher derrière cette protection. Plante contrevient-il au règlement? Les plus vieux partisans évoquent le souvenir de Clint Benedict, des Maroons de Montréal; en son temps, il y a presque cinquante ans, il portait un masque. «Gump» Worsley, des Rangers, se moque de Plante: «Un gardien de but qui porte un masque est peureux comme un poulet. Le seul masque que je porte, c'est ma face.» En réponse à ses détracteurs. Jacques Plante impose, le masque au visage, une série de onze victoires consécutives.

Le hockey change. Des joueurs ne sont pas gênés de se coiffer de casques protecteurs. Bientôt un autre gardien de but, Don Simmons, des Bruins, se présente aussi, le visage masqué. Le Rocket, qui a reçu tous les coups et qui les a tous rendus, se demande si ces jeunes ont l'écorce assez rude pour jouer au hockey. Vont-ils bientôt exiger que la rondelle soit fabriquée de caoutchouc plus mou? Ne sont-ils pas excités de se présenter devant le danger, poitrine offerte, visage découvert? Le hockey change... Le hockey change, mais le danger demeure. Le danger, voilà ce qu'il vaut la peine de traverser pour arriver devant le gardien, hors d'haleine, en sueur et décocher un tir chargé de toute la peur de son âme. Quand les partisans crient, c'est l'extase des joueurs qu'ils expriment. Voilà ce que Maurice ne peut quitter.

À Detroit, le 26 novembre, les Canadiens terminent le match avec un avantage de 4 à 2. À peine reste-t-il une minute et demie à jouer. L'équipe entière est postée à la ligne de défense. Il suffit de protéger la victoire. Les Red Wings travaillent à ouvrir ce rempart. Ébranler la certitude des Canadiens. Et profiter d'un instant de désarroi pour marquer au moins un but. Murray Oliver réussit à s'infiltrer dans leur zone. La rondelle vient vers lui. Avec un peu de chance il pourrait la cueillir et marquer. Le Rocket plonge pour obstruer sa trajectoire. A-t-il mal calculé son mouvement? Il n'a rien calculé du tout. Il a fait ce qu'il devait faire: stopper la rondelle. Elle l'a atteint au visage. Durement. Il se relève. Tout étourdi. Il se sent comme s'il avait reçu un coup de hache. Il ne peut pas se tenir debout. Ses jambes flageolent. On le soutient. Le champion sort de la patinoire comme si, tout à coup, il avait désappris à patiner. L'os de sa joue a été fracturé. Les dieux jaloux de l'Olympe s'acharnent à faire débouler le Rocket sur la terre où marchent les humains.

Les médicaments n'endorment pas la douleur. Le voyage vers Montréal est interminablement pénible. La glace appliquée sur la joue est inutile. Le mal est brûlant. Il croyait avoir fait connaissance avec toutes les douleurs. Celle-ci, il ne l'a jamais rencontrée. Elle est la plus impitoyable, la plus aiguë. C'est de la torture. Cette fois, le Rocket a atteint le terme de sa fulgurante échappée. Devant lui se dresse un implacable gardien de but: le Temps. C'est la fin de ce grand match qu'a été sa vie.

Mais ce n'est pas terminé! Il n'a pas marqué tous les buts qu'il voulait. Il reste des échappées à inventer. Il reste des adversaire à mystifier. Des rondelles à catapulter. Des batailles à terminer. Des frissons à donner aux foules. La coupe Stanley à offrir aux partisans. Ces pensées n'adoucissent pas le mal. Le voyage en train n'a pas de fin. Est-il son dernier avec les Canadiens?

Comme d'habitude, Lucille l'attend à la Gare Centrale. Durant toutes ces années, elle est restée à la maison avec les enfants, quand le Rocket mettait le feu aux grandes patinoires d'Amérique. Elle suivait les actions de son homme sans trop être effrayée de le voir s'engager dans les bagarres qui terrorisaient ses enfants. Elle avait confiance en lui. Elle était certaine que, avec un coup de poing appliqué au bon endroit, il se tirerait d'affaires. Cependant elle est toujours bouleversée de le voir revenir blessé. Pourquoi son homme a-t-il si peu de défense contre la malchance?

Les gens reconnaissent la femme du Rocket. On la détaille. On chuchote. On n'ose pas la déranger. On la dérange un peu. Maurice apparaît. Cette fois, il ressemble à un champion qui a reçu une raclée. Ils s'embrassent discrètement. Lucille ose à peine effleurer le visage bouffi, la peau bleuie. Elle espère bien que ce fût son dernier match, mais elle n'en dit rien. Maurice prendra sa décision. Peut-être la rondelle a-t-elle pris pour lui cette décision qu'il repousse? Avec quels mots briseront-ils le silence qui les étouffent? «Ça fait un peu mal», se plaint le Rocket. Ils n'ont plus besoin de parler. Les larmes soudaines expriment ce qu'ils pensent. L'inébranlable Rocket, le fulgurant Rocket, le meilleur joueur de hockey au monde, le Rocket qui venge les Canadiens français des injustices de l'histoire, le Rocket, aujourd'hui, est égaré, comme celui qui ne sait que faire de sa vie: «C'est pas comme ça que j'aurais voulu finir.»

Chez le médecin. À travers ses pensées sinistres, le Rocket entend: «Tu vas retourner au jeu dans un mois si tout se passe normalement.» Ce n'est donc pas terminé! Le champion se lève. Il s'aperçoit qu'il n'était pas aussi ébranlé qu'il le sentait.

Dans trois semaines, il sera sur la patinoire. Dans deux semaines. Il attend que les nuits s'achèvent. Ne devrait-il pas plutôt annoncer sa retraite? Dans une semaine, il va sauter sur la glace du Forum. Les partisans vont célébrer son retour. Et attendre son prochain but. Dans son insomnie se bousculent les idées d'un sombre avenir et les visions de prochaines échappées vers l'autre côté de la ligne bleue.

Pendant les jours froids de décembre à Montréal, on reste bien au chaud chez soi. Surtout quand on n'a rien d'autre à faire que d'attendre. Dans le désœuvrement, on se distrait en grignotant. Maurice a tant d'énergie. Tant d'appétit. Le temps passe si lentement. Grignoter. Essayer de faire la sieste. Très alourdi, le Rocket se présente au vestiaire des Canadiens à la fin de décembre.

Les Canadiens forment une superbe équipe. Jean Béliveau, Bernard Geoffrion, Henri Richard, merveilles de vitesse et d'élégance, torpillent les filets des adversaires. Marcel Bonin offre moins de beauté artistique, mais il est solide comme un camion à plusieurs roues. Il marque ses buts comme s'il roulait sur les adversaires. Hors saison, il est un lutteur; son adversaire, un ours. Et si l'ours est trop courtois, si l'affrontement manque de piquant, il mâche du verre.

Maurice termine sa saison de 51 matchs avec 19 buts. Plusieurs joueurs aimeraient avoir à leur crédit cette performance. Pour le meilleur joueur de hockey de tous les temps, c'est un rendement médiocre. Certains journalistes l'écrivent. Maurice Richard se dit qu'il n'est pas ce joueur moyen dont ils parlent. Les journalistes ont-ils déjà oublié ce qu'il a accompli? C'est facile de taper sur une machine à écrire. Ces écrivailleurs ont-ils une idée de l'effort qu'exige un seul but? Marquer un but, c'est gagner contre l'impossible. L'impossible est toujours là, au bout de la patinoire, dans le filet des adversaires. Le Rocket ne va pas se retirer du combat. Mais les souvenirs ne suffisent pas. Au hockey, seul compte l'instant présent. D'un coup de bâton sur la rondelle, il doit donner à cet instant la fulgurance de l'éclair.

Même les partisans changent. Il ne les sent plus frissonner lorsqu'il jongle avec la rondelle. «Vas-y Maurice, t'es encore capable!» Montant vers le but, il a besoin de plus d'effort. Les muscles de ses jambes doivent pousser plus fort un corps plus lourd. Il ne se sent pas, comme dans le passé, poussé par les partisans qui voient Maurice Richard jouer au ralenti. Ils sont éblouis par d'autres joueurs. Maurice ne peut quitter...

En semi-finale, les Canadiens éliminent les Black Hawks en quatre matchs. Le Rocket est absent de la fête. Ses tirs ne font plus peur. Le gardien de but les voit venir.

Pour la finale, ainsi que l'espéraient les partisans, les Canadiens et les Maple Leafs se retrouvent. Les Canadiens devraient guillotiner les Leafs en quatre tentatives, prédisent-ils. Les Canadiens vont leur imposer une totale domination. La coupe Stanley restera à Montréal...

L'an dernier, à cause de sa blessure, Maurice Richard n'a pas réussi un seul but durant les séries éliminatoires. Cette année, est-il condamné à regarder jouer les jeunes? Au troisième match, vers la fin de la seconde période, les Canadiens ont l'avantage 3 à 1. Phil Goyette augmente cet avantage 4 à 1. Une minute quatre secondes plus tard, la foule du Forum retient son souffle devant une émouvante magie. Alors que ce n'est plus nécessaire, le vieux Rocket se métamorphose en jeune Rocket. Les ailerons de Mercure repoussent à ses patins. Le jeune Rocket s'élance avec cette volonté de renverser les falaises, de briser le mur du son, avec une certitude inéluctable de marquer un but. Le jeune Rocket semble danser à fleur de glace, mais on entend le crissement de la patinoire lacérée par de forts coups de patin. La glace siffle comme si elle fondait sous le feu de ses lames. Ses poursuivants semblent atteints de vieillesse subite. Il pénètre dans la zone des adversaires comme si les défenseurs lui en ouvraient la porte. Quand il parvient devant le gardien de but, il esquisse une feinte, un éclair aveugle Johnny Bower et la rondelle est au fond du filet. Sans donner au gardien le temps de comprendre qu'il a été déjoué, le Rocket, du bout de son bâton, pêche la rondelle. Les partisans lui font un triomphe comme on en faisait au jeune Rocket.

Pourquoi a-t-il tenu à conserver cette rondelle? demande le poète raté devenu journaliste des sports. «J'ai gardé la première rondelle que j'ai mise dans un filet de la Ligue nationale. Je veux aussi garder ma dernière.»

Aux célébrations de la coupe Stanley se mêlent les espoirs que suscite, dans la province de Québec, le nouveau chef du parti libéral, Jean Lesage: «C'est le temps que ça change!»

Son parti est élu avec une modeste majorité. Le nouveau gouvernement est assermenté le 5 juillet. Dans les jours qui suivent, il prend plus de décisions que tous les autres gouvernements depuis le début du siècle. Il retire au clergé catholique la responsabilité de l'éducation. Pour assainir les affaires corrompues du gouvernement, il oblige tous ses départements à procéder à des appels d'offre publics: avant d'accorder un contrat, on devra étudier le mérite de chaque soumission. Il annonce sa volonté de protéger le visage français de Montréal. Il entreprend un dialogue avec le gouvernement fédéral pour établir une assurance-hospitalisation. Il émet la directive que tous les chèques émis par le gouvernement seront désormais adressés directement aux récipiendaires sans passer par les mains des organisateurs politiques des députés. Enfin, Jean Lesage assure: «Nous n'avons pas l'intention de nous enfermer dans un isolement qui serait aussi illusoire pour un membre de notre confédération que nuisible à son ensemble.» En quelques jours, la province de Québec est devenue une province différente. On se sent comme après un but du Rocket.

Quelqu'un se souvient-il que, avant tout homme politique, le Rocket nous a enseigné l'effort, l'honnêteté, la fierté, la liberté, l'honneur de ne pas se sentir inférieur, l'acharnement contre les obstacles, l'excitation de vaincre l'impossible?

Personne ne pense à cela.

Personne.

Personne. Pas même moi, le poète, dans une petite chambre aux murs couverts de papier fleuri. Je suis entouré de livres... Je suis amoureux... Et les grand auteurs immortels n'ont jamais parlé de hockey. Et les peintres que je connais n'ont jamais peint de joueurs de hockey...

63

Ouvrir les stores, fermer les stores

1960. Pendant l'été, Maurice a encore gagné du poids. Chaque jour de lumière le rapproche de ce jour sombre où il faudra quitter le hockey. Il n'a jamais cédé la rondelle à un adversaire sans s'escrimer. Cette fois, ce n'est pas seulement la rondelle qu'on lui dispute, c'est le jeu de hockey. Il ne dort pas. À force de penser, il est plus fatigué qu'avant les vacances. Quatre ou cinq heures de sommeil, c'est tout le repos qu'il peut endurer. Le reste de la nuit, il songe. Et il tente de digérer ce qu'il a mangé. Il mange trop, il le sait, mais il a faim. Ensuite, il a mal à l'estomac. Cette sensation d'avoir avalé des clous... Alors il est de mauvaise humeur.

S'il fait une promenade, il revient fatigué. Comment va-t-il patiner cet automne avec des jambes qui ne veulent plus faire une petite promenade? Ce n'est pas pour rien que ses résultats sont médiocres. Il ne pourra plus patiner... Ce n'est pas vrai. Il va patiner. Il se rappelle son dernier but contre Johnny Bower. Combien de jeunes joueurs, avec leurs bonnes jambes, peuvent réussir un si beau but?

Partir maintenant? Il a accumulé quelques économies. C'est peu, car il a pas mal de temps devant lui. Il est responsable d'une famille. Des adolescents. Des plus jeunes qui grandissent. On lui conseille d'ouvrir un commerce. Il ne se voit pas derrière un comptoir. Que connaît-il du commerce? Il a déjà vendu des voitures, l'été. Ce n'est pas ce qu'il a aimé le plus au monde. Il n'avait pas envie de baratiner les clients comme d'autres vendeurs. Il faut connaître les affaires. Il n'a appris que le hockey. Et c'est assez; il va se présenter au camp d'entraînement. Il va convaincre Toe et monsieur Selke que les Canadiens ont encore besoin du Rocket.

Investir ses économies dans un commerce? Une taverne? Un restaurant? Il en a vu plusieurs être ainsi dépouillés de toutes leurs économies. Sur les trains, dans les avions, il a lu des magazines sur les affaires, mais il n'a pas une tête à comprendre ces choses. Il n'y a rien comme le hockey.

Et quand il ne pourra plus jouer? Il jouera cette année. Il va perdre du poids. Il va refaire les muscles de ses jambes. Il suffit de recommencer à patiner. Spéculer sur l'avenir... Cela cause de l'inquiétude. Travailler dans un bureau? Monsieur Selke le lui a offert. Il est incapable de s'enfermer dans un bureau: «Arriver le matin, ouvrir les stores vénitiens... Les refermer le soir en partant... Je peux pas faire ça.»

Il est terrorisé par un avenir où il n'aura plus de hockey. Sans son uniforme des Canadiens, il ressemblera à ces prêtres qui, après une vie vécue sous la soutane, se retrouvent là où il n'y a plus de messe. Le Rocket a vécu entouré de ses partisans. Ce grand solitaire craint de se retrouver seul.

Gordie Howe est devenu un meilleur hockeyeur que lui; Henri, son frère, Béliveau, Geoffrion, Bonin lui sont maintenant supérieurs. Et Bobby Hull... Le hockey a changé, le monde a changé et le Rocket a vieilli. Il ne sait où aller. Le 12 septembre, pour la dix-neuvième fois, il se présente parmi les jeunes recrues au camp d'entraînement des Canadiens.

Dès que ses patins touchent la glace, Maurice sent la rouille dans ses articulations. Il est lent. Il est lourd. Les muscles de ses jambes sont comme de vieux élastiques. Même son instinct hésite. Auparavant, avant de penser, il savait. Maintenant il pense et ne sait plus. Il n'aurait pas dû venir à ce camp. Pourtant son tir est encore autoritaire. Il a passé son été à rabâcher la pensée qu'il n'était plus comme avant. Peut-être a-t-il fini par se convaincre? Dans le passé, plus il doutait de lui-même, plus il marquait de buts. C'est à force d'efforts qu'il chassait le doute. Ses muscles sont ramollis... A-t-il encore la volonté de jouer? Ne pas vouloir prendre sa retraite est une chose. Vouloir jouer au hockey en est une autre. À la fin de la période d'entraînement, son visage se détend. Le Rocket a vraiment envie de jouer au hockey.

Le lendemain, il revient, il est moins tendu. Aujourd'hui il va jouer pour jouer. Des ondes de plaisir traversent son corps quand la rondelle touche le fond du filet. «Ce n'est qu'un exercice, Rocket!» Tout comme les recrues, le vieux champion veut mériter sa place dans l'équipe.

– Rocket, monsieur Selke veut te voir.

Le Rocket retire son uniforme et monte au bureau du directeur général.

Dans ces livres immortels que je lis, le hockey n'existe pas. Les personnages ne font pas de sport. On ne voit jamais une foule se rassembler pour observer de grands jeux où s'affrontent les forces sombres de la vie. Je lis, en cette fin d'été, le récit du dernier jour d'un vieux comte espagnol. La fierté le tient droit comme un long *i*. À son réveil, la lumière est insupportablement belle sur les collines d'Estrémadure. La plus grande passion de sa vie a été pour les femmes. Quand il dit toute la vérité, il avoue que sa grande passion a plutôt été pour les chevaux. Ce jour-là, il demande à son serviteur de lui passer son plus beau costume. Il demande à son armurier de lui apporter son plus beau revolver. Il demande à son garçon d'écurie de lui préparer sa plus belle bête.

Et le vieux comte fait le tour de sa terre en contemplant tout ce qui a été fait. De retour, il s'arrête à la plus belle auberge de la région. Il exige la plus belle chambre. Il réclame la plus belle fille. Il se fait monter le meilleur vin.

Après la sieste, il remonte à cheval, s'arrête à l'église où il récite la plus belle prière qu'il connaît. Ensuite il dépose dans le tronc des pauvres la plus belle des aumônes. Et sa belle bête le ramène à cet arbre avec un trou comme si son cœur avait été arraché. C'est là que le vieil homme a déposé son revolver. Ici se termine sa vie.

Je pense à cette histoire lorsque, le matin du 14 septembre, je vois en première page du journal le visage ému du Rocket. Il annonce qu'il «n'est plus un membre actif du Club de hockey Canadien.»

Le Temps a gagné. Le Rocket accepte la défaite. Le héros de mon enfance est vaincu. Je suis devenu un homme.

«Et maintenant, que vais-je faire?» C'est une chanson qui crie sur toutes les radios, dans tous les juke-box de cet été. Je pense aussi à un poème: un oiseau avait des ailes de très vaste envergure. Lorsqu'il volait au ciel, toutes ailes déployées, l'albatros était d'une majestueuse beauté. Revenu au sol, l'albatros, à cause de ses ailes encombrantes, avait l'air misérable. Majestueux au ciel; maladroit sur la terre. Un poète décrivait ainsi le poète.

Avec ses grandes ailes déployées sur la patinoire, Maurice Richard était beau. Peut-on l'imaginer sur la terre des vendeurs d'assurances, des vendeurs de bière, des vendeurs de mazout, des vendeurs de produits capillaires, des employées de bureaux?...

Le poète raté devenu journaliste des sports a été gratifié d'une bouffée d'inspiration: «Le Rocket a traversé la patinoire comme un météore traverse le ciel.» Quand je serai devenu vieux, parlerai-je du Rocket comme ma grand-mère racontait la comète de Halley? Le

Rocket ne cessera jamais de patiner dans nos mémoires, de marquer des buts. Jusqu'à la fin de nos vies, nous entendrons: «Maurice Rocket Richard lance et compte!»

27 mai 2000. Je viens de mettre le point final au dernier paragraphe de ce livre. À la radio, cet après-midi, j'ai entendu: «Les heures du Rocket sont comptées.» Je fixe ce point sur l'écran. Ai-je vraiment terminé? Le téléphone sonne: «Vous savez sans doute la nouvelle?» Je réponds au journaliste: «Il me semble que je n'ai rien à dire.» Mais je sais ce que je pense: nous avons été, nous serons de meilleurs hommes parce que le Rocket a traversé notre enfance.

Transcontinental
IMPRESSION
IMPRIMERIE GAGNÉ

IMPRIMÉ AU CANADA